JN074559

難訳・和英オノマトペ辞典

松本道弘
Michihiro Matsumoto

The Unafraid Onomatopoeia Dictionary from Japanese to English

さくら舎

まえがき

日本人は、英語が大の苦手。英語は絶対モノにできない。だから、オノマトペ風に英語をやれば、日本人でも英語がぺらぺらになる——

読者は、はあ？　と首をかしげる。

英語が苦手と、オノマトペがその解決法？

どうも筋が通らない。私もそう思っていた。むしろオノマトペは、英語学習の邪魔になると、考えていた。

そもそも、外国語は苦労して学ぶものだ。オノマトペ（擬態語、擬音語、擬情語までが含まれる）は、苦労しなくとも、いや、がんばらないほど、よく学べる。矛盾する。

英語をこつこつ学ばなくても、すらすら話せるようになるって、まったく論理が通らない、証明してほしい。そんな知的好奇心に溢れた読者諸兄の疑問に、ばっさりとお答えしたい。

学校（教科書、受験）英語をひっくるめて、静脈英語（venous English）とすれば、公認された無難な英語だから、ぐっと身近に感じるだろう。筆記試験に強い人は、すべて静脈英語の信奉者なのだ。じゃ、具体例をひとつ。surpriseを静脈風に訳すと、「驚き」である。小中学生の誰もが知っている単語だ。だが、その単語が実際の会話で使えるだろうか。

「さあー」。何？　その「さあー」と、外国人は聞きたがる。英訳できないのだ。同じく「はあ？」という呼吸を訳せといわれても、息が止まってしまう。この「はあ？」は、What?（なんやそれ？）に近い。しかしそれでは芸がない。オノマトペは、ことば以前の響き（vibe）なのだ。ロジックや英文法の「しばり」をルールとする静脈思考では、英訳できない。logicでなくintuition（直感）なのだから。

そもそも言語とは、音（sound）と「直感」から始まるもので、論理や文法はあとから来るものだ。

さて、このsurpriseという名詞は、たしかに「驚き」である。しかし、そこには音も音楽もなければ、愛や感動といった情的な波動（vibration）もない。これでは直感も稼働しない。ドアを開けたら、Surprise! と言って、数人が祝いのために集まってくれた。この意外性の「喜び」が仕込まれているのだ。

英語そのものの見える部分が活躍できるのは、あらゆるコミュニケーション分野のうち、学校で教えられる静脈英語であるわずか４％ぐらい（宇宙の可視物と同じくらいと定義しておこう）だろう。その裏の微かにしか見えない暗黒物質の部分（ジェスチャーを含めた非言語）は、せいぜい16％ぐらいかな。それらトータルの20％が意味論という暗黒物質だ。

残りの80％は、波動でしか伝導しない、超言語的エネルギーといえる。これが暗黒エネルギーなのだ。

surpriseの意味論（semantics）は「驚き」（ネガティブな意味合いが強い）を超えた「意外性」（ポジティブな意味合いが強い）にある。

言葉の意味を超えたら、そこにシンボルや記号があった。記号を学ぶ記号論（semiotics）が登場する。それは言語の裏である。しかし、その裏のさらに裏がある。そこに登場するのが残りの80％を言語に結びつけるオノマトペだ。やっと動脈英語（arterial English）の出番だ！　言語であっても、言語でない、摩訶不思議な非言語的空間なのだ。それが斬れば赤い血が出る、red hot blood Englishの正体なのだ。

日本人はきわめてオノマトペイックな超言語構造をもつ民族だ。だから日本はオノマトペ（響き）が幸うまほろば（聖域）なのだ。

このように日本人はおおらかな民族で、海外の文化は、珍しいものであれば、なんでも無条件に受け入れてしまう。口伝がすべてであった縄文人間にとって、文字などアクセサリーに過ぎなかったのだろう。

文字に強い国（たとえばイスラエルや中国）から「文明国に必要な文字（漢字やヘブライ語）を教えてあげようか」という申し出があれば、ありがたい、ありがたい、と素直に外国文化を受け入れてしまう、うぶな国民なのだ。渡来人のお土産は、すべてsurpriseであり、好意的に頂戴した。「倭（やまと）のみなさん、我々弥生民族に何をお望みですか」と問われると、素直に「おまかせします。よろしく」としか言えないのが縄文気質の日本人。

戦国時代は違っていたかもしれない。「それじゃ、お言葉に甘えて、地球儀と、鉄砲が欲しい」と具体的な戦時物資を求めた、戦国大名もいた。これらは例外。

だから、いまでも、こぢんまりした料理店を訪れた常連の日本人客は「適当に」「おまかせします」と言う。おもてなしには「察し」はつきものだ。ところが、この「おまかせします」が英訳できないのだ。具体的に注文品を口にしなければ、察しがつかないお国がほとんどなのだ。

こんなときに、静脈英語を使って、文字通りにI'll leave it to you.では、英語のできる料理人たちは困るのだ。具体的に述べなければ通じない厄介な人たちなのだ。正解を急ごう。**Surprise me（us）.**

なんで、こんなに簡単な英語が聞きとれず、理解できず、使えないのか。

もしSurprise !をオノマトペ風に「じゃーん」と訳していたら、Surprise me.を「おやっといわせる、なんか旬(しゅん)のものでも」と情感を伝えることができる。Does this excite you?を静脈的に「この話であなたを刺激させますか」と言うより、「それって、わくわくするお話？」とオノマトペのわさびを利(き)かせて、動脈的に訳したほうが、お互いがなごみ、容易に呼吸を合わせることができる。会話もはずみ、異文化間の距離は縮まるはずだ。

へんな静脈英語なんかポイと捨てちゃえ。そうすればもっとコミュニケーションをときめかせるホットな英語を学べる。

Let go of bad (rotten) English. Get the kind of English that excites you, instead.

世界で知られた日本の片づけ師のこんまりは、（全米に知られたTVキャスター）スティーヴン・コルベアにインタビューされて、「捨てるか捨てないかの判断は、ときめくか、ときめかないか(spark joy or not)」だ、という名セリフを残したが、格調が高すぎた。オノマトペ風に「わくわく感」を加味すれば、Does that turn you on?（Does that excite you?）と口語的表現の方が、使いやすく、子どもたちにも通じる。exciteを「興奮」でなく、「わくわく」とイメージさせれば、無理してspark joyといった高尚な英語を使う必要はない。

で、ご注文は？

「おまかせします」。Surprise me !

よろしい。静脈英語と動脈英語の相違は、本文に目を通せば、もう、ばっちり。あとはお楽しみ。**Surprise!**

The Unafraid Onomatopoeia Dictionary from Japanese to English

ah-a

あーあ。　Boring.

「あ」を伸ばして「あ」で止める。やれやれと背伸びしたくなる。つまらない話を聞いていると、あくびが出る。

I'm bored to death. 退屈は死に至る病なのか。

常に刺激（英語ではbreak）を求めるアメリカ人は、同じ話を、同じジョークを繰り返されることを嫌う。それが理由で相手を退屈にさせることも、恐れる。そういうsocial game playersは、常にこう訊（き）く。Am I boring you? と。

不安なのだ、内心は。敵（パーティーの主催者）はGuess who's coming to dinner?（誰が次の夕食に。それはお楽しみ。）と内心びくびく（butterflies in their stomachs）しているのだ。

アメリカ人は大阪人とよく似ている。どちらもホンネから入る。「あいつは眠たいやっちゃ」（He's such a bore.）と陰口を叩かれると、もうお呼びがかからない。

Yes, boredom kills New Yorkers and Osakans. いらち（many ants in their pants）な大阪人やニューヨーカーを殺すのに刃物はいらない。Just bore them to death.「あーあ」と言わせればよい。

ah-ah (yare-yare)

あーあー（やれやれ）　Sigh! / Good grief!

あーあーという溜息（Sigh! という）を訳せば、Good grief! となろうか。アメリカの漫画『ピーナッツ』によく登場する「やれやれ」（Good grief.）に近い。通常一流雑誌では、Sigh! で表現される。ちなみに「しーん」はsilence、沈黙の「間（ま）」はpauseと、書き言葉で表されることが多い。

沈黙が音で表されるケースも、詩のなかに散見される。「古池や蛙（かわず）飛びこむ水の音」が、An old pond, a frog jumps in, splash。ぽちゃんがsplashか？　うーん。Beyond surprise! ぽかーんとする。このネイティヴ翻訳者、やるのう。Wow!

水の音がthe sound of the waterとしか訳せなかった、この私の英語力。ああ、Sigh!

あ

ahn

あーん。 (Open your) mouth wide open.

歯医者さんはオノマトペの大家。「あーん」「歯を左右にぎしぎしと」など、すべてがオノマトペ。患者の方も「うーん、ちくちく（じくじく、ぴりぴり）」と、痛み加減をオノマトペで答える。

定石（じょうせき）は、「あーん」と、口をあんぐりと開かせることだ。「あー」の母音は幼児から始まる。赤ん坊は、「あーん」と泣き出すことから始まる。「あ」の母音はmamaそしてpapaを呼ぶ第一声となる。「口を大きく開いて」（Open your mouth wide open.）と言うより、もっと短くMouth wide open. さらに、mouthも不必要なら、「あーん」だけで通じる。この擬音語（onomatopoeia）は、翻訳者——とくに外国人——を困らせる。

「あーん」はべつに外国語に翻訳しなくてもいい自然言語なのだ。このnatural languageを人間はわざわざ、人為語（man-made language）に変えようとする。からすの「かー」は英語ではcawと子音がくっつけられる。「どうして啼（な）くの」と問えば、「かわいい七つの子があるからよ」と、意見が加えられる。

「からすの勝手でしょう」と茶化すのも、人間のいたずら。そもそも、からすが「かーかー」と啼（な）（鳴、泣、哭（な））くというのも疑問だ。母音の「あー」を「ああ、ああ」と大声で引き伸ばした方が、からすの「かー」に近づく気がする。

『日英擬音・擬態語活用辞典』（北星堂書店）の編者・尾野秀一（おのひでいち）氏によれば、「くすくす」笑い（chuckling laughter）とか、鳩の「くーくー」（cooing）は擬声語（voice onomatopoeia）とか、「かんかん」と鳴る鐘の音（the clanging of a bell）とか、木の「ぱりっ」と裂ける音（the splintering of wood）は、擬音語（sound onomatopoeia）と呼んでいる。たびたび本書で私が引用させていただく、多くの「オノマトペ辞典」のなかで、思考のベース（下敷き）にさせていただいたのは、この尾野氏と『擬音語・擬態語辞典』（講談社学術文庫）の山口仲美（やまぐちなかみ）氏のご両人だ。編集が進むにつれ、磁石に引かれるかのように、引用数が、じわーと広がった。

(aitte) nani-yo

（愛って）何よ。　Define love.

「愛」は「心」と同じく、頭で考えるものではなく、心で感じるものだ。オノマトペ王国の住民には、定義（definition）というD-wordは要(い)らない。カドが立つ。水くさいぜ。（What's friend for?）と叱られる。アメリカ人は愛（love）という言葉を、これでもかこれでもか、と乱発する。

しかし、最近観(み)たアメリカ映画では、女性同士の会話で"Define love."という質問から始まるやりとりを耳にした。暗闇のなかでメモったが、字が読めず内容を忘れた。もし、"True love means to give."とエーリッヒ・フロム（Erich Fromm）のように答えれば、相手はThat's hard to take.（そんなのいや。私にはできない）と答えるかもしれない。このザッツ、ハード、トゥ、テイクという私のメモは、読めた。「あの人はやっと私に電話をくれた」、He finally called.も読めた。「やっと」はfinally。「へー（本当かな）」は、That's funny.「ほっとした」はWhat a relief!「ほら」がTold you.（いずれも短く、斬れる。）「がんばれ」はCome on.

前著『難訳・和英ビジネス語辞典』では、「泣いてもらえ」はGive them a sob story.と解説したが、2019年7月に観た映画では、"Beg."だけ。この語感（feel of language）が、映画『美味(おい)しいごはん』の字幕翻訳に役立った。

それにしても、英語を学ぶということは、定義を学ぶことではないか、と思う。それには私がアンブローズ・ビアスの *The Devil's Dictionary*（『悪魔の辞典』）に影響を受けたように、読者諸兄にはdebateというD-wordを味方にすることを勧めたい。

AIの美人ロボット（ソフィア）に、知識人が聞いた、Can you define AI robots? と。ソフィアはどう答えたか。Can you define humans then?「じゃあ人間って何よ」と。んーん。Mm. 相手として不足はない。が、この松本には勝てまい。ふっふっふっ。

akan

あかん　non-negotiable / bad

大阪はオノマトペ天国だ。「痴漢は犯罪です」（Groping is a

crime）と大都会では、漢字を使う。大阪では「チカンはアカン」（No way）だけで通じる。この「あかん」は、標準語に翻訳すると「交渉の余地はありません」ということだ。これを英訳すればnon-negotiableだ。これを大阪弁に訳すと「あかん」か、「あかん、あかん」。さらに「あかんもんはあかん」（No means no.）とくどくなる。

交渉のできない人を「あかんたれ（born losers）」という。

大阪人には正しい（right）か、間違っている（wrong）か、という論理的な判断が通じないことが多い。

「ここは駐車違反の場所や。」

「あの人も、止めたはるやんか。」

「信号は赤だ。」

「ほな、みんなで渡ろか。」

まるで漫才の世界だ。定義のできない「筋」という概念の解釈でも、東京と大阪では違う。東京はあくまで論理的であるかというルール・ベースの文明地帯。大阪はまだ文化地帯のままで、完全にcivilizedされた都会とはいえない。法律より掟が、いや、その場の“空気”が善悪を決定するという、巨大な田舎なのだ。

私は、人生の半分ぐらいは、このいい加減な、いや、それがゆえにパワフルな文化圏（low-entropy culture）で育ってきた。あらゆる外国の文化を、ごちゃまぜにして、単純化してしまう。そこで育まれたのが、giveとgetという発想だ。進学塾で英語？　そんなのあかん！　Bad! といっても、進学塾のあり方をwrongと決めつけたワケではない。そんなヘンな英語を使ったら、取り返しがつかんで、あかん、あかん。このあかんはBad. みんな同じ英語を使うとる、きしょくわるい！（Creepy!）

「お前ら、羊か。Are you sheeple?」と言ったこともある。こんなしゃれも使った。そんな羊から、クローン羊がどんどん生まれると聞いている。Cloning sheep. Is it good or bad? と問うた。答えがなかったので、私はBaaad!（あかーん）と答えて、笑いをとる。めーめーの羊はbaa baa baaと啼くから、英語では、「あかん、あかん、あかん」と泣いていると感じる。

役員室をノックする。May I come in? 返事がなかったら、誰かがいる気配を感じ、Is this a bad time?（いま、お邪魔じゃないでしょうか）と問いつめることは間違ってはいない。取り込み中はa bad time。たとえright time（法的に許される時間帯）でも。

社長と社長夫人が大ゲンカをしているなら、どちらかが取り乱している。これがbad time。このwrongとbadの違いがわかれば、かなりの英語の使い手だ。

Your wife is a wrong woman.（奥さんはきみにとってふさわしくない。）

No. She's a bad woman.（いや、だれにとってもふさわしくない女だ。）

バランスをとった例文を加えよう。

My husband is a bad husband.（主人は悪い人です。）

No. You're the wrong wife for him.（あなたの主人はあなたにはふさわしくないだけのことです。）

やっぱり、女性を敵にまわす例文になってしまった。

akan-mon-wa-akan

あかんもんはあかん。

You should know better. / No means no.

「そんなの常識じゃないか」の静脈英語はThat's common sense. 日本人同士では通じるが、日本人以外にはさっぱり通じないことが多い。動脈英語（red English）と違ってリスクを恐れる静脈英語（blue English）は、内輪同士では確実に通じる。risk-averse English（リスク回避のできる英語）は、大学受験では欠かせない。

同僚のアメリカ人マイケル（MR. STEPUP講師）に、静脈英語をred Englishに対してblack Englishではどうかと問いかけたが、黒人英語と誤解される恐れがあるというので、いっそblue-blood English（縮めてblue English）にしようと決めた。たとえば、You take up a lot of(my)space.をred Englishで訳すと「割り込んでくるなよ」となるが、blue Englishは、リスクをとらず「私の空間を利用している」となる。

ある大学受験の英語の模範解答の「利用」という日本語を見て、唖然（あぜん）とした（It beats me.）。このBeats me.という口語表現は映画にもよく出るので、red Englishだ。『オックスフォードイディオム辞典』では、こんな例文も。It beats me how he can afford a new car on his salary.（やつは、あんな給料で、よくも新車が買えるね、わけわかんねー。）

さて、戻る。「あかん」は大阪弁で、No。「あかんあかん」と重ねると、No way.と強くなる。「あかんもんはあかんのや」と説教調となると、You should know better.（常識やないの）となる。こういう動脈英語はイギリス人も使っている。連続ドラマ*Mistresses*（愛人たち）のなかの話。ベッドのなかで、男がたばこを吸っている。女がそのたばこを取りあげて吸い始めた。男は言う。"Doctor, you should know better."（たばこは身体に悪いことはお医者さんなら知っているだろう）と。

そのときの女医の答えが「わかったうえよ」であった。英語はI shouldn't.「医者もルールを破りたくなるときがあるのよ」と。なんという、ぶっそうな会話！　これが映画で耳にするred hot blood English。日本人の静脈英語は、筆記試験のための採点される英語であって、使うためのものではない。

atsu-atsu-no

あつあつの　lovey-dovey

恋にのぼせ上がった状態を、オノマトペでは「あつあつ」とか「ラブラブ」と表現する。愛しい相手ならおまえでも、あなたでも、lovey（ダーリン）が使える。

あつあつでも、幼な恋はpuppy loveで、熱しやすく冷めやすい。calf loveともいう。子牛だから、真剣な恋愛とはいえない。『オックスフォード新英英辞典』は、the puppy love becomes an on-and-off relationshipと解説する。

英英辞典を片手に旅行しろ、と私がよく言うのは、英英辞典は「英語で考える（感じる）」うえで役に立つからだ。英語の語感を学ぶには、英英辞典に限る、と同時通訳の師であった西山千氏から諭されたものだ。ちなみに、西山氏は『広辞苑』から日本語のシンボルを学ばれていた。

言葉だけではない。ボキャビルの量ではない。質なのだ。意味論なのだ。英語のシンボルなのだ。「あつあつ」から熱が感じられるだろうか。

red hot kiss, red hot lips, これらはpuppy loveから卒業し、大人の恋愛が始まった頃から始まる。

atto-iu-ma-ni

あっという間に　before one knows it

あっという間に終わった。It was all over before I knew it.

before I know itは決まり言葉。よく耳にする。そして読者もすぐに使える。しかし、決して最後のitを忘れないように。itによる英語の「ぼかし」が理解できれば、ニューヨークは怖くない。「そうだ。ぼくもここが好きだ」(I like here.)「ほら、itを忘れたぞ」

I like it here. とitを忘れるな……。先生にずけっと言っていただくのが好きです。I like it when you talk straight.

コーヒー・ブレイク

あっという間に書くコツ

私は速筆家である。だから、この『難訳辞典』シリーズも年に一回のわりで、書き上げることができる。集中力の賜物(たまもの)だと自負している。とはいうものの、内心じくじたるものがある。こんなに書いてもいいものか。

大作というものは、よほどの売れっ子作家でなければ、数年に一度で十分ではないか。そして、本当の人生の達人とは、めったに書かないものだ。名人や聖人は、人に書かせることがあっても、めったに自らがペンを執(と)って自らを語らないものだ。

だから、多く書く人を乱筆家め、と決めつけてしまう。自分が許せないから、同類の相手も許せないのだろう。近親憎悪に近い感情なのかもしれない。

そんな私が、ある評論家(S.M.)と会ったことがある。もう十数年前のことだ。「これまで書いた本は百数十冊ぐらいでしょうかね」と軽く答えたところ、「のべつまくなし書いていますね」と返され、むっとした(I was miffed.)。耳に痛い(That hurts.)ことを言われたからだ。

気分を害した理由は三つある。

一つは、それが真実だったから。Truth hurts.

第二、同じような文筆業者に面罵された気になったから。「あんたに言われたくないよ」（Look, who's talking.）

第三、私は「のべつまくなし」（endlessly—like a broken record）書きまくっているわけではない。

この三番目の理由について、触れておこう。自己PRのために書くのではなく、自分の拙稿を世間の眼にさらし、世間からの批判を仰ぐための「行」という意識があったからだ。その私なりの純粋な動機をいじられたような気になったから、「うっ」と二の句がつげなかったのだ。That stopped my heart.（いやbreathかな。）いまもむしゃくしゃしている。I'm still bitter.

たしかに中３の頃から毎日、当用日記を書き続けてきた私は、疑いもなく速筆家だ。しかし、「のべつまくなし」書いているわけではない。Hell, no.「ワイン形式」と名付けた私の文筆スタイルは、思考が熟成するまで、じーっと待ち続ける（wait, wait and wait）。

この発酵期間が短ければ、間違いなく駄作（a flop）となる。この『難訳・和英オノマトペ辞典』は10年もののワインだ。常に数十本のワインは、潜在意識という棚に寝かせている。なかには20年以上も蔵入りさせている古酒（クース）もある。蔵から取り出すタイミングが大切だ。

孵化寸前のひなどりを出すタイミングを一番よく知っているのが親鳥だ。啐啄同時（perfect timing）とは、一瞬を間違えば、too earlyかtoo lateで命取り（critical）となるのだ。

廃刊となる前の雑誌『國文学』で連載を開始した頃からオノマトペを仕込み始めたものだ。ようやく樽（cask）から取り出そうとしている。におい（fragrance）を失うまいと、まばたきする瞬間で（in a blink of time）書き上げるのだから、集中思考（concentrated thinking）が要る。

この日、伏見のセンチュリーミリオンで観た映画は３本。*The Sisters Brothers*、『ニューヨーク　最高の訳あり物件』と*Papillon*『パピヨン』だ。暗闇のメモとりは私にとり、"行"。民俗学者・

柳田國男（やなぎたくにお）の「旅」のようなものだ。

ひと昔前に観た『パピヨン』は私好みの映画なので、英語の解説は負担にならない。何度見ても、ほろっとさせる。今回も、ほろっとさせる。（Touched me again.）

この正反対のふたりの相性（the chemistry of Polar Opposites）が、この実話物語の見せどころだ。ここでメモったフレーズは、Enjoy your freedom.（お前だけでも自由になってくれ）であった。映画『糸』と共通する、「我」を離れた愛の物語ともいえる。a tear-jerker（泣かせる映画）だ。

appu-appu (keiei)

あっぷあっぷ（経営） struggling to survive to keep one's head above water

魚などが水面であっぷあっぷしている状態は、gasping for airと表現する。

会社などの組織があっぷあっぷしている状況は、struggling to survive to keep one's head above waterと解説調にした方がdrowning in red inkとかto go underと直訳するより英語らしい。

anoh (hajimatta-no)

あのう（始まったの） Listen. I'm getting (/ having) my period.

ネイティヴを困らせる、オノマトペ風の日本語だ。

Uh.でもListen.でもMmmでもいい。Mのあとのmはトータルで4つぐらいにとどめておこう。ちょっとした「間」を感じさせればよい。「始まったの」と聞いて、「何が」と真顔で聞くのは、日本人のなかでももはやガイコクジン。そして、主語が気になる人もいる。つまり真面目にチョムスキー（Noam Chomsky）英文法を学んできた人たち。日本語は主語を必要としない言語なのだ。「何が」と問われたら、「あれ」しかない。

外国の婦人は平気で「生理よ」と答える。I'm having my period.

あるアメリカの声優女性（ほら、あの人）が、昼のアポをキャンセルするのに、I'm getting my period, you know.と。You know.と言われても困る。私にはそんな体験はない。ところが、英語には主

語がある。

"I just wanted to tell you," she said. "I got my period."（*SEX and the CITY* p195）

「始まった」（I got my period.）をネタとして、ネイティヴ泣かせの例題を取り上げた。「私、あれ」は、I'm on my period.

「汽車が遅れても、あの人はきっと来る」という文章なら、ネイティヴはこう答える。

If the train is late, it（the train）will come. と。

きっと来る人（あの人）は、いつまでも汽車のままなのだ。

「あのう、日本語には主語なんか要らないんだ。察しろよ。」

Listen, our language needs no subject. Listen between the lines.（readをlistenと変えてみた。）

私の同時通訳の師匠であった西山千氏は、主語のない日本語で何度も泣かされた。師匠を殺したのは日本語というa devil's languageだったのかもしれない。

ikiri-tatsu

いきり立つ　get it on

日本人は「たつ」「たてる」という言葉を好む。古代から、ひもろぎを立てるのが古神道の儀式であった。お墓をたてる。お花をたてる。男を立てる。女を立てる。

男が立つという場合、get it upが使われる。そのitが何かと問う人はいない。upは、頂上まで到達した状態だが、onは、火の欲情が点火した状態だから、もやもや（horny）が始まっている。男同士の会話では、Never get a date with a loaded gun.（ペニスがいきり立っているときには、デートをするな）という隠語が使われる。

ホノルルの書店で平積みになっていたベストセラーに、辞書らしからぬ *The Art of Getting it On* という奇妙な本があった。getとgiveになると、しゃかりきに（keen on）なって真っ向からぶつかる（適訳はtackle）私だった。この頃ようやく、giveとgetがオノマトペの原点ではないかと思い始めた。読んでいて、なるほどエッチな表現が多い。最近、Netflixで *Getting On* のシリーズを観た。

若者は、男女を問わずget it onは容易にその気（やる気）になれる。そんな青春を越すと、どんな俳優も第一線から外れていく。ところが、いやどっこい、TVのリアリティー番組が待っている。この *Getting On* には盛りを過ぎた（over the hill）男女の俳優が登場する。老人介護施設内でも愛は芽生える。愛の目覚め？　Love sprouts? そんな英語はない。そう、Getting it on. ところが、このドラマシリーズのタイトルにはitがない。だから何かを「おっぱじめる」という方向性が定まらなくても、勢いが感じられる。もやもや（get it on）するなら、ぐずぐずせずに発射しちゃえ（Get it off.）、といった乱暴な回春（turn your sexual energy around）術がある。キリスト教は神道ほどおおらかではなく、どんな関係でもonを警戒する。

get it onは若者向きで、get onは中年以上でもオーケーとなるのか、男女間でも対象が変われば英語も変わる。経営者のトップになれば、誰でも「色気」が必要だという命題を英訳すれば、Every CEO needs to get it on.となろう。あえてitを加えた。英雄が色を好むことは公理だろう。逆は真ならず（色気を好む人は必ずしも英雄ではない）だが。

成功学の大家であるナポレオン・ヒル（Napoleon Hill）は「sexual energyは、疑いもなく成功をもたらすのに不可欠な要素だ」と述べている。If I can't get it up, I'll be done.（オレが立たなくなったら、もうおしまいだ）というのが、ばりばりビジネスマンのホンネである。

これまでの話を、イメージを用いて縮めてみたい。まず、卵を想起してもらおう。黄身（yolk）が外に出たくて、うずうずする（get the urge）。まだfetus（unborn baby）の状態だから、動作もぴくぴくとぎこちない。しかし、世間という白身（white）の部分がまだ早い（too early）、あせるな（Not too fast）と、「待った」をかける。

だが、黄身の性的好奇心には、歯止めが効かなくなる。色気でむんむんとした女性に会うと、むずむずするのが、ふつうの男性。愛の告白ができず、口はもごもごしたままだ。この「もごもご」が「もやもや」に変わると、get hornyになり、夜こっそりと、しこしこ始める。

い

発情期の鹿の角は、にょきにょきと成長が速い。libido（情欲）の勢いが止まらなくなる。a forceが加わる。クリントン（William Clinton）米元大統領はこのlibidoに負けて、政治的生命を失った。

もんもん、もやもやと身悶え（sexually frustrated）し始めると、仕事や学業がおろそかになる。ひっひっひっと悪魔が笑いながら、忍び寄ってくる。フロイト（Sigmund Freud）の精神医学の夢分析によると、そういうもやもや状態のときに見るのが蛇の夢だという。Sexy Freudの夢分析の根底にあるのが、性（sex）という、オノマトペが蛇のように鎌首を立て始める淫界なのだ。

iji-iji

いじいじ　hesitant

shyという訳も見つかった。しかし、どうも適訳はない。どんな訳をじめじめと試みても、英語に水気が感じられない。「いじいじ」は陰湿なのだ。日本人の「いじめ」は、陰湿だ。

いじいじは、まだいい。これが「うじうじ」となると、大阪では、いやどこでも嫌われる。水でびしょびしょした性格が好まれるわけがない。英語のいじめはbullying。この言葉には湿りはない。

同じ日本でも、大阪の「いじめ」はもっと乾いていて、「いじめる」より「いじる」方に傾く。大都会のいじめは陰湿だが、明るい環境で育つ仲間が好む「いじり」には、笑いという逃げがある。エッチの話でも、大阪人は笑って逃げない。東京人は逃げる。ときどき呆（あき）れと怒りの表情とともに。

東京人のいじめはサディスティックだが、大阪人のいじりはマゾヒスティックである。いじいじさせない。笑いでからっとしている。この文化が、『「いき」の構造』（九鬼周造（くきしゅうぞう））を発酵させた。

(mimi-ga) itai

（耳が）いたい　Ouch! / That hurts.

「痛い」とは、Ouch! のこと。「耳が痛い」はThat hurts. だが、オノマトペでも通じる。自らの知性を低めて、相手を立てる関西風の（いやユダヤ風の）笑いがこれ。「ばれたか」You got me. の代わりに、Ouch! と奇声をあげるのも、相手への接近術（the rules of engagement）だ。

擬態語に「たらー」というのがある。ポーカーフェイスのままだが、内心びくびく、はらはら、どきどきしているときに、たらーと汗が流れることがある。たらーを強いて英訳すればYou've got me!（逃げ場を失った）となる。びくついている状態なら、have butterflies in one's stomachを勧めたい。

ナショナル・ジオグラフィック（National Geographic）制作のドキュメンタリー（サムライの秘密：*Samurai Behind the Blade*）の撮影ロケのため、私は宮本武蔵が籠って『五輪書』を書いた、熊本の霊巌洞付近を歩かされた。数台のカメラがついてくる。台本なしでの英語インタビューには慣れている。アゲハチョウが乱舞し始めた。これは吉兆とばかり、I'm no longer getting butterflies in my stomach. So I feel firm.と答えた。「武蔵のスピリットに囲まれている」という前置きのセリフのおかげで、その即興スピーチがそのまま採用された。

コーヒー・ブレイク

一日の映画道場

私ががむしゃらに斬れる英語をハントする場所は、映画館だ。学生時代から、英語の教科書を丸暗記しようと思ったことは一度もない。１冊の中高の英語教科書を丸暗記したら英語がモノにできるといった、丸暗記時代（國弘正雄の只管朗読は一世を風靡した〈sweeping the whole nation〉ことがある）。そんなとき私は、ひょうひょうと映画館に身を隠し、がむしゃらに（fast and furiously）斬れる英語（動脈英語）を漁ったものだ。その習慣はいまも続いている。昨日もオノマトペハントのため、伏見ミリオンで１日に３本の映画（トルコ映画、フランス映画、そしてアメリカ映画）を観て、日記に次のようにまとめた。

『読まれなかった小説』：じわじわと（seepy）。Hot tears, wept, wept and wept. *Le collier rouge*（再会の夏）：ほのぼの（heartwarmingly）。Cried, cried and cried. 忠犬ハチ公がフランスにもいたのか。

THE INFORMER（三秒間の死角）：はらはら（thrillingly）。Took

い

my breath away, FBIに裏切られ、罠にはめられ（set up）、死角を漂う、非運の男。
　言語の違う３本の映画をイメージでとらえて、日記にまとめたから、あとで読み返しても「じわじわ」「ほのぼの」「はらはら」で、瞬時に回想できる。この３本の映画には必ず「犬」が登場し、猫はいなかった。東京のICEEスタッフの犬好きなS女史と電話をした。「犬好きには、世話をするのが好きな人が多いですね。犬は人間を裏切りません。死後までも忘れません。飼い主のにおいをいつまでも覚えているのです」と。芸術家肌の私は猫派だが、犬は飼わない、と決めている。別れがつらいからだ。もう二度と、犬なんか……。
　さて、この日の日記の大見出しは、「しみじみと」（musingly）とした。the museとは、詩人、芸術家の霊感の源泉のこと。犬の話になると、家庭が「ほのぼの」（warm and cozy）する。私の忠犬の「りゅう」が殉死するまでの家庭がそうだった。口論の数々もmuse（詩＝うた）であった。

ikki

いっき（一気）　in one breath

　いっき（一気）は、オノマトペの類書では取り上げられていないが、あえて、仲間入りさせたい。私が英語は１秒――そして日本語でも――で発声すべきだ、と一息（ひといき）英語（one-breath English）を提唱してきたのも、「い」という、勢いのある母音の音霊（おとだま）に、とてつもない霊感を感じたからだ。
　辞書では「気」は呼吸から離れ、「休まずに」without stripping（pausing）、at a stretch in（at）one settingとか、「直ちに（ただちに）」immediatelyや、straightawayと賑やかだ。かつて学生がコンパのときに、酒屋でいっき飲みしたときの、威勢のいい「いっきいっきいっき」の「い」から始まる息の勢いが、人を暴走させるマグマを感じさせる。マグマは音霊、そしてオノマトペの世界だ。
「い」とは、言霊（ことだま）学でいえば、至（いた）り止まる霊だ。目的とする場所に至れば一旦（いったん）立ち止まる。それまでは一気に突っ走る。
　井戸の「い」は、水のことだ。火をどんどん掘り下げると水脈に到達する。一気に休まずに、終わるとGame is up. Time is up.となる。overは一気ではなく、ただ終わる。

upは1から10までだが、overはまた1から始まるから、その心はゼロである。ゼロから始めるは、Start over。Game's over.は終わったが、完全に終わりではない。ゼロからスタートが始まるのだ。英語を使う日本人には、このupとoverの違いが見えていない。

もう一度、ここで両者の違いをざくっと明らかにしてみよう。upは、いたる（至る）まで、いっき（一気）に、いちず（一途）に進む、「いきおい」があるが、overにはいき（息）がない。息が途絶(とだ)えることがなく、また再開できるのだ。

Our married life is up.なら、我々の結婚生活は尽きてしまった――これでおしまい、すでに無効――しかし、それまでは有効であった。ところが、upをoverに変えると、これまでの有効性もふっと消える。そもそも（to begin with）ふたりに恋なんか、はじめから存在しなかった（invalid since the beginning）となるから、残酷である。

まだわかりにくいって？　意気投合したふたりが、結婚式の（reception）日取りまで決めたとしよう。その話は終わった、というのがup。「最初からムリ」ゼロベースにしよう、というならover。up（これまでは有効）とは違って、さらに残酷な別れのセリフとなる。

話は変わるが、男女の性交がオルガスムに至るときに「いく」というが、それは至り止まるspirit（息）に他ならない。spiritとは、息のことだ。読者をインスパイア（息を入れる）するために、「いきなり」、いっきに（読者の息がupするまで）解説してみたい。オルガスムの音霊だが、いく、行く、いっくぅは、英語ではcomeだが、comeの果て（up）は死だ。go（死ぬの意味）でもある。逝(い)くとは、die（go）のことだ。

真面目な話に戻ろう。べつに不真面目な解説ではなかったはずだが、2019年、甲子園に再出場した沖尚(おきしょう)（沖縄尚学(しょうがく)高校）の野球チームが、習志野(ならしの)高校に延長戦ののちに1点差で敗れた。そして相手の習志野高校は次の試合で惨敗。そのとき、沖尚創始者の名城政次(なしろまさじ)

郎理事長から、私に電話がかかってきた。「沖尚は井の中の蛙でした」と、淡々と（without attachment）語られた。
「恐れず、侮らず、気負わず」を実践されてきた、この「教育の神様」の言霊には味わい深いものがあった。返す言葉で「名城先生、私もこれまで井の中の蛙でした。しかし、私はもっと大海に出ます。先生も沖縄を教育県にする、と仰いましたね、英語第二公用語へのコミットメントはまだupしていませんよね」と。
「いのーち、みーじかしー」（ネイティヴによる字幕は、Life is brief。私訳はLife fleets.）か、と口ずさみたくなった。Our game isn't up — yet.

itsu-demo(ii-yo)

いつでも（いいよ）　anytime

「いつでも」はオノマトペではないが、オノマトペイックだ。
「彼女はいつでもオーケー」は、She's available anytime.でよい。同志社の入試問題に面白い英語があった。Any time is Trinidad time.という、斬れる（動脈英語的）英語表現であった。「いつでもいいのがトリニダード時間」とバースは言う、と、訳も正確だ。
　人類学者のケビン・K・バース（Kevin K. Birth）は、トリニダで時間意識を調査したところ、トリニダ人は、時間に関してはいい加減（loose）だと述べている。NOと言えない日本人は、「ええ、いつまでもいいよ」と答えて、日本人宅に居座り続けるガイコクジンに閉口したという話は何度も耳にする。NOというまではYESなのだ、日本以外のほとんどの国では。英語を第二公用語にすれば、きっと外国人にも簡単にNOと言えるようになる。
「いつでも」の時間感覚は、状況によって変わるのが日本。変わらないのがイスラム圏の人たち。同志社のtime（時間）に関する問題には考えさせられた。
“In Islam, time is a tapestry mixing the past, present and future. The past is ever present.”「イスラム世界では、時間は過去、現在、未来が織りなすタペストリーである。過去は常に現存する。」
　たしかに、預言者のムハンマド（Muhammad）が生きていた、古き良き時代を再現しようとしている。いい問題だ。時事知識も学べる。ところで、この『難訳辞典』の執筆に関し、多くのネタは、夢のなかから生まれている。オーストラリアのアボリジニー（Ab-origine）のdream time（夢時間）は、過去、現在、未来の「間」がきちんと区別されていない（no neat distinctions）から、このドリーム・プロジェクトには欠かせないdream timeといえる。同志社大の問題作成者よ、ありがとう。私のペンの脱線も毎度のこと（business as usual）だ。

ima-sara

いまさら　too little, too late

よく耳にし、よく目にする、高級な口語表現だ。

「ごめんなさい。私が弁償します」（I'll pay for it.）それを耳にした人は、「いまさら、何よ」と、むっと（miffed）する。

そんなときの新たな表現は、Too little, too late.だ。

「いまさら」はオノマトペではないが、オノマトペ以上の音霊効果があり、オノマトペイックだ。頻繁に使われるtoo little, too lateがとっさに訳せず、同時通訳者としてじれったい思いがしていた。

しかし、あのしぶとい香港（ホンコン）デモと香港加油（がんばれ）という世論にあせりを感じた北京（ペキン）サイドは、しぶしぶ妥協案を出した。あくまでもいま原稿を書いているときの話なので、このあとどうなるかはわからない。

YouTubeの反応は、冷（ひ）ややかだった。その見出しがこれだった。Too little, too late.「泰山鳴動して、ねずみ一匹」という訳も、頭をよぎったが、too lateの意が通じない。「時、少し遅し」なら、too lateがあぶり出せず、帯に短し、たすきに長し、というもどかしさを加え、「いまさら、なんだ」と訳した。小ざかしいぜ、といった怒りの念も込めておいた。

香港と北京の対立とは、民主主義を大義名分とした香港人と、中華思想の意地ともいえる面子（メンツ）（face）との闘いだ。democracyとはfreedomが基本概念となっているだけに、お互いに譲れない。

自由の味を知った香港人にとり、民主主義を死守することは、principleであるが、習近平（しゅうきんぺい）は大国の面子にかけても、引き下がるわけにはいかない。こちらは「意地」（Guys gotta do what guys gotta do）というところだ。だが、しばらく眠っていたdemocratic principleは、案外打たれ強い。北京も少しは妥協したが、香港側は「何よ、いまさら」とひるむ様子はない。そしてそのツケは払わされた。They paid the price for it. As it turned out. 戻る。

たいした妥協もできない（too little）。しかも、反省し、謝るならもっと先に済ませておくべきだった（too late）という２点をくっつけるとtoo little, too lateとなる。

西洋世界では、民主主義という、「光」のように輝いた理念はpowerだが、東洋とりわけ中国は、「火」のような面子（ミェンツ）という意地がある。それが物理的な力（英語ではpowerというよりもforce）の行使に繋がる。

powerは同じ「力」であっても、じっと「待つ」。forceは、待てない。行動となって現れるから、リスクが生じる。結果（consequences）が生じる。だから空気がぴりぴりするのだ。欧米社会の力は、lightという理念にあるが、中国が重んじる面子の世界はfireである。同じpowerといってもこれだけ違う。

国際的な政治ゲームが厄介なのは、隠すべきpowerを顕示せざるを得ないforceが、異次元のルールで衝突するからである。はっきり言おう。いまの中国も、かつての日本も、恨みから生じた怨念や執念というパワーが、西洋でいう理念というパワーよりも、よりforcefulになることがあるのだ。私の傷だらけの英語道人生の追求は、後者に近い。

pursuit of happinessはぴかぴかして美しい。しかし、happiness of pursuit（追求することの悦び）は、もっとどろどろした「行」に近くなる。

ira-ira

いらいら　in a big hurry

大阪人は、ながら族（multitaskers）だ。同時にふたつ以上（英語では more than one）のことをこなす。Osakans are always in a hurry. いつも「せっかち」なのだ。せっかちな人は、東京にもいる。大阪人は、いつもいらいらしていて、せっかちなのだ。いらち。

いらち？　They are in “angry” hurry. 外国人にはぴんとこないが、大阪に長く滞在している外国人にはぴーんとくる。（It rings their bells.）
『難訳・和英口語辞典』で「いらち」をants in one’s pantsと記したことをまだ覚えておられるだろうか。ズボンのなかに、複数のアリがもぞもぞと動いていると、どうも落ち着かず、じっとしていられない。怒りとあせりが重なっている。さて、ハチ（bee）を使って超訳してみよう。Osakans have bees in their bonnets.

ボンネットのなかにbees、で発狂しそうになる人は、東京人の行動に近くなる。大阪人といえば、やはりズボンのなかのantsと訳した方が……おもろい。標準語が好きな——でしか通じない——東京人には、frustratedがいいだろう。グーグル翻訳はおもろないから、眠たい（boring）訳や、とこき下ろすのが、地方文化を代表する、いやその気でいる大阪人。

ui-ui-shii

ういういしい　young and pure

まさに難訳語中の難訳語だ。擬態語というより擬情語に近い。まず語感にひっかかる。最初に、「う」音の形容詞を分析しよう。文語体では、「うひうひし」という。「し」は形容詞。

これを知的に納得させるには、漢字のメスが要る。初々(ういうい)しいか。なるほど、若々しく（freshly young）て、穢(けが)れがなく（unpolluted / pure）とイメージができる。

日本人は初物(はつもの)が好きだ。一番風呂の湯は、ういういしい湯だから、すがすがしい気持ちになる。江戸では、最初に（初夏に）市場に出た鰹(かつお)を食べる初鰹に縁起をかついだ。ういういしいことを誇りとした。女性は処女の方がういういしいとされた。

いまでも結婚式場の教会の中央通路——isle（発音は「あいする」ではなく、「あいる」だ）——を、日本人はバージン・ロードと呼ぶ。なぜか、わけがわからない。初物好きな日本の広告マン（Mad-man）の創作品とされている。

藤原紀香(ふじわらのりか)の陣内智則(じんないとものり)との電撃結婚式の模様を調べた。私が調べたすべてのチャンネルで、バージン・ロードというヘンなカタカナ英語を使っていた。処女に対するこだわりがわかるが、ご両人の結婚はどう見ても、ういういしく（young and pure）はなかった。

少なくとも、ういういしさには、すくすく育つという想念が隠されている。紀香が先に音を上げた。「こんな結婚ムリやわ」と。うきうきしたカップルもうかうかと（absent-mindedly）、うかれすぎていた（carried away）のか、すぐにぽしゃっちまった（flopped）。いや、拍子抜けした終焉（fizzled out）であった。

「ぽしゃる」、もオノマトペ風に超訳してみるか。

Their bubbly marriage went pop.

The bubble busted.は知的だが、the bubble went pop.は情的で、より躍動感がある。紀香、陣内の絢爛な（いや、ぎんぎらぎんの）結婚（gaudy reception）がぽんとはじけ（go pop）て、marriage made in heavenがあっという間に（before you know it）、divorce made in hellに転落した。

それにしても、バージン・ロードという、ニセのカタカナ英語を流行らせた犯人であるMadman（狂人でなくマジソン街の広告マンのこと）は、その名前は誰も知らない。ういういしいカップルとメディアが華々しく持ち上げて、はしごを外すなんて、完全犯罪。カタカナ英語の難訳版で犯人を摘発してみようか。できなかったりして……。

山口仲美氏は、自著『擬音語・擬態語辞典』でこう述べる。動詞「浮かれる」とは「うか」の部分を共通してもつ。「うか」は「浮かぶ」「浮く」などと同類で、浮いて漂うように、落ち着きがなく精神の働きが集中していない様子（p14）と、見事に分析されている。

芸能人同士の「好いた、惚れた」の浮かれた（flirty）関係は、すぐに浮き足が立つ。それが浮（憂）き世（floating world）の常なのか。この「う」は縄文語に端を発した音霊（sound spirit）だ、というのが、あくまで私の説だ。言霊の研究家（宮司を含む）たちは、くそ真面目（deadly serious）な人たちばかりで、浮いた話（amorous rumor）は聞かない。

沖縄には縄文語が多く、いまも研究を続けている。沖縄も浮き島と呼ばれ、「おもろ草紙」も、かつては「うもろ草紙」と縄文式に発音されたはずだ。与那国も「ゆなぐに」ではなかったか。

縄文語の「う」を求める私の旅は続く。秋田県の能代も昔はぬしろと、「う」音から始まったはずだ。縄文語は水の文化といわれるが、水底からぬぅーっと浮き上がってくるのがういういしいのだ。そう考えると、このオノマトペ企画はうっとうしい（gloomy）私の気持ちを吹っ飛ばし、うきうきした（light-hearted）気持ちにさせてくれる。

秋田の能代には、道友の佐藤直人君（かつてICEEチャンピオンになった）がいる。彼の母から秋田弁（縄文語）の手ほどきを受けたとき、縄文人のういういしさ、いや瑞々しさ（young and fresh）を感じたときのことを思い出し、懐かしくなる。

u-uhn

ううーん　uh-huh

「あーは」（↑）はYES。「あーは」（↓）はNO。『新英和大辞典』（研究社）の例文を。

Her name was Jane. ──*uh-huh.*──And then she married Bill Bush.（彼女の名前はジェーン。──ええ。──それからビル・ブッシュと結婚した。）

er（ugh), hmm, oofもマンガでよく使われるオノマトペ。

ここで、「う」について私説を展開する。ざっくりいえば、「う」は縄文語で、「あ」は弥生語だ。むらがまちになる。村は群がる。村に田ができると、町っぽくなる。町の人間が、村の人間をみると、うーう（ooh）という。うぶ（否定的）だが、ういういしい（肯定的）ので好ましい。町の人間は、粋で垢抜けているが、沖縄とアイヌには、「う」の共通語が多い。

紙幅の関係上、アイヌ語だけに限ってみよう。アイヌのうたり（同胞）は、ゆーから（神話＝カムイユーカラ）を歌う。自給自足をモットーとするアイヌの人たちは、口伝の歌（うっぽぽ）を好んだ。村人たちは、ぬさ（幣、柵）という祭壇を縄張りに使った。島を守るという気概は、沖縄人と共通している。

アイヌ語は日本語、韓国語、モンゴル語、トルコ語と同じく、ウラル・アルタイ語族に入る。だから、ねちねちとやたらにべたつく膠着語（agglutinative language）族に属する。日本語の「あお」がgreenとblueの両義というのも、ユニークだ。あおは、うらと同じく、藤村久和氏（アイヌ研究家）によると、おもての隣にあるものだという。死も生の隣にある。沖縄でも、この世とあの世は隣り合わせであることを映画『洗骨』で学んだ。黒潮文化は、言霊やオノマトペが行き交う文化圏だといえそうだ。

u-un

ううん　uh-uh / uh-uuh

「ううん」とは、軽い否定だ。

Finish your homework? Uh-uuh. Not yet.（宿題はした？　ううん、まだだよ。）※“Did you”が省かれている。

しかし、苦しいときの否定は、言いよどむものだ。

Ur（Ugh）とかHmmは、表情も暗くなるもの。明るく、Ur... time’s up. とジョーク風に逃げの手を打つこともできる。

「彼はうーんと唸ったまま、何も言わなかった」は、He gave a groan（moan）and stayed mum.

他言無用はMum’s the word!（黙っているんだぞ。）

uhn

うーん　um / mm / grunt and groan

「うーん、そうか。おれも同じ意見だ」Um, I think I’m on your side. 答えを出したくないときにも、この「うーん」（Um）は使える。

umの発音記号は、［ʌm］とか［əm］となっている。鼻にかかった音だから、疑いや、ためらいがある。

文筆家は、このオノマトペを３つのV語を理由に避けようとする。

１、Too vulgar.　卑俗すぎる。「わーんわーん」と泣きじゃくる、とか「しくしく」泣く（sob）等は、会話にしか使われない話し言葉であって、文筆家が使う書き言葉としては、低俗すぎる。
２、Too vital.　活気がありすぎる。「むちむち」「ぼいんぼいん」等々。
３、Too voluminous.　巷（ちまた）に溢れすぎているので、稀少価値がない。せいぜい世間話が大好きな（vivacious）女性たちの井戸端会議といったところ。ひそひそ話はオノマトペの世界。

こんな異界に筆者が迷入し始めた。これでいいのか、と悶々（もんもん）とした日々が続いた。

この「もんもん」という擬態語（mimesia）は、むしろ人間の心情や感情を描写する擬情語に入りそうだ。悶々は、「うん」ではなく、「うんうん」でもなく、「うん」が引き伸ばされた、「うーん」であり、英語はmmとなる。

uji-uji

うじうじ　indecisive / wishy-washy

優柔不断（indecisive）でうじうじした（wishy-washy）人間は、どの社会でも嫌われる。とくに、うじうじした女々（めめ）しい（sissy）男は人の上に立てない。

うじうじした男性がうじゃうじゃ（swarming）し始めると、うっとうし（gloomy）くなる。そんなゾンビ（zombie）のような人間たちが、目の前に現れたとき、私はうっと息をのむ（gasp/hold one's breath）だろう。

「うじうじ」とはぐずぐず、もじもじと同類で、ためらいと勇気のなさが同居している。小さい虫が這いまわるようにもぞもぞしている様子が情感として伝わってくる。決断力のないうじ虫ども、とののしられそうだ。うじうじの「う」音が、うっとうしい、うらめしい、後ろ髪を引かれるといった、煮え切らない態度を連想させるから。すかーっとしない。直訳すればindecisive（優柔不断）となろうか。

オノマトペからくる、「う」音の恨めしさや呻（うめ）き声が、私の肌にしみ込まない。

英語の「う」音も、やはりＷ語のwaterに近づく。weep, wailか、

wishy-washy。苦しい言い訳なら、a wishy-washy excuseとなる。水っぽさが共通分母となっている。

うじうじとは、山口仲美氏によると、「①決断することができずに迷ったり、行動に移すことができずにためらったりする様子」のことだ。(『擬音語・擬態語辞典』p15)

『新和英大辞典』は「うじうじ」の例として、hesitant, indecisive, wishy-washyを挙げている。この「うじうじ」が恨み節になると、resentfulになる。

負けてうじうじする心情は、bitternessかhard feelingだ。伊藤和夫氏の次のwishy-washyな文体には、どこかに膿と「しこり」bitternessがあり、読んでいて肩が凝る。

「……予備校の歴史は20世紀とその波長を共にしたが、受験英語もまた本文の各所に記載したように、20世紀とその波長を共にしようとしている。予備校が滅び、大学受験のなかで受験英語が必要でなくなる時代が来れば、今の「色男」対「悪役」という体制のうち、後者が退場することになる。色男は大喜びだろうが、その時代に残るのは、会話英語とカルチャー英語という、うまそうな匂いだけで実態のない、ごく薄っぺらなものでしかないと思う。ただそれですべてが終るはずはない。この日本人のなかで、一部少数ではあっても、英語の読める人が必要だという事態は必ず存続する。」(『予備校の英語』研究社 p5)

「うまそうな匂い」という表現が微妙に面白い。Smell the coffee.か。「実態がない、薄っぺらな」をコーヒーの味になぞらえると、The coffee's bad.とか。アーメン。しかし、このamen (So be it!)は祈りへの同意（賛成）の意味だ。氏の無念は、だれかが晴らさねばならない――積極的な方法で。たしかに、いまの日本人は重い英語が読めなくなった。

受験英語の問題用紙には、長文読解のためのネイティヴ英語がぎゅうぎゅう詰めにされており、問題作成者が時代に遅れまいとする意識は感じられる。しかし、消化不良であることは間違いない。They're giving examinees too much indigestion.の感はぬぐえない。

uzu-uzu

うずうず　can't wait

闘犬はリングに上る前から、すでに闘いたくて、すぐにうずうずする。Fighting dogs can't wait.

人間の場合でも、ネイティヴは「待ち遠しい」と表現するときにI can't wait.というシンプルな英語を使う。

それを耳にした字幕翻訳者は、「うずうず」と訳した。

さすが、プロの字幕翻訳者。呼吸のリズムを合わせている。

コーヒー・ブレイク

渦の音霊

「うまーい」ネタの「う」音は、「おいしい」の「お」音より根源的なものだ。桜より梅だ。桜ならさぁーくぅーらぁー、さぁーくぅーらぁーと、声高かに、朗(ほが)らかに歌うことができる。しかし、梅はうーん、うーんと呻(うめ)くようにしか、発声できない。同じ味でも「おいしさ」は、the higher, the betterの世界だが、「うま（旨）さ」はthe deeper, the betterだ。「う」の音霊は、より深く、根源的に（radically）渦まいている。それだけに、深淵（profoundly deep）なのだ。

私は、縄文語のチャンピオンといえる「う」が大好きだ。「う」の響きにうずうずする（get itchy）。引き寄せの法則（the law of attraction）とはvortex（渦巻）のことだ、というのが私流の音霊学の基本にある。だから、「き」れいな女性（外見が目立つ）より、内面的にも「う」つくしい女性の方が好きだ。詐欺師にはきれいな女性が活躍するが、うつくしい女性は詐欺師には向かず、頼まれてもやらない。

『オール讀物』（2019年９・10月合併号）が第161回の直木賞を発表した。大島真寿美(おおしままずみ)氏による『渦　妹背山婦女庭訓(いもせやまおんなていきん)　魂結(たまむす)び』の「うず」と「むすび」という「う」音に誘われ、オノマトペと結びつけることにした。

この『渦』からオノマトペを拾ってみた。最初のページから、いきなりオノマトペと大阪弁のオンパレード。

——ふふ、と男が、硯（すずり）を見ながらかすかに笑う。
「まあな。いっぺん、きちっと書いて持って来てみ、って、そういわれたからには、そろそろ書かなあかんやろ。」とわしもいよいよ思ったというわけや——（p57）

大阪弁そのものがオノマトペ、という印象がぬぐえない。

とりあえず、オノマトペが渦のように踊る、この直木賞受賞作品からオノマトペやオノマトペもどきを収集して、分析してみようと思う。

1　ひょいとこの世へ戻ってきた
2　労せずあっさり身につけていく
3　ついつい甘やかしてしまう
4　どっぷりと人形浄瑠璃に浸（つ）かりきり、
5　なんや、これは！　うおう、ありゃあ、なんや！
6　そこそこ名前が知られるように
7　ちんと坐って
8　ふらりふらり〜あちこち眺め〜
9　碌（ろく）でもないのがわらわらといて、
10　つるりと小屋へ潜り込む
11　のらりくらりと逃げ回り、
12　ふいっと遁走して——
13　どっぷりと浄瑠璃に浸けてびたびたにしてしまった
14　ぐずぐずと気持が優れない
15　うんともすんともこたえなかった
16　しっくりきすぎて、脳天がしびれる
17　ちょくちょく客人もあったから、
18　むくりと起きだし、
19　どんどんおもろなるし、ついつい行ってしもうたわ。
20　のびのびしすぎるくらいのびのび暮らし、
21　すっぱり手を引き
22　しっかりした娘をもらう
23　ぶくぶくと半二は湯に沈む

24　ざぶりと湯をかぶりながら、
25　くっくっと笑う
26　たっぷりと水を吸って
27　すんなり迎え入れられたのは、
28　そのためにやな、ここ、使うんや、ここ。ちょんちょん、と頭をさす。
29　うっかり下手なことをして、
30　なにぐずぐずしてんのや。
31　すらすらとそんなことを思った。
32　いよいよ、おまえの出番やで。ちゃっちゃっと、目、覚ませや、おい。

最初の硯の14頁のなかで、きわだったオノマトペだけをざっと拾いあげただけで32個もある。一章だけでこれだけ、オノマトペが捕獲できた。次章もうじゃうじゃ登場する。

これらの例証から、少なくとも3点が学べた。

1．オノマトペの擬音と擬態が、ごちゃまぜになっている。字幕翻訳を手掛け始めた私にとり、これらは難訳語のどろ沼のような情景に写る。

2．大阪弁とオノマトペが、仲良うけんか、したはる。

3．入賞作品は、芥川賞もそうだったが、音や声という音霊がわさわさと侵入してきた。――受賞者の大島真寿美氏が愛知県人と知って驚いた。よくも関西弁をマスターされたものだ。

候補作の作者が全員女性ということで、一瞬ぎょっとされた、東野圭吾氏の「『渦』は、扱っている題材が一般の人には馴染みのない世界だという理由と、自分が大阪出身だから読みやすかったのではないかという疑問から三番手とした」というコメントにはひっかかった。

大阪人だから読みやすかった、という疑念が、減点材料になるのだろうか。この大阪人の、あまりにも大阪人的なロジックがぴんとこない。私が大阪から離れた期間が長すぎたのかもしれない。

大阪人は、東京人と違って、良きにつけ、悪しきにつけ、ねっ

う

とりとした情的な糸を張るきらいがある。愛憎をからめた思考が屈折、いや渦巻いているので、素直になれないのかもしれない。私のコメントもいまいち、ぱっとしない。(Not comfortable with my own comment.)

(shiri-taku-te) uzu-uzu-suru-mono

(知りたくて) うずうずするもの　it

長ったらしい見出しになった。itを言い表そうとしたら、こんなに長くなった。人間は好奇心のある動物だ。とくに、天才や科学者にとり、このcuriosityは不可欠だ。知りたいが、知ってはならぬもの。見たいが見てはならぬもの。その正体がitなのだ。

赤ちゃんが生まれるまでは安心できない。見えるまで安心できない。知りたくて、見たくて、うずうずする解答もitだ。鬼ごっこの鬼もitだ。犯人もitだ。推理小説はwhodunitと、一言(ひとこと)で表すことができる。英文法の主語はI、you、theyの他に、she、he、we、itもよく使われるが、theyとitは「ぼかし」に使われることが多い。theyのなかにはitが隠れている。いやすべての主語の裏に潜んでいる。この不気味な存在がitなのだ。

It rains.はWe get rain.でいいのだが、itで処理してしまう。How do you feel (about it)?の代わりに、ネイティヴはHow does it feel? としゃあしゃあと使う。スティーヴン・キング(Stephen King)のホラー小説*IT*は映画よりも不気味だ。『Itと呼ばれた子』(*A Child Called It*)は、もう怪奇小説に近い。生まれた子どもに人格を認めない非情な母親は、どう考えても鬼子母神に劣る。このitが自然に使えるようになれば、プロとして通じる器(うつわ)ということだ。この器もit。He's got it. 女性の場合のitはセックス・アピールを指す場合が多い。禅の大家Allan Wattsは、禅を一言でYou're it.と言った。この超訳。うーんと唸った。

utsutsu (wo-nukasu)

うつつ (を抜かす)　get a crush

すっかりほれ込む、ぞっこんほれる、は思考が押しつぶされた(crushed)状態だ。のぼせ上がるような「一目(ひとめ)ぼれ」(love at first sight）もすべてcrushだ。理性が粉砕されるような恋は、一時的にはcomfy（爽快）だが、ふつう長続きはしないものだ。No. I'm not in love with her. It's just a crush.（いや、彼女に恋をしたわけではない。通りすがりの愛さ。）夕立ちのような恋。そんな恋心（crush）をフーテンの寅（『男はつらいよ』の主役）は何度も体験した。

uffuhn

うっふーん　oomph

オノマトペもsexに結びつくと、狂乱する。

「うっふーん」は難訳語のひとつだ。『リーダーズ英和辞典』（研究社）は、その解説に、「ウフン、ウッフン（女性の鼻声など）」、名詞として、魅力、セックスアピール、そして男性にも使える「生気、熱気」まで加えている。

私は、とくに男に必要な気力こそoomphと呼びたい。男の色気は、加齢とは無関係というが、アメリカのオバマ（Barack Obama）元大統領が、大衆にはoomphが必要と演説で述べたとき、聴衆はオヤッ、失言ではないかと思った。新聞の見出しにもこのオノマトペのOomphが載った。べつに問題発言ではなかったが、やはり、女性のうっふーんを意味するオノマトペと結びつけられたことはたしかだ。

うっふんと「う」の音霊との関係が気になる。女性を口説(くど)くことをwoo（ウー）という――余談ながら。

uha-uha

うはうは　purring / couldn't feel better / on cloud nine

猫がのどをごろごろ鳴らすときは、最高の気分のときだ。オノマトペでは「うはうは」が近い。本書『難訳・和英オノマトペ辞典』が評価されたら？　I'd be surely purring with pleasure. きっと、うはうは気分になるだろう。

If she woos me, I'll be purring with excitement.（彼女の求愛を受けたら、うはうは気分になる。）

*The Economist*は、カバーストーリーにこんな英語を使っていた。

Profits are high and the economy is purring.（Feb. 8, 2020, p9）「利益は高らか、経済はうはうは」超高級英語がアメリカの好景気をいじっている――猫がねずみをいたぶっているように――while purring。

甘い話でなく、策略にひっかかった、菅原道真を嗤った藤原時平の笑いは、複雑な「七笑い」であった。天にも昇りそうな、「うはうは」(on cloud nine）から「くっくっくっ」という笑い（snickering uncontrollably）に変わっていく。

人生でライバルを陥れたという勝利感は、the best moment in his lifeより、少し表現に「崩し」を入れて、It couldn't have been better.と比較級を否定してeuphoricな最高感に置き換えてみよう。『難訳辞典』がやっと陽の目を見て、赤字が黒字になると、るんるん（couldn't feel better）した気分から、にたにた笑いが止まらなくなる（grin from ear to ear)。木曽川の酒「七笑」を飲むとき、自然に笑いがこみ上げてくる。我が（藤原家の）世の望月は欠けたことがない、か。「がはは」が「くっくっくっ」に変わっていく。

uwah (sugeh-bijin)

うわー、（すげー美人）。　Oooh. She's so-o-o beautiful.

「うわー」は、この場合、英語では「ウー」が近い。ペーパーバックの英語では、美を強調するsoにoをふたつ足している。私なら、ぼいんぼいん美女に会ったらbeautifulのなかの母音を強調する。She's so bea-ea-ea-（y）oo-oo-ootiful.という具合に。

静脈英語では使える表現がふたつしかない。What a beautiful woman she is! か、How beautiful the woman is! これではあまりに静的（static）だ。英語は、もっとdynamic（動的）であるべきだ。

ところで、私はぼいんぼいん、big tits（乳首）やcleavage（谷間）が目立つタイプはあまり好きではない。女性のけばい（glitzy）のは苦手だ。「私、ぺちゃぱい（flat-chested）だけど」とさりげなく話しかける、愛嬌のある女性には、きゅんとくる。That's cute!

私の好きなタイプは、きゅんとくる（cuteな）a cute womanだ。大阪人なら「寒むう」(Very funny.）と表情をこわばらせるだろう。突っ込まない東京人は、It's not funny.と正しい静脈文法で答える。

un-un

うんうん　uh-huh (mhm) / I'm listening.

日本人のよく使う「うん、うん」「ふんふん」は、英語ではuh-huhだ。同意や満足を表す発声だ。

うんともすんとも言えず、うーんと黙り込むときは、um（うーん）に限る。まだためらいが残っている。このumにもうひとつmを加え、「う～～ん」と息を長引かせると、疑いが深まる。

日常会話で「うんうん」と、うなずき合う仲なら、uh-huhでよい。日本人なら、首をタテに振ってうなずくが、欧米人はこの沈黙が苦手だ。彼らは、にやにやした笑顔（grinning）や、沈黙のうなずき（nodding）が理解できない。かといって、うなずきを止めれば、Am I boring you?（私の話が退屈かしら）と、確認を求めてくる。うんうんうんと、3回続けると、I'm listening.（続けてよ、ちゃんと聞いているから）となる。これは有段者の英語だ。

コーヒー・ブレイク

英文法のしばり　Why English grammar bothers you?

最初のうちは、辞書がぼろぼろになるまで引け、と『私はこうして英語を学んだ』（ロングセラー作品のひとつ）で述べたことがある。若い頃の私は筆に勢いがあった。「ぼろぼろになるまで」は強調のために使ったまでだが、狂信的な私のファンはそれを真(ま)に受けて、「ぼろぼろになるまで辞書を引き続けました」と私に告白する。「まさか。その辞書を見せてくれないか」と問うと、その男（岡山県の医者だった）は、ほんとうにぼろぼろになった辞書を私に見せてくれた。赤面した。私はどんな辞書でもぼろぼろになるまで、引いた覚えがないからだ。

この本は、あっという間に（before I know it）書き上げた。「あっという間」を1ヵ月以内と定義しておこう。いま、思い起こしても内心じくじたる思いになる。

この「じくじ」はfeel guiltyのつもりだが、臆面もなくオーバーに書いた自分を責めるならfeel embarrassedに近い。前者は「罪」、後者は「恥」。どちらだろう。漢字では忸怩と書く。何度書いても覚えられない。

『日本国語大辞典』（小学館）によると、オノマトペではなさそうだ。「《形動タリ》自分の行いなどについて、自分で恥ずかしく思うさま。」しかし私は、この言葉にオノマトペの「しばり」を感じる。じくじ、じくじくした思い、といった言葉には、漢字や原意など要らない。

よく耳にする「内心じくじたる思いがある」という表現は、guiltやshameの意義上の相違を超越し、心にじくじく迫ってくる、自責の念のことなのだ、とオノマトペイックに考えてみようではないか、しばりをとる意味で。

しばり（縛り）を、なんとかオノマトペで表現できないか、と考え続けてきた。ある著名な英語の達人が、何気なく私に告白してくれた、「しばり」（what bothers me）の恐ろしさである。——英文法のルール通りにしゃべっているのか、と考えると、英語が口から出なくなったことがありました。文法はぼくにとり、「しばり」でした。“What a bother!”

この「しばり」は、和英辞書を引いても、しっくりこない。limitations、regulations、違う違う違う。

All this doesn’t sit with me.（どれもしっくりこない。）英語学の達人の加賀美晃氏（あらゆる検定試験をなぎ倒した鉄人）の「しばり」は、そんなものではない。そこでオノマトペに思考をギアチェンジさせた。

「彼女に英文法を忠実に守ればいいじゃないかと言った」をI suggested she stick to grammar.と訳してもいいものか。stickの前にtoそれともwithのどちらを入れるべきか、stickのあとにsをつけるべきか。こんなふうに考えると、英語が口から出なくなる。

これが「しばり」（足かせならfetters）なら、きゅーっと締められているのか、ぎゅうぎゅう締めあげられたものか。ぎゅーぎゅーと締めあげる恐ろしい英文法の師匠がいたのか、それなら縛られた裸体にどろどろのローソクをたらすサドの世界だ。その人は、英語がしゃべれないのに、人の英語の文法的なミスを指摘し、じわじわといじめるサディストに化身してしまっている。

そして、いじめられる側の学習者も、自分の英語が文法上の

──効用面から離れて──ミスを犯したかと、しょっちゅう英文法学者から、ぎゅうぎゅう締めあげられることが快楽になっていく。日本人英語学習者は、外国人の眼からみるとマゾヒストに映るそうな。いや、たくましいサディストが再生されるのだろう。それは、実用英語派を縛り続ける、見えざる壁やガラスの天井なんかではない、金縛り（bound hand and foot）という恐ろしい「しばり」だ。

e'e-kakko-shi'i

ええかっこしい　flaky

大阪人は、外見や資格といったアクセサリーで勝負する大都会人──大阪人は自分たちを大都会人とは、よもや思っていない──を「ええかっこしいやな」とこきおろす（put down）。“They are too flaky.” と。

京都人も、うわべだけの言葉や外見美を気にする東京人を、flaky（薄片が剝げ落ちる）人種と決めつけた。伝統にどっぷりつかっている（tradition-bound）京都人にとり、京都人以外はすべてflakyに見える。

しかし、外見は地味に見える京都人や名古屋の住民たち（the Nagoyans）のなかには、大都会人を驚かせる「ど」派手な、ぎんぎらぎん（glaring）な資産家がいる。だが、他人に投資はしない。giddy（目がくらむほど「ど」派手）な鎧で着飾っているだけだ。鯱鉾？　いや、金色の孔雀（giddy peacocks）だ。

歴史的に見て、京都人は刀（権力）より菊（権威）を重んじた。朝廷には、幕府のpowerに負けないforce（めったに抜かない伝家の宝刀）がある。それが朝令という名のgilt（金箔）だ。「金色」といえば、「国債」、「金縁」といった一流証券（gilt-edged securities）のように輝くものだ。日本の歴史は、菊と刀のせめぎあいであった。将軍の勢力が強くなると、朝廷の権威が落ち、gilt（金メッキ）がflake（剝げ落ちる薄片）に変わる。お公家さんも、島流しにされる。gが軽くなればfに変わる。朝廷も軽はずみ（flighty）になると、異変が起きる。

きゃぴきゃぴした（flighty）、ベトナム戦争後の現象を嘆いたニ

え

クソン（Richard Nixon）大統領が歌手のエルビス・プレスリー（Elvis Presley）と共鳴し、抱き合ったのも空気（pendulum＝振子と訳せる）のせいだ。

私は、公と私の闘いをa tug of love（親権者争い）と表現する。ころころ変わる（flip-flop）。それが浮世（floating world）だ。その変化が露骨になると、政治的なa tug of war（綱引き）が生じる。血のにおいがする。露骨な金（gold）やカネに変わるから恐ろしい。いたましい悲惨（ひさん）からむごたらしい凄惨（せいさん）に遷（うつ）り変わる。

ehen (eh-ah)

えへん（えーあー） hem

ためらったとき、注意を喚起するときの、えへんはhem。

口ごもる、言葉がつかえるときの擬音語がhem。

hemはhawと相性がよい。「えー」や「あー」など、口ごもる状態だ。

The Yoshimoto's CEO made a speech full of hems and haw.（吉本興業の社長の話は、もごもごだらけだった。）

hawは（口ごもって、気取って）えーと言う声。

The Prime Minister Oh-hira hemmed and hawed.（大平首相の話はうーあーが多かった。）

oeh

おえー Yuck!

ページをめくるごとに、「おえー」と感じる、きもい生物ファン（creepy-crawly fans）のための本がある。本のタイトルが“Oh,Yuck!”（おえー）だから、オノマトペがいっぱいあるはずだ。1ページから、ゲロが出ている。Buuurrrpp!　bがひとつ、uが3つ、rが3つ、pがふたつで、異様な音声がノドから噴出している。本文には、ゴキブリやハエやうじ虫や寄生虫（parasites）。

パラサイトのPは、歓迎されざる（unwelcome）、体内から吹き出る、異形（いぎょう）の客だ。pee（おしっこ）を筆頭に、poop（うんこ）、puke（げろを吐く）、そしてpus（膿（うみ））等は「う」や「うー」の母音（ぼいん）を伴うから、内部から外に向かって、ゆうれいのように、にゅーっと出る。だからyuckyでcreepy（きもい）なのだ。気味の悪いものを見たら、背中をすぼめて、きもい、やだあーと奇声をあげる。そのようにyuckyと身体(からだ)を使って、一気に発声しよう。イッキーイッキーではなく、ヤッキーヤッキーと。ickyもyuckyも同じくらい息の力が要る。

oeh

おえーっ。 Yucky.

スウェーデンのマルメにある「きもい食べ物博物館」（The Museum of Disgusting Food）を訪れた人は誰しも「おえーっ」（Yucky.）と奇声を上げ、ゲロを吐く（throw up food）。もうたくさん（revolting）だと怒り出す人も多い。

スカンジナビア系の人たち（Nordicと訳せばいい）の食べ物（Nordic cuisine）は、ゲテモノが多い。本当の意味でヴァイキング料理だ。

訪問者は、生の牛のペニスを触らされたり、ねずみの死骸が浮かんだリキュールを飲まされたりする。「おえーっ」（Yucky!）としない人はいない。グリーンランドの鮫(さめ)の肉には、毒性の尿素（urea）が混じっていて、飲み込めば、くらくら、ぐらぐら（すべてwoozy）する。

しかし、鮫肉好きなアイスランドの人は、つまようじで、このハカール（hakarl）をおいしそうに食べる。

世界中を旅している、ゲテモノ好きのシェフがこう洩(も)らした。“This is the single worst, most disgusting and terrible-tasting thing.”と。訳したくもない。音読するだけで、意がおのずから通じる。これが動脈英語の入門編、いや地獄の一丁目か。

ooh

おーっ Ooh

驚き、喜び、苦痛を表すときに、日本人は、「おーっ」を使うが、英語では「う」音に変わる。「う」音は腹の底からしぼり出される音だから。仰天したり喜んだりして、おーっというときに使われる。映画でよく耳にするフランス語から派生した英語のOoh, la la

お

[uː lɑː lɑː] は、あらまあ、おおっ、わあっ、おっとっと、という驚きの音だ。うーらぁらぁと数回声を出してみよう。

oohとaahをくっつけて、驚きを「うー」や「あぁ」で表現する場合もある。Visitors oohed and aahed at the Sky Tree.（訪問者たちは、スカイツリーを見て、おーとかわぁーと言った。）

初めて遊覧船から隅田川の花火を見て「おーぉ」と驚いた。花火はオノマトペの世界だ。とん、しゅるしゅる、ぼかーん、わぁー、あーという世界だ。花火客のほとんどが「おぉー」とか「わぁー」という奇声をあげていたが、「うー」はなかった。外国人客が私のそばにいなかったからか。

コーヒー・ブレイク

大阪弁はオノマトペっぽい　onomatopoeish

「ぽい」をishと超訳させた。擬音（声）語の、という形容詞用法としてのonomatopoeic wordsという表現法は、辞書にもあり、使える。しかし、オノマトペイッシュという英語は使われたことはない——この辞書が初めてであろう。

いま、大阪の楠葉（くずは）という上品な（posh）地域で執筆していると、こてこてな大阪弁（heavy Osaka accents）はなくても、オノマトペの影響を受けている。大阪語（弁ではなく）には、書き言葉が乏しいように思えるが、オノマトペっぽい言葉が多い。『大阪弁川柳（せんりゅう）』（葉文館出版）を読み出したら、笑いが止まらなくなる。

まかしとき　大阪弁で　値切ったる（伊藤正明）
「あきまへん」「どもなりまへん」「わややがな」（荒木勉）
大袈裟（おおげさ）に　言うてけろっと　してくさる（岩井三窓）
標準語　それがなんぼの　もんやねん（小杉久信）
「なんでやねん」２歳で突っ込み　マスターし（美保昌子）

ほろっとさせる川柳もある。

かんにんな　心に残る　このひびき（滝崎京子）

大阪弁は、母音の強弱で感情を表すので、ユダヤ人がたくみに使うイディッシュ語に近い。

「手」じゃないで　「手え」やないと　大阪人（松本愛子）

私もつけ加えたくなった。

「今日は」やないで、「今日も」やで、と突っ込まんかい。

「今日は、きれいね」と言われると、「今日もよ」と、きっとにらみ返すのが、大阪の笑い。ここにも、東京人に理解できない、突っ込み文法の“妙”がある。

大都会は、標準語がbig language（大国言語）になる。グルジア生まれのスターリンは、10歳からロシア語で通した。すぐに文法をマスターした。地方の人が上京したら、すぐに標準語をマスターすることができる。しかし、東京人が地方の言葉（たとえば大阪弁）をモノにすることは、ほぼ不可能に近い。だから不利なのだ。コロナ対策を見ても、ようわかる。

*The Economist*の調べでは、文明大国や大都市の文法は、方言のそれよりも単純だという。「は」と「も」の違いまでうるさい、大阪人が無意識に使っているオノマトペ文法は、まさにdevilish（悪魔的）だ。

三角が　円（まる）くおさまる　「すんまへん」（笹谷豊子）

「すんまへん」はExcuse me.でもI'm sorry.でもない。謝って謝っていないという、摩訶不思議な関西特有のオノマトペ文法なのだ。この国際的にも通じる「すんまへん」とは、まったりとしたきつねうどんの味なのだ。どんな味なのかって？　しらん。

大阪人のコミュニケーションは、「いじり合い」だ。仲良くけんかしてはる。大都会の東京で、多分に東京的な名古屋でも、いじりがいじめになるから、敬遠される。だから、ソトモノはしん

お

どくなる。次のぼけ川柳がいやしになる。

欲しいねん　金と女とツッコミと（西泰士）

otto

おっと。　Oops.

失言（a slip of tongue）のこと。日本では「おっと」だが、英語国民は、「うっ。」（Oops. ウーップス）と母音が「う」に変わる。

“I don’t want to marry other women.（もう二度と愛人と結婚はしない。）Oops. Another woman.（おっと、新しい女と。）”
“An honest grammatical mistake.”（ちょっとした文法上のミスや、悪気（わるぎ）はない。）
“No. Freudian slip.”（いや、それあんたのホンネやろう。）

ちょっと不自然かな、この会話。

フロイト的失言（Freudian slip）とは、無意識の相を露呈する、言いそこないのこと。平たくいえば、本音がぼそっと出た失言のこと。

オノマトペを使えば、「おっと」でよい。「おっと」のなかにホンネが「うっかりと」とか「ぽろっと」というオノマトペが考えられる。ひとくくりして、「うーっぷす」と覚えておこう。

ottori

おっとり　easygoing

「おっとり」を和英辞典で調べてみると、すべての編者が四苦八苦している。すべての訳が正しくて、すべての訳が間違っているのだ。いらいらしても、らちがあかない（getting us nowhere）。おっとりと取り組んでみよう。ひらがなだから、音と耳の世界に入る。漢字で「押取」と書くと、急の用事（urgency）になる。
『和英語林集成』（1867）では、「ottori（オットリ）ヘンジワデキヌ」という訳を載せている。これなら、「おっとり刀」の様子がイメージできる。『日本国語大辞典』は、「押取刀」を危急の場合、刀を腰にさすひまもなく、手に持ったままでいること。また、その刀。特に急いで駆けつける（hurry-scurry）ことの形容に用いる。がってん。（Got it.）

これでわかった。では、耳で聞く体験に戻ろう。ひらがなで、「おっとり」は、同じ『日本国語大辞典』では、①人柄、態度などが、おおようで、こせこせしていないさま。②（比喩的に）日ざしやあたりの様子などがおだやかなさま、とある。

『彼岸過迄』（1912）で夏目漱石が、こんなふうに使っている。「穏やかな往来をおっとりと一面に照らしていた」と。冒頭に和英辞書の翻訳者を翻弄すると述べたので、説明してみよう。

『新和英大辞典』で、「おっとり」を引くと、easygoing、imperturbable（どんと構える）、placid、aloof、suave、urbane（《口》unflappable（じたばたしない）、おっとりした上品な態度がeasy grace、おっとりした口調がa suave manner of speaking、「おっとりと（構える）」が、with place aloofness。読んでいてはらはらする。

目眩がしそうだ。くらくらと。My head is swimming.「おっとり」といえば、すんなり受け容れられるのに、なぜ英訳すれば目がくらむ（get a dizzy feeling）のだろう。もっと素直に、すんなりと、音感で捉えれば、すっきりするはずだ。

同じ響きに、「おっぱい」がある。乳と訳すと、いやらしいと感じる（いやらしく、連想する人にとって）。『怪獣の名はなぜガギグゲゴなのか』（新潮選書）の著者、黒川伊保子氏は、母性のあいまいの美学をのぞかせる。

「ゆるく満たされた息は、おっぱいのような豊満なまろやかさを感じさせ、母性のクオリアになる。このまろやかさのイメージは、甘さともつながる。さらに、このゆるく満たされた吐息（T、B、Pのようにテンションを伴うほど満たさない）は、あいまいさの質的変化をもたらす。」（p127）

たしかに、おっぱいをチチ（乳）と発音すればテンションが高まる。T、B、Pを私なりに解説しよう。英語でおっぱいをTのtits（teatも乳首）で記せば、小娘、そして無能と、どこか人を小馬鹿にする響きになる。

ではBのbreastを使うと、同じ乳房を表すときでも、「滋養のもと」という生体的イメージがふくらむ。I'm breast-fed.（ぼくは母乳で育った）といえば、「おっぱい」という微笑（ほほえ）ましい（ときには、卑猥な）感触は消える。そして、a feeling heart in one's breastという表現に見られる、ほのぼのとした感覚がbust（胸部）の上におおいかぶさってくる。

次に、破裂音のPに入り、おっぱいをPに結びつけようとしたが無駄だった。「ぼいんぼいん」という音が出そうな、日本人特有の音感は、英訳できず、pop（パンと爆発する）との関連性を模索したが、My thinking bubble didn't pop.（私の思考バブルは、はじけなかった）。あるスペイン人がスペイン語で「ムーチョ、ブスト」と訳していたが、それではでかいバストに過ぎず、「ぼいん」感はいまいち。

では私の冒険心で、Cに移って、よく映画で耳にするcleavage（谷）を使ってみようと。よく誇らしげに胸を見せる、いわゆる谷間婦人の谷間は、cleavage（裂け目）。谷間を強調するブラジャーはa cleavage-enhancing（push-up）bra. 発音はクリーヴィッジ。アクセントは、リーにある。

同時通訳のプロを目指す人は、cleavageが「ぼいんぼいん」と瞬間にイメージできるくらいの、a frame of reference（トータルな情報量、体験に基づいた視座）が要る。プロの通訳者が必要とするのは、英語力ではなく、情報力だ。速読による情報量がモノを言う。a frame of referenceは、私が提唱する英語道で強調するキーワードのひとつだ。（系統的な）一組の原理、（連鎖する）一群の事実（思想）、座標系（物理）、関係枠（社会学）。漢字が多すぎて、かえって意味不明となる。絵になる表現はthinking bubble（思考の風船）、耳をたよりに、オノマトペに思考を翔（と）ばせると、ぶわーっと広がる"考え"（思考体系）のことだ。英語の勉強は、恐れず「おっとり」と構えよう。

これまでの考えをまとめて「おっとり」は、「のんき」「のんびり」で、しかも「むとんちゃく」で、冷静（calm）さをひっくるめたeasygoingに決めた。『ジーニアス和英辞典』（大修館書店）は、

「通例日本語の「イージーゴーイング」のような悪い意味の含みはない」と、おっとり刀で（hurry-scurry）、おっとりとした（suave＝口当たりよく）解説を加えていて、私をほっとさせた。

kaah-to-kuru (kireru)

かーっとくる（キレる） snap / piss off

かーっとくる、とはキレることと同義と考えてよい。

大阪人からみると、東京人はキレやすい（キレるはsnap＝自制心を失くす、逆ギレはsnap back）。Tokyoites snap（get pissed of） more easily than Osakans.

イスラエル人をかーっとさせるには、刃物は要らない。パレスチナ人に同情するだけでいい。The quickest way to piss off Israelis is to empathize with Palestinians.（「刃物」は省いた。）

パレスチナ人を逆上（enrage）させるには、イスラエル政策の支持を声明することだ。

piss offが下品で使いたくない人は、もっと古典的にblow one's topかsee redを使えばいい。闘牛は赤い布（red rag）を見ると、かーっとくる。*The Economist*好みの英語だ。しかも、より生物学的な根拠がある。（ちなみに、闘牛は色盲という説もあるが、ここでは触れない。）

「英語が好き」というレッテルを貼られると、社内では浮き上がることが多い。お前は、英語バカか、英語屋さんだと言われたら、もう出世の道を閉ざされる。不思議な国だ。これが日本というモノリンガル・カントリーの実態だ。「お前は英語屋さんだ」と言われて、怒らない関東人はいない。

大阪人ならかーっとこない。「そこまで言われたら、立つ瀬おまへんやん」と笑いで返す。東京人なら「それを言っちゃ、おしめえよ」と、寅さんのようにぷいと旅立つ。ピリオドの文化。大阪はオノマトペで勝負する、コロンかセミコロンの異国。

gachi-gachi-ni-kinchoh-suru

がちがちに緊張する almost frozen

14歳の藤井聡太（ふじいそうた）四段と76歳の加藤一二三（かとうひふみ）九段との対局（2016

年12月24日)。天才少年が鬼才と闘うのだから、がちがちになって当たり前だ。

だから、藤井四段(いまは八段となって棋聖、王位)が「あの対局を乗り越えられて、そのあとがちがちに緊張することはなくなった」と語ったという話には、かなり真実味がある。

そのときに使った、がちがちというオノマトペにも重みがある。

和英辞典はworried stiffとか、stiff with nervesとうまく訳していた。同じく、「地面ががちがちに凍っていた」がThe ground was frozen solid.と訳されていたのを知って、ふと考えた。frozenを心理描写に使ったらどうだろうと。

がちがちに緊張したり、すくんでしまったり、動けなくなるのでは。だからfreeze(凍結する)でいいのだ。

もちろんnervous as hellでもいい。だが、がちがちという生々しい感情を表すなら、自然界の音霊を登場させた方がよさそうだ。

コーヒー・ブレイク

オノマトペだけで物語ができる

お色気むんむんとした女性とのデートの時間が近づいた。ある街角で男が待っている。時計を見ながら、そわそわ、にやにやしている。アポをとるまでわずか数時間。この手の早い男は、時間も早い。てきぱきと仕事をこなし、社を飛び出してきた。

30分待つと、その男もいらいらしてくる。

1時間待つと、むかむかしてくる。

このあたりの時間の心理学を*Silent Language*(邦題『沈黙のことば』)の著者エドワード・T. ホール(Edward T. Hall)博士(文化人類学者)が同書でくどくどと述べている。Time talks. Space speaks.と。時間も空間も何かを語っているのだ。

アルベルト・アインシュタイン(Albert Einstein)も「なるほど」と頷(うなず)いているはずだ。最初の妻と別れるときの苦悩がわかる。別れ話の時間は長々と続き、苦痛だが、好みの女性が相手であれば会話も弾(はず)み、時間はあっという間に過ぎるという。

この相対性理論の大家も、女房と別れるときの言葉は短かった。次の英語表現できっぱり別れた。

If you give me divorce, I'll give you money.（離婚してくれたら、お金をやる。）
「give と get」が自由に駆使できれば、オノマトペにも強くなるというのが私の持説だ。

さて、先ほどの話の続きだ。時間は伸び縮みするという話だったな。

１時間も待って、かりかりし始めるが、そのあとは不安に襲われる。彼女は何かの事故に遭（あ）ったのか、と考えると、再びそわそわし始める。そこへ、彼女があっけらかんとした態度でごめんね、と言って現れる。ほっとする。

ふたりで夜道を歩く。月を見て、「今日の月はきれいだね」と彼女に語る。手も握らずに。頭がふわふわし、言語もしどろもどろ。もやもやし始めた頃、心臓はどきどきしている。

そっと肩に手を回したが、彼女はじっとしている。むちむちした女の背後から視界を広げる。深い谷間があり、ぼいんぼいんの熟女であったことがわかる。ちょっとばかり不安になる。さらっと縁を切るか。

もし、このけばい夜の女とねんごろになり、ずぶずぶの関係になれば……。もと来た道か。過去の痛みが、ずきんずきんと甦る。

これ以上、縷々（るる）書き続ければ、私の教育者としての文筆生命は終わる。ここはしゃきっとして、オノマトペを拾い上げてみたい。

1	むんむん	oomph
2	そわそわ	restlessly
3	にやにや	grinning from ear to ear
4	てきぱき	efficiently
5	いらいら	irritated
6	むかむか	sick / queasy
7	くどくど	tediously / rub it in
8	きっぱり	just like that
9	かりかり	worked up

10	そわそわ	restlessly / fidgety
11	あっけらかん	carefree / nonchalantly
12	ほっと	breathe easy
13	ふわふわ	spacy
14	しどろもどろ	hem and haw
15	もやもや	horny
16	どきどき	ding-dong / heart-stopping
17	そっと	lightly
18	じっと	patiently
19	むちむち	curvy
20	ぼいんぼいん	big boobs
21	さらっと	get it over with
22	けばい	slutty（sluttish）
23	ずぶずぶ	stuck
24	ずきんずきん	throb

オノマトペだけを追えば、内容は摑める。速読のエッセンスは、日本語のオノマトペにありそうな気がする。

gachin-ko

がちんこ　play for real

八百長相撲は、a fixed game。やらせは、a set-up。そういう裏取引もa game of politicsと同じく、game playingの範疇に入る。がちんことは、そういう裏取引――星の取り合い――を拒否することだから、まさに真剣勝負（play for real）になる。なんとか8勝をあげた、あとは白星を7勝7敗の相手にゆずってやればいい、いつか白星のお返しがくる。ところが、がちんこを続けていると、身体を壊し、力士生命を失うことになりかねない。

貴乃花関（元横綱）は、がちんこで身体を壊し、早期引退を余儀なくされた不運の力士として知られている。It doesn't pay to play for real.（がちんこは損）というgame playersがこの世にはうようよいる。しかし英語道を一途に歩んできた私は、あくまで、がちんこの推進者だ（I believe in playing for real.）と言い続ける。

katsu-katsu (ni-ikiru)

かつかつ（に生きる） barely getting by

オノマトペ・ハンティングにも火がついてきた。*The New York Times*の記事の見出し、とくに小見出しが気になる。読者の目を惹きつけるために、オノマトペがよく使われるからだ。2019年7月15日の国際版一面の写真のリードの見出しがBarely getting by。

うーむ。惹きつけられる。「摑み」がうまい。本文を読む。As opium prices crater, Mexican farmers head to U.S.（けしの価格がぽしゃり、メキシコの農家はアメ行きさんになる。）

ぽしゃる（crater）とは、ますます読みたくなる。阿片の樹脂（opium resin）が90％も値下がりすると、メキシコ南部の村人たちは、食べていけず、北上し、アメリカへ移住するより他はない。「もうあかん。食うていかれへん」（We can't breathe economically.）と言って。食べる（eat）より、呼吸する（breathe）ことができない方が、より切実だ。

かつかつの生活（eating from hand to mouth）だ。子どもの学費どころではない。米（ここではcorn、つまりとうもろこし）が買えないのだ。『擬音語・擬態語辞典』を引いた。かつかつとは、生活などが限界ぎりぎりで成り立っている様子とある。そして「且々（かつかつ）（＝不満足ながらなんとかやっていく）が変化したもので、本来は擬態語ではない」と述べられている。

なんとかやっていく（get by）と相性がいい。英語のオノマトペは、giveやgetに馴染みやすい。「かつかつ」するは、get piping hot。頭のてっぺんまでかっかするならsteaming hot。We're getting worked up.（われわれは、かりかりきている。）

gatsu-gatusu (kuu)

がつがつ（食う） wolf down / with gusto

狼は常に空腹だから、久しぶりの獲物はがつがつ食わざるを得ない。だから、wolf downとなる。たしかに、いつも空腹の狼は、がつがつ食うが、べつに悲惨を感じさせる空腹感はない。Wolves are always hungry and always hunting.であり、私は常に狼軍団の生き様に共鳴している。狼の名誉のためにwolfを省けば、eat ～ with gustoとなる。「がつがつ」（gusto）には心からの喜びがあり、ひもじさは感じさせない。

That vegetarian woman was seen eating a vegetable ramen with gusto.（あのベジタリアンの女性は、ベジラーメンをがつがつ食べているところを目撃されている。）

gakko-atama

がっこあたま　school-smartness

大阪弁そのものがオノマトペ化されている。学校頭（がっこあたま）がそのひとつ。知識をいくら詰め込んでも、アホ。実際に応用のできる知恵がカシコ。藤本義一（ふじもとぎいち）は『なにわ商人（あきんど）一五〇〇年の知恵』（講談社＋α文庫）のなかで、偏差値は大阪ではなにほどの価値でもなく、個性値の方を高く評価する、と述べる。その通り、私はその知恵で『GiveとGet』を書いた。英会話の第一歩はgiveとgetから始まると、実践論を説いた。

英文法とか英語学に関する理論はあと回しであった。使えてなんぼ。英語は話せて、聴けてなんぼ、というpragmatismは、英語でいえばstreet-smartになる。『ナニワ金融道』（講談社）の故・青木雄二（あおきゆうじ）も、実体験から産まれた知恵（street-smart）をマンガにされていた。高校出の青木氏にとり、がっこあたま（school-smartness）は、いかに成績が光って（brightという）いても、キタやミナミのstreetsでは通用しないぞ、という警告だった。

頭のなかが、知識いっぱいという人物は、大阪では「こちこち」（too moral）に見える。大阪のオンナは、そういうオトコを「こちこち」と小馬鹿にする。いじり甲斐のない東京人だ。では、どんなオトコを大阪オンナが愛するのか。ずばり「笑わせてくれるオトコ」なのだ。「ぼかあ、あなたのような誠実な女性が大好きです」と言う正統派で、いかにも偏差値の高そうなオトコは、「おもろない」と捨てられる。いや、ほかされる。

kakkoh

かっこう　cuckoo

The merry cuckoo, messenger of spring.（Edmond Sperce）（陽

気なカッコウ、春の伝令よ。）イギリスでは、このカッコウ（cuculus canorus）は花が咲く頃に鳴き、春、初夏の訪れを告げる鳥として歓迎されている。しかし、ディベートに魅せられた私は、かっこうの影の部分が気になる。

カッコウではなく、くうくうと鳴くのが暗い。人に媚をうーうーと売り（woo）、その人の愛の巣に侵入する、油断ならない他人のことをthe cuckoo in the nest（愛の巣の侵入者）という。

日本では妻帯者を狙う愛人タイプの女性はメス狐と表現されるが、cuckooが近い。メス狐は妻帯者を狙うことはない。冤罪だ。しかし「カッコウ」のような女は油断ならない。いや、カッコウのような男も多い。

妻を寝取られた男はcuckold［kʌ́k(ə)ld］と呼ぶ。不貞な妻を持った夫、姦婦の夫、寝取られ男のこと。発言は「かこうるど」。「か」と「く」の間の音で発音記号を使えば、［ʌ］となる。托卵された男!?　こんな単語が入試に出るわけがない。

日本では「百人一首」にも出る「ほととぎす」は、美しくも哀しげに歌う渡り鳥なのだ。cuckoo clock（鳩時計）は親しまれている。外国で警戒されても、日本では愛される。

gatten (fu-ni-ochita)

がってん（腑に落ちた）。　Got it.

合点とは承諾のこと。うなずけること。「合点したか」はDo you accept that? のことだ。まだ腑に落ちていない（not entirely happy）場合もある。

ストンと腑に落ちた場合は、I got it. 英語がアイガレッだけで通じる。合点とガレッでは発音の響きまで似ているではないか。

gappuri (yotsu)

がっぷり（四つ）　come together head-on

相撲用語を英語で伝えることは難しい。土俵の中央で、がっぷり四つになってぶつかる「立ち合い」（the tachiai）は、両力士の呼吸がぴったり合う（get on the same wavelength）のが条件だ。

日本のビジネス習慣も「呼吸」が肝腎だ。裏取引がなく、正々堂々と正面衝突（come together in the middle of the ring）すると、どちらが勝っても負けても、すがすがしい（a lovely sight to see）ものだ。だから、あえて「お互いが歩み寄る」という和の意味もある、あらゆる場合に応用の効くcome togetherを使いたい。

がっぷりという擬態語を、激しい音を感じさせる擬音語として捉えると、lock the hornsが勧められる。２頭の雄の鹿がぶつかると、かちーんかちーんという角の音が響きわたるからだ。

「その問題にがっぷりと正面から取り組め」なら、Take the bull by the horn.がもっと絵になるだろう。

いま、御嶽海と白鵬の対決を見た。両者が同時に立ち上がった。白鵬のペースで一気に相手を寄り切ろうとした。そのとき行司伊之助の「待った」で中断された。誰もが気がつかなかったが、白鵬の手が土俵についていなかった。だから仕切り直し。立ち合いにも儀式にもルールがある。がっぷり四つに先立つ、呼吸の一致という厳格なルールもある。

gappori (moukeru)

がっぽり（儲ける） make a killing

神の「か」が「が」になると、心が濁る。日本人は濁点を忌み嫌う民族だ。鏡が神々しいのは、澄み切っているからだ。カミのなかに「が」（我）が入り「かがみ」となると、私有化が始まる。尊敬し、その人と一体化（identify with）したいという願望が鑑となり、英訳すれば、role modelになる。対象は人間だが、神をrole modelとしてplay Godすることは許されない。冒瀆（blasphemy, sacrilege）に繋がるからだ。Playing God is blasphemous.

ところで、「実」業とはmake moneyで、「虚」業とはget moneyであると、かねてより私見として披露してきたが、「我」が入ると、がめつくなり、make a lot of money で済まされず、がっぽり儲ける（rake in big money）ことは、殺意に近づくのかmake a killingという口語が用いられる。

一山を当て（strike it rich）ようとする人は、ガリガリ（我利我利）亡者。金ではなく、点数をがつがつ稼ぐ人間をガリ勉（a grind）という。grindとは、磨いてぴかぴか（shiny）ならぬ、ぎらぎら（giddy＝目がくらむ）にすることだ。ぎんぎらぎん（きんきらきんよりけばい）とはgaudy（flashy）な、ど派手な美であり、自己顕示欲がぎらぎらと眩（まぶ）しくなる。

どうも濁音と英訳のG語とは相性（chemistry）がよさそうだ。

gatsun-to-iu

がつんと言う　give it to ～ straight

オノマトペの和訳となると、どの辞書編纂者でも頭をかかえる。この「がつんと言う」を最もたくみに訳していたのが『ジーニアス和英辞典』だ。「あいつには一度ガツンと言ってやらないといけない」I will have to give it to him straight.《give it to ～は、「～にはっきりと言う」の意の“略式”の表現》、この解説が気に入った。giveがたくみに使われている。

ところで、KAWADE夢新書の拙著『ガツンと言えるディベート術』では「ガツン」というオノマトペで、読者の関心を惹いたことは疑う余地がないが、それはあくまで編集、いや営業サイドの思惑で、私は「ガツン」は避けたかった。ディベートのやりとり（give and get）は、もっとさわやかな言葉のキャッチボールだからだ。

ディベートは、相手を論破し黙らせることではない。反撃のチャンスをゆずり合う、紳士のスポーツなのだ。せめてぴしゃーっと急所を突く、ぐらいでとどめておいてほしかった。方程式にすれば、「ディベート＝議論＋品格」となる。

勝敗にこだわらず両サイドが満足する結果を求める（お互いが握手をするとか）といった真理の追求が狙いだ。だから、国際ディベート学会は、究論道と定義している。したがって、個人的な意地やプライドにこだわることは、“不粋（ぶすい）”（uncool）なのだ。

「Debate＝議論（argument）－面子」という方程式も成り立つ。したがってディベートは、方向性に関しては宗教より科学の領域に近づく。ディベートで勝てなくても、議論や口論でカタがつくこともある。

かつて米大使館で修業中の私は、師匠の西山千氏にがつんと言われたことがある。「同時通訳の技が未熟なときに、公衆の前で講演なんかするな。同時通訳は忍術だ。目立つな」と。あれは「叱り」

ではなく、「怒り」であった。「がつん」には教育効果以上のものがあった。

gaba-gaba (kasegu)

がばがば（稼ぐ） (earn) handsomely

一昔前、いまはそうでもないらしいが、人気予備校の先生はがばがばと、しこたま稼いでいたと聞く。making money handsomely（ばかすか稼ぐ）。rake in a lot of moneyという表現も勧められる、rakeは熊手のこと。handsomelyという英語をよく耳にするが、どうやら美男子のハンサムとは異次元のことばだということがわかる。He's handsome, but he can't make handsome money.（彼は美男子だが、ばかすか稼ぐことはできない）という例文はどうかな。

gahaha (to-warau)

がはは（と笑う） guffaw

大哄笑（a loud and healthy laugh）に悪い意味はない。三島由紀夫の、あのガッハッハ（グアッハッハ）という笑い声（guffaw）を、ファンなら（私もそのひとり）a belly laugh（ハラから笑う）と訳すだろう。しかし氏の馬鹿笑い（a silly guffaw）が気に食わない人なら、a horselaughと訳すだろう。

三島由紀夫のお気に入りだったヘンリー・スコット・ストークス（Henry Scott Stokes）記者（ロンドン・タイムズ東京編集長）が、自著*Mishima Yukio*で三島の高笑いをguffawと訳した。真意を本人に確かめたが、ヒー・ガフォード・オフトン（よく高笑いをしていました）と答えた。決して下品なゲタゲタ笑いではなかった。よく、氏はI've been living in his shadows.（私はずっとミシマさんの影のままです）と故・三島由紀夫に敬意を払われていた。長い間、私の英語道場「紘道館」の顧問を務めていただいた。

コーヒー・ブレイク

かまきりとオノマトペ

同時通訳の師匠であった故・西山千氏の風姿は、かまきりのそれであった。その芸風を継ぐ私は、蟷螂流を引き継いだことになる。

かまきりは、端正で、人とつるまず、人の悪口を言わず、品位に溢れ、孤独を愛し、情報収集に関して余念はなく、すわ出陣（Here we go!）前の、同時通訳会場上の決戦となると、周囲がぴりぴりする（edgy）ほどの鬼軍曹に豹変する。この夜行性肉食系のかまきりは、至極「構え」を大切にし、「待ち」の姿勢を決して崩さず、何時間でも断食（だんじき）をしながら耐える（torturing himself）。

哺乳類にたとえれば、狼だ。Always hungry, always hunting. をモットーとする、ストイックなチームプレーヤーだ。メタボの狼やメタボのかまきりを見たことは一度もない。とにかく進化論上の師匠がゴキブリなんだから、かまきりはサバイバル技術に長（た）けて当然だ。恐るべきDNAというべきか。４億年間モデルチェンジをしなかった、ゴキブリの伝統芸をさらにグレードアップさせて、擬態の術を学んだのが、かまきり。

かまきりは昼間、田んぼでは全身が緑一色の見事な保護色で身を守る。夜になると、がらりと（completely）変色する。シェイプシフトをしなくとも、眼玉から翅や手足や尾まで、褐色に変色させる。がらっと（surprisingly）変わる「変態」は英語ではmetamorphosisだが、異色による「擬態」術はカムフラージュという。

もし、かまきりが音声を用いるとすれば、mimesisという妖術を用いるだろう。だが、その必要もなかった。なにしろ、ゴキブリ一族という忍者の世界では、音声は無用の長物である。そんな高度なサバイバル術を粛々と（uninterruptedly）後世に伝えてきた。４億年も。かまきりは少なくとも3.5億年の歴史がある。半億年ほどの違いは、地球年齢でいえば、大差はない。

人類史は、数万年の違いで学界が大騒ぎするが、かまきり一家は威風堂々としている。これ以上進化する必要もないから、あっけらかん（non-challant）としている。まったくのマイペースだ。They are themselves. 大過なく今日にまで生き延び、この昆虫王国で、しれーっと（effortlessly）王座についた羨ましき存在だ。くやしいが（to our chagrin）、われわれ人類には歯が立たない存在だ。Matchless!

かまきりの戦略は、じーっと「待つ」ことだ。それに尽きる。身動きをせず（motionlessly）、じーっと（stealthily）待つ。餌（prey）が来ても、さーっと（without waiting）襲う（prey upon）まで、決して油断しない。お祈り（こちらのスペルはpray）しているような神々しい姿を崩さず、待ち続ける。だからpraying mantisと呼ばれる。

prayingのaをeに変えるだけで、獰猛な肉食昆虫になる。餌が近寄ると、しめしめ（can't wait）と思いながらも、息を殺しながら（bating his breath）待つ。

餌（prey）の昆虫の方でも、警戒心はゆるめない。内心びくびく（nervously）しながら……しかし何時間待っても動かないから、「なーんだ（I was wrong.）、ぼくの気のせい（I was just imagining things.）。やっぱり（I knew it）木の枝だったんだ」と、ほっとする（breathing easier）。

待ちに待った、その瞬間が来た。ひっひっひっという、息を殺していた含み笑いも消え、電光石火のごとく（0.05秒のスピードで）、かまきりの鎌が餌に襲いかかる。Swish!（刀が風を切る音）的中率は100%（flawless）。

私が、夢中に（single-mindedly）同時通訳のプロを目指す人に、「かまきりらしく」（Be a praying mantis.）というのは、そういう心構え（commitment＝破れない約束）のことだ。虎視眈々とは、the eye of the tigerのことだが、かまきりの眼は、さらに一枚上（a cut above）だ。かまきりは、単眼（single eye）と複眼（compound eye）を上手に使い分ける（juggling both eyes）うえに、眼の瞳（pupils）は固定させない、というから、まさに名人芸だ。周囲をぐるりと（360 degrees）見渡すことができるから、背後から忍び寄る敵をも察知することができる。完璧な危機管理術（perfect crisis management）だ。

もし、技が見破られ、天敵の鳥に襲われても、かまきりは逃げない。ぱっと（suddenly）両翅を広げて、相手を威嚇する。まるでドン・キホーテ（Don Quixote）だ。いや敵に背を見せないのは、武士の勇姿ともいえる。大概の相手は矛を収める。翅で逃げるのは、あくまで伝家の宝刀で、めったにしか抜かない。
「蟷螂の斧」を英訳すれば、battling the windmillsとなろう。ドン・キホーテは風車に戦いを挑んだ誇大妄想人間だったが、かまきりは最初から無駄なことはしない勇者だ。負ける相手とは一切闘わないから、「孫子の兵法」のモデルにもなりそうだ。いつも凜(りん)として（unwaveringly）いる。武士のようで、天晴(あっぱれ)！　Amazing grace!

それにしても、そんな擬情語でしか表現できないかまきりの風姿を、後世にどう伝えたらいいものか。うじうじ（wishy-washy）せず、ストレートにかまきりに聞いてみようか。彼らは、あっさりと（straight away）、こう認めるだろう。
「それは、loveさ。」
「歯に衣(きぬ)着せずに言わせていただければ（without mincing my words）、愛とはずばり、セックスのことでしょう？」
「もっと上品な言葉があるだろう。じっくり考えてみたら（think hard）。」
「まぐわいかな。」
「上品すぎる宮廷用語だな。ずばり（straight）言って、交尾（copulation）だ。性交を聖なる儀式と考えると、交尾でいい。生物界では、生命を子孫に繋ぐ通過儀礼（rite of passage）は聖（ハレ）なのだ。」
「うっ！（Gasp!）それが聖なる儀礼（a rite）？　開いた口がふさがらない（appalling）。交尾中に、雄の頭が雌に食われちまって？」
「カニバリズムとは、まさに問題発言（politically incorrect）だな。」
「いや、民俗学的には、夜這(よば)いも『ケ』でも『ハレ』に近い。ハレもケも同じ。これもbiologically correct（生物学的には許される発言）だ。生物界には人間界のタブーや、ころころ変わる（flip-flop）掟や法のようなものはない。」
「雄は、自分の頭が食われても、交尾が続いている限り満足しているとでも。」
「そうだ（Uh, huh.）それが生殖のためという生物界のルール

か

だ。食うか、食われるかは彼らが決めること。うじうじしている（indecisive）やつは、生物界では生き残れない。みんな覚悟（commitment）はできている。環境を守るのは、人間よりも昆虫だという自覚とコミットメント。」
「何に対するコミットメント？」
「子孫の繁栄のためとは、すなわち環境保全のためだ。子孫を途絶えさせないためには、自己犠牲は当然の代価（price to pay）なのだ。人間のように堕ろすことは、biologically incorrectだ。」
「ん……ん…Mmm。」しーん（Silence. You could hear a pin drop.）
「舌がないのか。（Cats got your tongue?）じゃこちらから訊く。かまきりは、なぜあんなにも多くの卵を産むのか。まだ答えがないのか。じゃ、なぜ同じように、たんぽぽはあんなに多くの胞子（spare）を空中に散布させるのか？」
「生殖。風にまかせて。」
「そう、Go figure.（思考を風にむかって撒け。）」

gamushara-ni

がむしゃらに　fast and furious(ly)

「がむしゃらな生き方」とは「ぬくぬく」育つ環境とは正反対だ。
和英辞典には、recklessly, foolhardilyとあり、ちょっと近い。in a daredevilish mannerもあるが、がむしゃらに英語を勉強したいという心情を表す表現としては、いまいちだ。
私のおすすめは、work fast and furiouslyだ。F語は、英語国民が大好きな――とくにアメリカ人が――言葉だ。fist fight（けんか）の好きな人間は、fast and furiousというF語を自然に使う。異性に手を出すのが早いやつ（隅に置けないやつ）も、"He's fast."と周囲からいじられる（teased）。
「先生は、英語道ではなく色道を選ばれてたら、ずいぶんもてたでしょうね」と言われたことがたびたびある。そんなとき、「よく言われます。Yeah, I get that a lot.」と笑いで返す。
英語でも異性でも、狼はがむしゃらに走り、獲物を狙う。Wolves are always hungry. Always hunting. 女でも英語でも同じ心構えがいる。Be fast and furious. 英語をmoneyとpowerに置き換えれば、アメリカのトランプ（Donald Trump）大統領となる。

garatto

がらっと　surprisingly

がらりと、がらっと、変貌するさまを和英で調べると、completely, totally, thoroughly, suddenlyがある。私は「驚き」を加えてsurprisinglyを選んだ。長ーい生駒トンネルを越えると、いつものうぐいすが啼き出す。ここは、北生駒の吉祥院（信貴山千手院分院）で、最近私が執筆地に選んだ桃源郷だ。うぐいすが毎日歌っている、エデンの東。トンネルを越えると、風景ががらりと変わると、住職の佐々木照真氏をはじめ、私が会った多くの人たち（some peopleと訳したい）が認める。

このがらりに、欣びを加えたら、surprisinglyになる。surpriseは、外国ではいい意味で使われることが多い。Surprise!（驚いたでしょ！）Nightingales chirping（ほら、うぐいすが歌っているでしょう）と、緑の田園が迎えてくれる。密教寺院のおもてなし料理が出る。好みがありますか、と問われても、「お任せで」（Surprise me!）としか答えない。畑から旬の無農薬野菜が出される。やっぱりおいしかった。この「やっぱり」は、unsurprisingly とイギリス人ジャーナリストなら表現するだろう。この客を驚かせない、いつものおもてなしは、俳人松尾芭蕉が好んだ無作為（がらっと変わらない unsurprisinglyな）のcountry hospitality（ローカルなおもてなし）だ。

緑の庭園を借景に、うぐいすの声（ときどき、ほととぎすの声までも混じる）を聴いていると、ペンがすいすいと（smoothly）進む。肩の力を抜いて（effortlessly）ペンが進む。主語をペンにしよう。My pen writes uninterruptedly.「すらすら」「淀みなく」と風味を加えてみた。

garari-to-kawaru

がらりと変わる　sing another song (tune) / change dramatically (forcibly)

「がらりと変わる」とは豹変することだ。あくまで態度のことだ。身体ごと変わることはshapeshiftかmetamorphosis（morphだけで使われることが多い）。私は好みとして、songよりtuneを選ぶ。「どこ吹く風」は歌よりtune（節まわし）に近いと思えるからだ。

「がらりと戸を開(あ)ける」は、open a door with a loud clatterと、with a loud clatterを加えればいい。noisilyでもいいが、オノマトペ風に訳せば、もっと身近に感じる。「がらり」は、大きく急変するさまだから、次のような直訳が役立つ。completely, utterly, totally, suddenly, dramatically。

和英辞書から引用したが、使い方がわからない。私なら、「かららり」や「ころり」より、「がらり」と濁音になると、もっと力が加わるので、forcefully（ぐいと力を入れて）を用いたい。「が」の力（force）に注目していただきたい。

最近観た映画『ゴジラ　キング・オブ・モンスターズ』で、オノマトペの研究をした。ゴジラ（Godzilla）の対抗馬は、ギドラ（Ghidorah）であった。ゴとギの対決だから、復讐心もギラギラと炎上し続ける。モスラ（Mothra）が幼虫の頃から登場する。成虫になると、がばい怪獣になる。ガは英語ではmothとMから始まる。同じ怪獣でも、モスラは母親的で優しい。

ふと、黒川伊保子氏の『怪獣の名はなぜガギグゲゴなのか』を再読したくなった。「多くの国の幼児が、母親をM音で呼ぶ。日本語でも母にこそH音が与えられたが、『飯（まんま、めし）』『実』『蒸す』『芽』『桃』『満ちる』等々、中味の充足した状態、満ち足りた事態に与えられることばにM音は非常に多い。」（p29）

奇才、黒川伊保子氏に火をつけたのは、人生最初で最大の快感と、M音に対する人類共通のイメージが結びつくのでは、というひらめき（a flash）だった。そういえば映画に見るモスラは、がばい（佐賀）、どえりゃー（名古屋）、どてらい（大阪）母親のイメージだった。

コーヒー・ブレイク

韓国と日本のオノマトペの比較

日本語と韓国語。目と耳から接すれば、どちらも異星言語。しかし、韓国語を漢字に転換すると、ほぼ同じ（「詐欺」の発音は韓国語でも「サギ」）で、語順まで不気味なほど一致する。

ある米日韓の会議にジャーナリストとして招かれたとき、ゲスト・スピーカーの韓国語が日本語に同時通訳されていた。かつてプロ同時通訳であった私は、イヤホーンで聞き耳を立てた（with undivided attention）。韓国語と日本語は、そのまま頭から訳しても通じるのだ。２年前に、名古屋のホテルで開かれた一会議の席上で、ブースから流れてくる韓国語を聞いていると、語順がまったく同じであることを知って愕然とした。同時通訳が簡単なのだ。言語上、両国語は同類なのだ。

オノマトペも、共通点が多いことを知っていたので調査に乗り出した。話題の韓国映画『パラサイト 半地下の家族』を２度も観て、暗闇のなかでメモをとった。韓国は、表と裏の世界の対立ではなく、土地的に高い住宅地域に住む富裕階級と、低い地域に住む貧困階級とで、言語感覚が違う。前者は、英語がペラペラ。英語がステータス・シンボルになっている。ヘルパー（care giver）組織もザ・ケアで通じる。

英語が、日本のカタカナ英語のようにぐにゃぐにゃ（deformed）に母語化されることがなく、そのままの発音で使われている。フルタイム、シンプル、リスペクト、ノープラン、パーフェクト、サプライズetc。しかも、それを誰もがキザだとは思わず、外国語に対する違和感がない。日本語もそのまま使われている。日本とは違って、ここでは外国語アレルギーがない。〈まじで〉deadly seriousをすらーっと（effortlessly）、英語でデッドリー・シリアスと、そのまま発音しているが、それでも自然なのだ。

ひょっとして日本人よりも素直（without doubt）なのか、キリスト教でも詐欺（コン・ゲーム）でも、素直に受け入れられるのだ。乾いている。日本人のようにじくじくしていない。日本でもキリスト教系の組織はゴマンと散在しているが、頭では90%

わかる、しかし、腹では90%、すとんと（sit well with）きていない。uncomfortableなのだ。つまり腑（ハラ）に落ちていないのだ。

それなのに、オノマトペが多い。（く）わーっ、ざー、じゃー、げげー、がーがー。音は近いが、水のように流れていない。韓国の川は、日本のそれとは違って、優しさがない。韓国人は川が怖いのだ。荒れがちな漢河は妖怪が棲（す）んでいるようで、泳げるところではない。さらさら流れる（murmur）川はなく、岩石でごつごつ（rocky）している。流れをさえぎる「石」がテーマになっている。凶器にもなる。流れないから、先行きが不透明になり、計画が立たない。

この映画の「教え」（moral）は、「プランは必ず崩れる。プランを崩さない方法は、最初からノープランに限る」ということ。これが韓国人好みの「ケンチャナイヨ」（しゃーない。沖縄でいう「なんくるないさ」）という心境なのだ。

韓国人の石に対する執着は、青色に対するこだわりとともに、ギリシャの風土とよく似ていて、からっとしている。日本の風土から生まれた、湿ったオノマトペ（じめじめ、じわじわ、じくじく等）は韓国では生まれない。なぜ、日本人好みのオノマトペには濁音が多いのか。水、そして湿気。

『風土』の著者、和辻哲郎（わつじてつろう）は、日本を「湿（しめ）やかな激情」と見事に心理描写した。火山帯の上で、地震や台風と同棲している日本人は、いくらかっかして（volcanic）いても、水で覆い隠す。水に流す（みそぎ祓いをする）。これが水のタテマエで、火のホンネをcover upする。韓国人がキムチのようにカッとするのは、「石」を蹴飛ばす必要があるからだ。水は苦手なのだ。

この名作『パラサイト』を２度見て、オノマトペ日本の精神風土はやはり「火」（ホンネ）を包み込む「水」（タテマエ）だと感じた。化学的には水は火に化けるのだ。韓国と日本の風土上の相違点を水にフォーカスし、遅まきながら、火と風の力（force）から、ざっくり（talk cold turkey＝ぶっきらぼうに）解説させてもらった。

いや、鋼鉄の日本刀で風を切るようにすぱーっ（Swish!）と切り捨てた。そして、ぷいと去る。中国人なら、オノマトペを極度に抑えて、石より風を用いて、「飄飄(ひょうひょう)と去り行く」と表現するだろう。

風を使えば、日本人の「ぷいと去る」をひとひねりして、こんな表現にするだろう。

随風而去（ツイフォンアーチ）

日本人のように、水に流さず、風に流す。いや「風のままに」姿を消すだろう。

gan-to-shite (〜 shinai)

がんとして（〜しない）　refuse to 〜

この「がんとして」というオノマトペを表現する英語はない。動詞のなかに情感を込めてみよう。「彼女はがんとして、それを受け取らなかった」なら、She refused to accept it. と訳してみよう。refuseは、big word（大げさな言葉）ではない。日常会話でもしょっちゅう使われる。いや、活字でも使われる。*TIME* essay（July 6-13, 2020, P66）は、見出しに使っている。

THE COUNTRY THAT REFUSED TO CHANGE

がんとして変化を受け付けなかった国。アメリカは、人種問題に関しては、がんとして変化を拒んでいるというのだ。

giku-shaku

ぎくしゃく　at odds

OK! というイギリスの大衆誌にはオノマトペがいっぱいあって楽しい。派手なピンク（strong pink）でred hotな記事が満載されている。おっぱいもいっぱいある。使える英語もわんさ（a lot）と登場する。カバーがいきなり、It's A Girl!! だった。「生まれた赤ちゃんは、女の子だったわ」という見出し。彼女のお腹(なか)が大きくなってきた（have a baby bump）と、仲間がわいわい騒ぎ出した。（Everyone is buzzing.）

小見出しがTwo Babies Under 2! は（２歳までのベビーが２人も）。早く産みたくてうずうずしている（She can't wait to have another great granddaughter.）妊娠中のメーガン妃（Pregnant Meghan）。

"Harry already picked her name!"（ハリーは彼女の名前まで選んだの。）

Inside their move to L.A. ふたりのロスへの旅立ちの最中に、ふたりはぞっこん惚れ合った仲（blinded by love）だから、世評を気にしない。

カバーのボトムには、ぶすっとした（unamused）にがにがしい（bad taste）エリザベス女王の写真が載っている。「みっともない」（It's bad form.）と言いたげだ。

Plus：Why they're skipping Christmas with the Queen?（おまけ：なぜふたりがクリスマスぐらいは女王と暮らそうとしないのか。）

年内、日本の民放テレビでもこの番組が大きく取り上げられた。そのビッグ（red hot）ニュースも１枚のカバー写真だけで十分であった。

私のコメント。王室内にも「間」が必要だ。（They should give each other space.）

以下、オノマトペ風の動脈英語（今日も使える）をピックアップ。（英語ではpick out）してみよう。さあ、始めよう。（Here, we go!）

「ここだけの話よ」Privacy, please. なぜふたりがハリウッドを去ったのか。

「人気、うなぎのぼり」Rising Star. うなぎのぼりはriseだけでも。rise fastはベター。

「おっとっと」Oops! 私のヘアがからから（dry）になって、また染め直すの!?!?

そして、最後に標題の「まだぎくしゃく」はSTILL AT ODDS。evenの偶数（ベタベタ）ではないからoddの奇数でいこう。それって左右非対称？　そんな風に前頭葉だけで考え続けている間は、いつまでたっても動脈英語が学べない。

ぎくしゃくした（uglyとかicyでも）関係は、at odds（耳に入る英語はエラッヅ、ラに力を入れて、エ**ラ**ッヅ。発音を修正すれば、聴きとれる）。動脈英語入門は、音から始まる。目からも耳からも英語を学べば、英語とはあつあつの関係に変わる（turn romantic）。

kichin-to-kata-wo-tsukeru

きちんと片をつける　take care of ～ / get it all together

ナポレオン・ヒル（Napoleon Hill）は成功した人物を恐れない。彼らが闘ってきた悪魔の誘惑（temptation）の方を恐れているのだ。この歳になって、私も世間で、英雄とされた人たちの悪魔的存在が気になる。けじめ（justice）をつけるのではなく、きちんと片付けたいのだ。その英語表現はtake care of ～という何気ない口語表現だ。トランプ大統領も、I'll take care of that.をさりげなく使う。こういう日常用法の方が、より「含み」（nuance）がある。

さらに私のお勧めは、get it togetherだ。このヒントは、小説*The First Wives Club*の目次から得た。男は、最初の女房を捨てて、若い女に走る。逃げられた最初の女房たちが結成したのが、The First Wives Club（ファースト・ワイヴス・クラブ）であった。その流れが次のように「序破急」の流れに沿っている。

（序）Getting Mad　かっかする
（破）Getting Scared　びくびくする
（急）Getting Even　がつんとやり返す

最後、ソナタ形式のコーダ（finishing touches）のようなエピローグでは、こう決めている。Getting It Together.（びしっと決める。）これを「うじうじしない」と記してもよい。最高の仕返しはa dish best served cold（怨みは倍返し）ではなく、仕返し（復讐）をせず、振り返らないこと（move on）なのだから。

すべてGETの流れだ。オノマトペは、giveやgetと相性がいいようだ。They seem to go along to get along.（両者の呼吸はまさにぴったり。）

kichinto-shita

きちんとした　decent

かなり英語に自信のある人でも、decentという形容詞は使えな

い。「きちんとして」「見苦しくない」「しかるべき」「慎みのある」「たしなみのいい」「礼を失しない」「まずまずの」と幅広い訳が考えられる。しかし、「きちんとした」というオノマトペを使うと、フリーサイズ（one size fits all）となり、応用範囲がぐーんと広くなる。

公と私のバランス。自我と他人の眼とのバランス。その見えざるバランスを日本語では、「場」とか「空気」という難訳語で表現する。前者はspace、後者はtimeに影響を受けやすい。場を読め、空気を読め、というのは、「decencyを弁(わきま)えよ」ということだ。NHK教育テレビのインタビュー番組がフィナーレとなったときに、最後にゲストとして迎えたのは、友人のトム・ネヴィンズという経営コンサルタントであった。

トムに、「ここはNHKだ。場を読んで、ちゃんと応答しろよ」と釘を刺した。そのときの英語がDo it right.であった。このなんでもない表現の意味を解読した視聴者は、たぶん、ひとりもいなかった。トムは大声で笑った。ふたりだけの世界（comfort zone）になった。

私も初めての海外帰りで、英語力がネイティヴ並みに、さらに冴えていた。それが最大のミスだった。That was a mistake! このネイティヴ受けする英語（いまでは動脈英語＝arterial English）が、NHKの番組担当者との溝（psychological distance）を深めることになった。あえなく（tragically）降板！　decencyを欠いたのでは、と反省している。

静脈英語（veneous English）を好む視聴者を意識して、Watch your language in accordance with the psychology of the situation here at NHK studio.とでも言えば、big words好みのviewersからも受けたはずだ。当時のNHKには権威も権力もあり、学歴に乏しい私にとり、毎回の英語オンリーのインタビュー番組は、まさに御前試合そのものであった。いまから考えると、あのときトムに向かって、Be decent.とでも言えば、NHKの製作担当者も視聴者も納得していたはずだ。私の脇も、そして英語も甘かった。

kichin-to-suru

きちんとする　get it right

ちゃんとした（decent）人には、ちゃんとした生活様式があり、何事においても、きちんとやる。「きちん」は「正しく」（right）という意味。do it right。元通りにきちんとするはget it right。

「軌道修正する」といった、高度な日本語も、「きちんと」に置き換えると、日常英会話はらくになる。読、聴、書、話、という四技能のうち、一番簡単で、若くてもできる技能は、"話すこと"（speakではなくtalk）であると言い続けてきたが、オノマトペに手を染めてから、ますますそう思うようになった。

「教えてあげる。きちんとやれば、女に騙されることはないわよ。」（Listen. I'll tell you how to keep the wrong women out of your life.）

これが私流の動脈英語だが、入試に有効な静脈英語に転換すると、not to be deceived by women が加わる。「きちん」はin an appropriate mannerか。これでは斬れない。理由は３つある。

１、長すぎる　２、not to be 過去分詞は、学校英語すぎる（too textbookish）――もっと前向きに（能動態で）考えよう。　３、womenと複数形で、しかも限定しない人は、女性に偏見のある結婚嫌いの人（misogamist）に限られる。NHKの静脈英語派の、場の空気を乱した。やばかった。Bad, bad, bad.だ。動脈英語派は、日本社会ではwrong（正しくても場違い）だから、許せない（bad）となる。

kippari

きっぱり　cold turkey

オノマトペの大家である尾野秀一氏は、きっぱりの訳に、flat, absolutely, clear-cut, resolute, 等々の類語を当てられている。なかでも、私はflatを一推(いちお)しとしたい。give someone a flat no（きっぱりと断わる）がお勧め。日常会話で「これっきり」は、This is it. このなかに「きっぱり」（once and for all）というニュアンスが含まれている。

では、身勝手ながら私が勧める超訳を述べてみよう。それが口語

き

表現として使えるcold turkeyだ。1、麻薬常用を突然やめ（させ）ること　2、ぶっきらぼうな言葉　3、冷淡な（つんとした）人。しかも動詞用法として、〈米〉突然に、出し抜けに、いきなり、を加え、『新英和大辞典』は、口語と認めている。(『リーダーズ英和辞典』と『ジーニアス英和辞典』は「俗」そして「米俗」と決めつけているが)。『ジーニアス』は、go cold turkey（酒、たばこ）を断つ、そしてtalk cold turkey（いきなり、ずばっと）と、よく耳にするコロケーション（連語）まで加えているから、『ジーニアス』の気配り（thoughtful attention）が嬉しい。

さて、この「きっぱり」に関して、大阪の動脈英語研究グループ（英語映画の字幕研究家の熊懐愛（くまだきあい）女史がチーフ）のメンバーたちと語り合ったところ、メンバーのひとりであるH氏が、「きっぱり」は男性言語で、女性は「さっぱり」を使うと助言してくれた。「き」より「さ」かと、思わず唸った。

kibi-kibi

きびきびしろ。　Move it.

かつて数人のアメリカ人と数十名の日本人を連れて、比叡山の宿坊で２泊３日の英語道合宿を催した。ナニワ英語道の創始者の私が20代の中頃だ。英語の「術」でなく「道」を研（みが）く研修だから、初日の挨拶も僧侶の「はっぱ」(peptalk）から始まった。初日は一口も喋るな。風呂場でも食堂でも沈黙。風呂場のなかでも。食事中に、たくあんを噛むときも音を立てるな。ここは“人間”を研くところだから、英語の勉強はその次だ！

２日目から英語が許される。その時の坊主の「きびきびとやれ」という日本語が外国人参加者に通じない。通訳する日本人側でも、翻訳できず、もごもご（grunts and groans）していた。もうお手上げと感じたネイティヴは、Be kibikibi.と言って、きびきびが英語になってしまった。

ハーバード・ビジネス・スクールなら、「きびきび」にはagile（エジャイルと発音）という形容詞を勧めるだろう。経営者は猫の特性であるagilityが必要なのだ。オーバーなcuriosity（好奇心）には気をつけながら、日常会話ではビジネス英語を避け、Let's get moving.か、Move it.とリズミカルに、しかも命令口調でいえば、「きびきびしろ」となる。ムーヴェットのitはyour assだろう。

きびきびさせる食物は、桃太郎の家来の猿や雉や犬に与えたきびだんごか。日本の商社の源流とされた近江商人のはしこさ（agility）も、関西商法も、きびん（機敏）なサービス精神をモットーとする。この、きびきびだ。Get on the ball.とかOn the double.ならば、Be kibikibiで通すか。

kimoi

きもい　creepy

ムカデ（百足）が好きな人はいない。私も、もぞもぞする虫は好きではない。ムカデは見ただけで、ぞーっとする。Just the sight of a centipede gives me the creeps. クモ（spiders）も興味があるが、好きにはなれない。這う（creep）虫は、すべてcreepyだ。

こういう、もぞもぞ這いまわる虫はすべてcreepy-crawlies（気味悪く、這いまわる虫）と呼ばれる。気味が悪い虫たちは、すべてcreepy。きもいとは、虫唾が走るさまだ。むしずの「ず」は、「す（酸）」から？　いや、「つ（唾）」が濁音化したものか、説は分かれる。ともあれ、歴史的仮名づかいとして「むしず」に落ち着いたことは間違いない。

胃酸などで胸がむかむかしたとき、胃から口中に逆流してくる酸敗液のように不快な感じを与える。ここからだろうか、東北や北海道では、「胃がにやにやする」という表現を用いる。胃がにやにや笑うわけがないのにと、八戸にいる、私の英語道場「紘道館」の内弟子が調査して教えてくれた。

胃がしくしく痛む（sore / hurts）の、しくしくが、にやにやとは。聞いた私も首をかしげてしまった。もし、虫唾の唾（つば）が酸であれば、胃がにゃむにゃむ（むにゃむにゃ）とわけのわからないことを口走ったとしたら、にやにやのオノマトペに近くなる。「むしず」が走るといっても、それは必ずしも、きもい（creepy）動作とはいえない。同じように胃がにやにやしても、雄と雌の虫が胃の中で睦み合っているわけがない。胃内の酸敗液が口中に逆出するときの気分は「にゃむにゃむ」した不快感に近いのだろう。青森弁は、縄文語の延長にあるだけに、オノマトペイックだ。

ところで、酸敗とは、油脂が保存中に、酸素、熱、湿気、光、細菌などの作用を受けて劣化することだ。不快な臭いを出すことから、おえー（Yucky）と悲鳴を上げたくなる。その胃がにゃむにゃむなら、にやにやと、オノマトペ虫が這いまわっても不思議ではない。

きもい女は、creepy woman。きもいやつらのきもいことばは、むかつくものだ。The creepy words of those creeps gave me the creeps.

gya-hun (to-iwaseru)

ぎゃふん（と言わせる） Gottcha!

I've got you.（痛いところを衝いただろう）を縮めたもの。日常会話でもよく使われる。ニュースキャスターもよく使う。

その反対がYou've got me.だ。You hit me where it hurts.と同じ意味。相手がひた隠しているホンネの部分がポロリと出た場合に、ガッチャという。Gottcha!「ざまあみろー」というときに使える。「がつん」と相手を黙らせる（make others speechless）ときにも使える。「ぎゃふん」とか「がつん」という濁音語とのオノマトペは、強調するときに有効打となる。

gyuh-to-iwasero

ぎゅー（と言わせろ） jawbone

重苦しい音だ。強く締め付けたり抑えたりして出る音。相手が反撃できないほどやっつける様子。山口仲美氏の解説を読まなくても、音感的にその意味が把握されているはずだ。官能小説がオノマトペの宝庫だ、と言ったときに、首をかしげている読者がいたが、ここでぎゅーっと強引に説得してみたい。ずばりjawboneがお勧めだ。強い圧力（顎骨）で脱線させるという意味で、米大統領などのトップから強引に説得するという意味だ。パワハラで訴えるなら訴えてみろ、その前に首にしてやる、という凄みがある。

『美人派遣社員』（フランス書院文庫）のフラップ（折り返し）の10行にオノマトペは５回も登場している。そこからおよそのストーリーが読み解けるのだ。

……たった一言で結衣はギュッと内腿を締めた。……

グリッと手首をかえし……ヌルッヌルッと……

そして、カリカリと爪先で引っかく……

この3行をさらに、オノマトペだけに絞る。ギュッ、ヌルッヌルッ、グリッ、カリカリ、これでストーリーの全貌が見えるというもの。

淫声「ハグー」「ウグー」「ウゥーン」「ウゥゥゥゥン」「フゥー」「アァァァァァ」「クゥゥゥ」「ヒィィィ……」「ハウゥゥ」「アグゥー」「ウグーッ」「アゥゥゥ」「アァァ」

さらにじわじわと分析する。この250頁の文庫本から、カタカナをひらがなに転換させず、拾い上げた。

ゴクリ　チラチラ　ムニュッ　ビクン　ギラ（ついた）　グイッ　ギュッ（ギュウギュウ）　ムチッ　グニョグニョ、グニャリ、グニュ　ジトッ　スベスベ、スルッ　フニャリ（ふんわり、ふっくら）　ベッタリ　グチュン　ジーン　ゾクゾク　サラリ　ゴクン　ヒッヒッ　ヌルッ　ドクンドクン　グッショリ　ワナワナ　ピチピチ　ビクビク、ピクピク　ジンジン　ポッテリ　ヌラリ　モヤモヤ　フーフー　パク（つく）　ピクリ　ドクン　カラカラ　ヌメッ　ガックリ　ビショリ　ギラギラ　ビクンビクン　ズルッ　ピクンピクン　プーン（女匂）　チラリ　ピッチリ　ビッショリ　グリッ、グリグリ　ピクン　キュン、キュッ　ブルブル

以上、50あまりピックアップしたオノマトペから、頻度数の高い順にベストセブンを選んでみた。

ぎゅう／ふにゃり、ふんわり、ふっくら／ぐにゅ、ぐにゃり／ぐちゅ／ぐりぐり／ずるずる、ずぶずぶ／ぬるぬる、ぬめぬめ

この共通点は、ほとんどが濁音であり、母音はほとんどが「う」音であった。やまと言葉とは、縄文語ではないか。性交時の究極の淫語（声）は「う」と「あ」と「い」に収斂（しゅうれん）され、「あうー」のように、「あ」といえども「う」に引き込まれそうだ。

やはり文明という名の活火山といえども、オノマトペという性的に妖しげなマグマ（固結した火成岩）の存在をないがしろにしては、日本文化の気概は保てない。

たとえ日本語が滅びても、オノマトペは決して滅びない。きっと、神代文字として、再生する。日本がマグマに支えられた火山立国である、という自覚と尊厳を失わない限りは。

kyutto (ippai) osake-demo

きゅっと（いっぱい）お酒でも。　Just a *sake* with me tonight?

ワインなら軽い口説きになるが、しんみり語り合うには日本酒だ。だからこそ相手の女性も構える。縄のれんや日本酒には「含み」がある。

「なら」がつくこともある。Just a *sake.* It won't hurt you.「きゅっと」くらいなら、別にどうってことないだろう、という意味。直訳するとIt won't hurt you（us）となろう。ちょっとも、きゅっとも。まあいっぱいも、すべてloaded（含み）だ。『陰翳礼讃』の著者、谷崎潤一郎なら、これぞ日本語の「含み」というかもしれない。英語にもある。

"Cocktails' is such a loaded word," said Magda. "It's like Katherine Hepburn and Cary Grant."（*Sex and the City* p22）

「カクテルは含みのある言葉よ」とマグダは言った。「キャサリン・ヘップバーンとケリー・グラントのようなものね。」

キャサリン・ヘップバーンとケリー・グラントという名優同士が酌み交わすロマンスのドリンクには高級感がある。

居酒屋の女としんみりと日本酒を飲む高倉健との間には心理的な垣根がある。観客はこの不即不離の距離感が放つ、ほんわかなにおい（アロマ）をかぎわける。これが「含み」の妙だろう。男がきゅっと飲んで、ぷいと去る。それでも、心のニュアンスを「香り」として記憶に残す。「きゅっと」とか「きゅんと」というオノマトペには、どこか瞬時の痛みが残る。

ふたりは、たとえ別々になっても、きゅっと結ばれている。英訳すれば、They are really into each other. ふたりの関係、ぐっとくる。So touching!

もし、私が、「きみとは日本酒を飲み交わしたい」と言えば、口説きの「含み」（loaded words）を感じると解釈してもよい。昔の話だ。もう齢も80になると、「含み」を必要としなくなった。余談だが、齢(とし)をとるメリットはこんなところにある。盲目の座頭市(ざとういち)は仕込み杖（loaded cane）で渡世の旅を続けてきた。英語道一筋という、けもの道を貫いてきた極道の私も、ふと孤独な座頭市に憧れることがある。私の武器は英語という日本刀より、ディベートという飛び道具なのかもしれない。ディベーターとしての私には、反対尋問という悪魔の、いや破邪のロジックという刃(やいば)がある。すぱーっと（swish）斬る。

究論道（The Way of Debate）は、いまも健在だ。ずいぶん、斬ってきた――この日本刀で。私の血塗られた英語道をしみじみと（fighting back tears）語るには、日本酒が欠かせない。

kyun
きゅん　hit one's gut

この英訳はムリ。もうお手上げ。このオノマトペとの出会いは、御食事ゆにわで会った女社長の長尾瞳(ながおひとみ)氏（グレート・ティーチャー代表取締役）の何気(なにげ)ない表現であった。映画『美味(おい)しいごはん』の主人公である、ちこ店長に魅せられた私は、日記に「ぼくも食べてください」とイラストを描いた。

そのコピーを、スーパーレディの長尾社長がちこ店長に見せられ、「きゅんとくるで、あんた」と紹介された。そのときのきゅんという表現で、ぐっときた。うーん、深い。山口仲美編の辞書で「きゅん」を調べると、「②胸が一瞬締めつけられる痛みの様子。切なさやときめきなどを表すにも用いる」とある。なるほど、これじゃ英訳できない。It hits me here. といっても、その指をどこに当てるのかわからない。頭ではないから、やはり胸の方だろう。男なら、腹の方を指差してもよいが、婦人の「きゅん」はやはり、胸だろう。

女性のオノマトペが気になる。澤田(さわだ)ふじ子(こ)氏の『空蟬(うつせみ)の花』（中央文庫）に「きゅん」を発見した。

鋭い音が夜気をきゅんと斬り裂いた。

平蔵はふわりと身を退けたが、右の肩に小さな痛みが走るのをおぼえた。

「こしゃくな。逃げようたって逃がさへんでえ」(p104)

きゅんと切り裂かれた夜気と胸とは無関係なようだが、どこかに関係がある。共通点は、①瞬時、②痛み、そして③ハートを重んじる女性感覚。これら3点は「切なさ」にきゅんと絞られそうだ。

声に出せぬ空蟬のごとき私が、日記の絵でしか表せない儚(はかな)さにきゅんときたのは、いったい誰なのか。人ではなく、夜風だったのかも。チョムスキーに聞いても、解答は来ない。

オノマトペの「心」は、「声」でもなければ、「態」でもない。自然そのものの擬態(protective mimicry)なのかもしれない。

kyun (to-mune-ga-itai)

きゅん(と胸が痛い)　one's heart aches

この川辺で溺死した友人のことを思うと、胸がきゅーんと痛くなるという場合はaches。しかし、その悲しみを理解して、タイミングよく慰めてくれた友人のレターに、きゅんときたという場合は、acheではない。touchだろう。My friend's letter really touched me. It was such a sight for sore eyes.なんかはどうだろう。

もっといい訳があるかもしれない。人は誰しも、泣きどころ(where it hurts.)がある。私にも。Hit me where it hurts.「きゅん」と感じる言葉がほしいときがある。

kira-kira

きらきら　shine

glitter, twinkle, shine (brightly) がよく使われる。

湖のさざ波が日の光できらきらするときは、glitter。金の輝きもglitterから。こちらのぎらぎらは、繁栄や栄華を連想させるので、gilded age(黄金の時代)が目に浮かぶ。

彼女の目はきらきらしていた。I saw a twinkle in her eyes. (Her eyes twinkled. でもHer eyes shone. でもよい。)

The light sparkled.(光がきらきらした)は応用の効く例文だ。「ときめく」もspark joy(ときめくもの)だけを残すという、片付けの基準として用いられるようになった。

日常会話で私が勧めるのは、Get a light in your eyes.（目をきらきらさせなさい）だ。ぎらぎらはfireに変わる。

gira-gira

ぎらぎら　fire / glare

きらきらが明るい光（light）なら、ぎらぎらは火（fire）となろう。両者には昼と夜の違いがある。さらに、弥生と縄文の相違をも感じさせる。昼はチョウが舞うが、夜、とくに月夜にはガが舞うようだ。

火を囲んだ縄文人は、目をぎらぎらさせていたに違いない。その火が恐ろしくて近寄れない狼たちも、目はぎらぎらしていたはずだ。振り返って、野獣を睨み返すにはa glare in one's eyesが必要だ。立ち上がって猛獣と闘うには、眼を炎上（flare up）させる必要があった。

英語をものにしようと、執念の火を燃やしていた、私のナニワ時代の眼は炎であったに違いない。Those must've been the eyes of（a）flare.

ぎらぎらと照りつける真夏の太陽は、the strong glare of the midsummer sunのこと。金の輝きはglitterであっても、銀のそれはshineでよさそうだ。尾野氏の訳から教わった。The sea is shining like mercury.（海が水銀のようにぎらぎらしている。）美しい例文だ。きらりと光る稀有の編者だ。The editor shines by his own light. ぎらぎらした、私の批判眼もぎらぎらし始めるようだ。I'm getting a gleam in my eyes.

gira-gira-suru

ぎらぎらする　fire (flare) in one's eyes

きらきらは、眼のなかの光だ。輝いている。そこには人のために喜びを分かち合いたいという慈悲に似た光明がある。わかった（ユーレカ）という歓声を伴った眼は、きらきらと輝いている。その光が集約されるには、need（緊急性）の愛が要る。いますぐ、ここで（here and now）証明されなければならない、せっぱつまった愛の類だから、熱を帯び、目つきもぎらぎらする。志に燃えた吉田松陰の眼は、きらきらしていたはずだ。

しかし、高杉晋作は、師である松陰にlightとfireを見出した。陽明学の原点は、fireなのだ。だから女性とのロマンと革命思想のロマンも、fireと定義した（fire in one's eyes）。ところが、長州を犠牲にしても、日本を救うといった狂気の火は、もはやfire（火）ではなく、炎（flare）になっていた。

fireには、恐れがある。しかし火が集まって炎（flare）になれば、そこに恐れはない。なんという化学反応か。明治維新の原動力はflare（炎）であった。flareには、激怒が加わる。生死を超越した無私の思想がある。

kira-kira-to (kagayaku-me)

きらきらと（輝く眼） light in one's eyes

きら星はshining star。すべてのrising starsは、輝いている。「マザーグース」にはtwinkle, twinkle, little starという歌がある。「彼女の眼はきらきら輝いている」（I see a twinkle in her eyes.）という場合は、何かの希望に輝いている眼だ。a gleam in her eyesともいう。一般的には、lightだけでよい。

希望の光はlightだ。光明もlightだ。トンネルの先の明かりも。light at the end of the tunnelだ。

文部科学省が主催した「英語教育の将来」を語る会にオブザーバーとして出席した。数時間は長すぎる。うとうとしていた。ひとりの女子公務員が「われわれは科学的な評価のしかたを論じているんです。眼がきらきら輝くといった次元の話ではないのです」と述べた。

この言葉で目がさめた。私の英語教育は英語道の普及となるので、このきらきらした眼がすべてであった。斬れば赤い血が出る動脈英語を教えることが英語道の使命感だとの考えから、ライバルの英検と静かなバトルを繰り広げてきた。蛍光灯のようなSTEPの英検に対し、ICEEの道検（英語道検定試験）という炎に近づいた参加者たちの眼は、闘うしかないというぎらぎら（fire）がきらきら（a light）に変わっていた。先生の眼にlight（きらきら）があれば、生徒の目もlight（きらきら）が映る（rub off on）のだ。一人ひとりの先生がshine by his/ her own lightになったときに、受験やテストのための静脈英語（blue English）が動脈英語（実社会で使えるred English）に変わる。

文科省は「空（くう）」（心臓の「心」は空）に徹するべきだ。全国の英語教育者や生徒たちはすべて毛細管（capillaries）なのだから。Get yourself a light in your eyes.と訴え続けてきた半世紀だった。I'll keep on shining—by my own light. 人の威光やふんどしを借りずに、をby my own light.とした。

giri-giri (no-sen)

ぎりぎり（の線） acceptable

ぎりぎりの境界線は、それを越してはならないが、その前で止まれば問題がないという微妙な境目だ。日本人はそれを「けじめ」とか「分別」と、きわめてあいまいな言葉で表現する。

男女の色事は、この線（line＝けじめ）から始まる。アメリカ人はこの種の結界（けじめ）をboundariesと訳す。この結界内の中間のグレーゾーンはきわめて多彩だ。このテーマを扱った話題の書がE. L. Jamesによる*Fifty Shades of Gray*（Arrow books）だ。ここに登場するacceptableが妖光を放っている。次の引用文のように。

......he shakes his head, and he smirks. “I would probably have gone the way of my birth mother, had it not been for Mrs. Robinson.” Oh! I blink at him. Crack addict or whore? Possibly both? “She loved me in a way I found...... acceptable;” he adds — with a shrug. *What the hell does it mean?* “Acceptable?” I whisper.（p432）

オノマトペを使って、私なりに翻訳してみよう。

──グレイは首を振って、にやにや笑う。「ロビンソン夫人（映画『卒業』のあばずれ夫人）がいなかったら、きっとぼくは産みの母のように、自堕落な道にずるずると巻き込まれていたはずだ。」「あら」と目をぱちくりさせながら、グレイを見る。ヤク中、それとも娼婦？　ひょっとしたら、その両方？　「ぎりぎりいっぱいのところまでは許してくれそうだった、あの愛し方はね」、肩をすくめながら、付け加えた。

それいったいどういう意味なの？ 「なによ、ぎりぎりいっぱいって？」とささやく私。

読者よ、もうちょっと続けていいかい。いま、うずうずし始めて…Now, I'm very curious to write on. Readers. Can I carry on, if you're on. 読者にも疼(うず)きがあれば、の話だが。ぎりぎりの妥協としよう。This is as far as I can go（accept.）

"Yes," He stares intently at me. "She distracted me from the destructive path I found myself following. It's very hard to grow up in a perfect family when you're not perfect."

Oh no. My mouth dries as I digest his words. He gazes at me. He's not going to tell me anymore. How frustrating.（p432）

ここで止めて、オノマトペ風に翻訳してみようか。

「そう（ぎりぎり）」、まんじりともせず私をみる彼の目。「彼女は、このままじゃぼくはめちゃくちゃにされる、やばいと思ったのを感じたのか、ぼくの気を紛(まぎ)らしてくれたね。そもそも、いい加減な人間が理想的な家庭に育つことなんか、できっこないさ。」「そんなことはないわ。」グレイの言葉を噛みしめながら、私の口が乾いていく。彼はまんじりともせず、私の目を見る。彼の表情はさっぱり読みとれない。それ以上話してくれない彼。もう、いらいらする。

最後のHow frustrating.は、「もういらいらする」としか訳せなかった。オノマトペを多用したら、はずみがついて、こんな流れになっちゃった。これでいいのかい。Is this acceptable, readers?

ではオノマトペを低俗だと思う人に質問をしたい。オノマトペを使わずに次の日本文を、格調を高めて英訳できるかどうか。

「ぎりぎりいっぱいで、しめきりに間に合った。」I made it（the deadline）with the skin of my teeth.（『聖書』から）

では、もうひとつ。「ぎりぎりいっぱいのところで、列車を逃がした。」I missed the train with the skin of my teeth.

girigiri (no-nedan)

ぎりぎり（の値段） the bottom line (price)

ぎりぎりいっぱいの線まで（to the very limit）まけてもいい値段は、外交学ではボトムラインという。これ以上値切ると、rock bottomとなり、儲けはなくなる。交渉相手を死地に追いつめてはならない。Are you pushing the limits? と開き直られるのがおち。これは、Is this a threat?（脅しかね）というくらい荒い口調だ。

「これがぎりぎりいっぱいの譲歩」ならThis is as far as I can go (compromise).となろう。「それが現実だ」の動脈英語をつけ加えておこう。"This is as real as it gets."

make it は、「助かる」という場合にも使える動脈英語だ。"She made it with the skin of her teeth."（ぎりぎりいっぱいのところで助かった）。こんなかっこよすぎる表現に恥じらいを感じる人には、just on time. はどうかな。いや、これなら時間ぴったりになる。ぎりぎりを強調するなら、just in timeがよい。inはonと違って、「以内」という意味だから。

「ぎりぎりいっぱいのやばいところだった」なら、That was close。

間一髪の脱出は、close shave（narrow escape）がよい。(*cf.* I had a close call.)

kiritto (to-shita)

きりっ（とした） smart / sharp

大切なのは「き」の音霊だ。3Kといえば、きつい、きたない、危険。危機一髪のシーンが多い、マンガ『鬼滅の刃』の「き」の鬼気迫る「き」の音霊。このようにカ行のなかでも「き」は、「きゅっ」「きっ」「きゅん」などと、どこかに「痛み」がある。「きもい」(気持ちが悪い)「きしょくわるい」(関西弁)は、耳だけではなく肌まで痛みを感じる拒絶感を与える。それにスピード感と効率性 (efficiency) が加わる「きびきび」は、70ページのagile（猫の敏捷さ）を想起させる。

かつて、私が「斬れる英語」という表現を使ったとき、ちらほら反論があり、周囲に違和感を与えたものだ。「その表現ちょっときつすぎる。“き”が省けないかしら」といった女性連からの反論が多かった。女性ファンは私にとり、鬼門（the unlucky “demon's gate”）だ。

たしかに、その音感は、「き」つねと「た」ぬきの違いだけではない。きつねもたぬきも、どちらも人間に悪さをする。しかし、きつねは、たぬきよりも、はるかにsharperである。善人のアンパンマンはおっとりしているが、悪人のバイキンマンは、より知的であり、悪辣である。どちらもきりっとしたところがない。

「きりっ」は、頭が斬れるのだ。smartでsharpなのだ。日本語のスマートは外見だが、英語のsmartとは、頭のキレなのだ。服装がきりっと決まっている人は、sharply dressedだから、spruced upが使われる。どこか、思考にも、しぐさにも「斬れ」（sharp）があり、ビジネスでの行動パターンは「きびきび」だ。

黒川伊保子氏の観察では、Bの物理現象的なクオリアは、膨張感がある。顔中にニキビがぶぁーと広がった。（このぶぁーの字幕訳には泣かされた。）Tは中身が詰まっているという。乳（ちち）のtit（乳首）や膣は、血や乳や霊の音霊のように、縮まることにより、威力を増すのだ。

しかし、Sに摩擦係数の低さがあるという説を目にして、「きりっ」をsharpやsmartに相似させることに無理があるのかな、とふと感じてしまった。しかし、氏がKは回転のイメージがあると述べ、我が意を得た感じがした。私の辛口のコメント（spicyとS語を使ってみるか）は、ピリリと辛いことがある。

さて、K語に戻る。ころころ、くるくるは確かに回数が速く、その変わり身の速さを英語に相似させると、fの音感に近くなる。flip-flopは「ころころ」だ。flipは鳥のように羽をばたばたするというイメージだから、おおらかでどっしりした人をunflappable（ばたばたとあわてふためかない）と訳したくなるのだ。

ところで、この「ころころ」のK語を、濁音化し、「ごろごろ」に変えると、R語が登場する。rumbleは雷のごろごろだが、お腹の中で「ごろごろ」鳴るときにも使われる。言葉の「ぶつぶつ」は

grumbleで「愚痴っぽい」はgrumpy（むずかる）というように、rが見え隠れする。rはround（円い）と同じく、ぐるぐると回る、「巡る」のシンボルだ。

話を「きりっ」に戻すが、要するに、ころころ、ごろごろ、ばたばたしないというアンチテーゼが、この「きりっ」なのだ。

kin-kira-kin

きんきらきん　tacky / flashy

けばけばしい人は、悪趣味な人と相場が決まっている。若者は「けばい」という言葉を使う。いくらぴかぴかな服装をしても、目立とうとすればするほど、けばくて、「ださい」と見下されてしまう。そう、この「ださい」もtackyで決まる。とにかく派手（showy/gaudy/flashy）だが、cheap（安っぽい）なのだ。

NHKの教育テレビに登場していた頃、外国人からも、「先生は芸能人ですね」とほめられ（いや、けなされ）、傷ついたことがある。That hurt. べつにgaudy personではないが、態度がflamboyant（派手）に映ったのだろう。降板してよかった。あのままいけば、目がくらむほど、ど派手（この場合はgiddy）になっていたかもしれない。

きんきらきんとか、ださいといわれている間が“華”だろう。林芙美子の「花の命は短くて苦しきことのみ多かりき」を、『新和英大辞典』が巧みに訳している。Like a flower’s, this life is short and filled with pain.

ぎんぎらの「ぎ」から濁音を落すと、派手さ（showyness）が残っていても、「ど」派手（gaudy）ではない。gも落ちる。きんきらきんのアクセサリーはover-bright and shiny accessoriesとなる。『新和英大辞典』は、それらにgaudy, flashy, showを加えている。そのなかで私は「使いやすさ」を基準にF語を選んだ。

flashyとは、閃光的な、見かけは立派、けばけばしいという意味だ。多くの日本人にとり、英語の成績がよく、一流大学に入った、ということは、アクセサリーがきんきらきんしているということだが、それも閃光的で、いずれ消える。また、薄片状にはがれやすいのがflakyだ。きゃぴきゃぴした若者たちは、また、flakyという形容詞でひっくるめられる。

gin-gira-gin
ぎんぎらぎん　giddy / the looks are the lights

漢字に転換すれば、「絢爛豪華」となろうか。この「ぎんぎらぎん」にぴたりの表現を *The Economist*（Jul. 20, 2019）で見つけた。looks are lightsというL語のペアがよい。“The most important thing is the looks and the lights,” he says.（p24）

アフガニスタンのカブールの結婚祭典ホールは、まさにきんきらきん。いや濁音にした方が超豪華な色彩が加わる。とにかくlooks（見てくれ）とlights（照明）が売り物だという。

一言でいえばgiddy（めまいがする、目がくらむ）となる。古英語gydig（霊につかれた、正気でない）から来ている。gid（神＝god）だから、gold, giddyとまばゆく、きらきらする。ぎらぎらになると、神がのりうつるから、理性までが崩れていく。

めまいを起こさせるような振る舞いをビジネスにするといった絢爛戦略は悪辣でもある。ふと思い出したが、米ミュージカル映画『シカゴ』（*Chicago*）のなかで歌われる歌“Razzle Dazzle”も、目くらまし戦法だ。日本の都知事選も、コロナウイルスのテレビ放送に、ハイエナのようなYouTuberたちが追撃するなど、きわめてgiddyな劇場となった。イギリス人なら、いや京都人も、a good theatreと冷笑するだろう。looks and lightsを取り入れ、メディアに弱い選挙民をrazzle-dazzle（猫だまし）させるメディア選挙は、アメリカ人ならa freak showとこきおろすだろう。

gui-gui
ぐいぐい　forcefully / vigorously

「ぐ」という濁音が官能小説に多いことは証明された。なぜか、「ぐ」の強さだ。ぐいっ、ぐにょっ、ぐいぐいと重力（gravity）を感じる。ground（地）のG語と、がぎぐげごという言葉には、縄文的な力強さ（force, vigon）を感じる。

先輩のぐい飲みの誘いに従うのも、引き寄せの力に逆らえない。これを重力（gravitational pull）という。エロ小説で使われる

「ぐ」音には、強引に（by force）押しつけるというエロさを感じるが、ビニール本以外の小説で使われる「ぐいぐい」は、引き寄せの法則（law of attraction）のmagnetic powerの働きに他ならない。

一般的に「徳のある人」もa magnetで通じる。いまの日本は学歴社会。電池（バッテリー）の力がものをいう。オスの単一電池が、メスの単三電池と結びつこうとすれば、周囲が白い眼を向けること必至。ナメクジがカタツムリに恋をするなら、あの殻（肩書）のかっこよさのせいだろう。だがsnailとslugの恋は不毛に終わる。別種なのだ。そもそも、結ばれてはならない恋。挙げ句の果ては、「ロミオとジュリエット」、あるいはせいぜい「失楽園」の悲劇が待っている。渦（うず）（vortex）のエネルギーだ。ぐいぐい引き寄せ合うのはいいが、ずぶずぶになって、paradice lostよろしく無理心中（forced love suicide）で幕引きとならないか。おどろおどろしい（hair-raising/eerie）。

gui-gui (to-semaru)

ぐいぐい（と迫る） pushy / come on strong

pushyという形容詞は、京都人が大阪人の言動をまとめあげたものだ。なるほど京都人には、そう映るのか。京都は、never pushyだ。大阪人にはアクがある。Osakans come on strong.（大阪人はぐいぐいと、他人の心のゾーンに入り込む。）

私の好みの英語はpushy（強引）だ。短くてパンチのきく動脈英語だ。Osakans are pushy. But I'm pushier. Joking.「大阪人はアクが強い。ぼくはもっとアクが強い」。「うそや」で締めたが、どうもしまらない。

gui-gui (nomu)

ぐいぐい（飲む） gulp down

I witnessed her gulping down full-bodied *sake* alone at a *nawanoren.*（彼女があるナワノレンで、こくのある酒をぐい飲みしているところを目撃した。）

私はどんなに悲しいときでも、日本酒をぐいぐい飲むことはな

い。I won't drown *sake* to cheer myself up. たまには、ぐびりぐびり（guzzling down）飲むことがある。I prefer sipping *sake*, too, singing 'sad wine'. 酒場の日本酒はちびちびがよい。ホンネを言えば、私好みの演歌「悲しい酒」は英訳したくない。

gusah (gusari)

ぐさーっ／ぐさり　hit home

「オレには、この女（ひと）しかいない」と言われて喜ぶ女性。いや、「多くの女を知っている。そのなかで、きみが一番だ」と言われて喜ぶ女性。

その反対もいる。「私にはあなたしかいない」と言われて喜ぶ、単純な男が多くいる。

じゃ、「私は多くの男と結婚してきた。男の人は多く知っている、そのなかでも、あなたは最も……（あとは聞きたくない）」と言われても、複雑な気持ちで言葉を失ってしまう。（その心境は“微妙”。英訳すればcomplicated。）

「だから、あなたに私の過去のことは触れてほしくはないの」、ぐさーっ。このぐさーっは、hit home。そのことばでぐさーっは、That hits home.（核心を突く／突かせる）ことだ。

hitは「当てる」というよりも、偶然に「当たる」という場合が多い。hit on an idea（アイディアが浮かぶ）。

hit on a girl（口説（くど）く）には、pick her up（ナンパする）という意図はあるが、どこか軽い。しかし、hit homeは重い。核心を突いたからだ。homeとは、急所（泣きどころ）にもなる。

Your story hit home with us.（きみの話、我々にはぐさーっときた。）

gusatto-kuru

ぐさっとくる　get

I'm interested in Christianity. And I'm interested in you. このbe interested in（二度もinが使われている）という動脈英語は、「その気になっている」という意味であって、「〜に関心がある」と静脈的に解釈してはならない。

「あなたに興味がある」もbe interested inは避けた方がいい。be interested inは、be in loveと同じなので、こんなセリフを使えば、相手はめろめろになる、If she's in love with you.
「あのことばに、ぐさっときたの」と彼女は本気になる。その「ぐさっ」を英訳すると“That got me.”
　読者はまだ信じないかもしれない。ここで証拠を小説*Sex and the City*から。
　She has long dark hair tied up in a ponytail, but it's her legs that get you.（p122）
　このgetを「ぐさっと」か「ぐっとくる」というオノマトペでとらえると、「お前を虜にしたのは、彼女の脚線美だ」と解説的に表現することもできる。

gussuri-nemuru

ぐっすり眠る　get a good night's sleep

fall fast asleepより口語的で、勧められる。
「お休みなさい」は、Have a sweet dream. ぐっすりではない。「ぐっすり」は、sleep soundとかsleep like a log。また、ある辞典にlike a top（駒のように）とあるが、まだ耳にしないので、使用は控えている。

guttari (tsukarete)

ぐったり（疲れて）　(tired) as hell

　very tired（exhausted）も正しいが、芸がない。「ぐったり」を地獄と結びつけるのが、英語的感覚だ。as hellとか、like hellで通じる。休みたくなるほど、ぐったり疲れるなら、heavenがいいだろう。
　I'm tired but in heaven. では長ったらしい。I'm nicely tired. だけで十分。疲れ果てた状態の人に向かっては、You look dog-tired. 犬が舌を出して、はーはー言っている状態だ。
　最近のアメリカ人なら、You're full of shit.（映画でよく耳にする）と言うだろうが、F語とともにあまり勧められない。I'm f×××ing tired. といった、下品な米語はポイ捨てしよう。

gutto (kuru)

ぐっと（くる） hit ～ in the gut / deeply touched

『巨人 出口王仁三郎』（天声社）の著者、出口京太郎はスケールのばかでかい（big）王仁三郎のハラを見抜いていた、数少ない身内のひとりだ。次のくだりに、私もぐっときた。

「また、王仁三郎には涙もろい一面があった。なにか感動的なことや、いさぎよいとかけなげなとかいった場面とか、真実が魂をうつようなときにはぐっとくる。気の弱い泣き虫がそぞろに泣くのではない。有情の人物だ。」（p191）

　この人物は「はら」が泣くのだ。「はら」とは空洞（cavity）のことで、縄文人間（cavemen）がホームと感じた洞窟（cave）の芯（core）といえる“空”（void）に他ならない。京太郎がたくみにオノマトペを用いたペンさばきには、冴えがある。

「怪物像を否定して『小さな自分』になるよりも、誤解を浴びたまま『大きな自分』にとどまることを好んだのかもしれない、茶目っ気と侠客気質という、老い錆びた細い柱の上に支えられて。
　にぎにぎしく人々に取り巻かれながらも、王仁三郎の心中には、いつも空洞が穴をあけていた感じである。──」（p190）

　人の「はら」が書ける人には、そのご本人にも「はら」がある。京太郎氏の「はら」（空洞）にぐっときた。（He hit me down in my gut.）
　頭（head, mind）にはぴんとくる（understand）。心臓（heart）には、じーんとくる（feel it）。腹（gut）にはぐっとくるものだ。ハートまではじーん（deeply touch）で通じる。しかし、gut（腹）は、hit in the gut ぐらいではどうか。gutに抵抗を感じる人は、人差し指を、自分の腹部に向けて、I get it here. とボディー・ランゲージを使う。私の隠し技のひとつだ。

kuyokuyo (kangaeru-na)

くよくよ（考えるな。） Don't think twice.

やっぱり（on second thoughts）と考えたあとも、また「やっぱり」（on third thoughts）と考え直す人がいる。くよくよ考えると、行動が鈍るものだ。そんなとき、Don't think twice.と忠告する行動派がある。たしか、ある映画の字幕は「くよくよ」か「もたもた」というオノマトペが使われていた。映画館の中でメモをとりそこねた。

kuyokuyo-suru-na

くよくよするな。 Move on.

秀才はDon't cry over spilt milk.とか、Stop brooding over it.を使おうとするだろう。あらゆる和英辞書をデータに取りそろえたAIロボットなら、indulge in vain regretsというbig wordsを使って、われわれをぎょっとさせるのかもしれない。私もdwellというbig wordsを使ったことがある（『難訳・和英口語辞典』参照）。Don't let it dwell in your mind.

疲れた。いまは、Move on.を使う。

この超訳を勧める理由は、３つある。

1、誰に対しても、どこでも、使いやすい。

2、よく使われる（よく耳にする）日常英語なので、聞き手にも親しみを与える。

3、思考や行動が前向きになる。よく使われるMove it.は軽すぎる。ネイティヴに近づきすぎると敬遠されるというリスクもある。

この『難訳辞典』の強みは、頻度数にある。

外国人の前では、とっさに英語が出ない、もう英語はやめようかな、とくよくよしている人に一言。Just move on.

なんのことはない。後ろ向きの思考を、前向きのそれに変えるだけでいい。ビジネス・トークでも、自然体でいこう。エゴを抑えて。ムリをすることはない。Play it cool!

ここまで発想転換をして、超訳すれば、deep learningのできる、AIロボット翻訳者に勝てる。いや、AIを馬鹿にしてはならない。ロボットには、（私のように）意地を張る（just have to）という習性はない。だから、怖いのだ。

gura-gura-suru

ぐらぐらする　wobble

疲労が重なると、体がよろめくように、ぐらぐらする。
「ぐらつく」の動詞はwobbleで、形容詞はwobblyとeをyに変えるだけで、すぐにでも使える。イギリスの経済事情はぐらついたままだ。とくに住宅市場はぐらぐらしている。2019年7月20日号の*The Economist*の見出しは“Weak foundations”（脆弱な基盤）だが、小見出しには、オノマトペ風の口語英語で読者の関心を引いている。“The housing market is wobbling.”と（p44）。

ぐらぐらした政府は、a wobbly government、ぐらぐらした歯はa wobbly（loose）toothで、がくがく、ぐらぐらする膝は、wobbly kneesだ。心や判断がぐらぐらするさまは、waver。椅子や机がぐらぐらするときは、ricketyかshaky。湯がぐらぐら煮えたつ様子は、boilingで十分。ぐらぐらは、boilのなかに含まれる。
「おーい、湯が沸いてるぞー」は、Boiling! だけでよい。
「おーい、トーストが焦げているぞー」は、Burning!

音もにおいも、ひとつの単語のなかに押し込められる。

英単語の量は単語数、これは静脈英語の限界。英単語の質を決めるには、口語のオノマトペを含めた意味論（semantics）が欠かせない。動脈英語はボキャビルではなく、英語のsymbolsを増強（build）するシンボルでなくてはならない。従来の大学受験英語体制がぐらぐらし始めている。The entrance exam system is getting wobbly.

gun-gun

ぐんぐん（運気など）　get a big break

ぐんぐんを和英で調べたが、ぐっとくる訳がない。いずこも同じ秋の夕暮れ、といった情景だ。たとえばmake notable（rapid）progressとか、身長がぐんぐん伸びるがgrow rapidly tallerとか。正解だが、ぐんぐんの情感が伝わらない。

breakを使えば「勢い」が加わる。調和、平和、沈黙、単調さなどを「破る」勢いのことだ。「破竹の勢い」を和英で調べるとwith momentum gathered at each step; with accelerating (unstoppable) forceという訳があり、苦労の跡が偲ばれる。

unstoppableに「美」と「親しみ」を感じた。私もよく使うからだ。I am unstoppable. I feel like I'm on a runaway truck. といった自己破壊的な表現も面白い。

破竹にはやはりbreakがふさわしい。梅とうぐいすのように、英語の世界にも相性（compatibility）がある。平たくいえばchemistryのこと。chemistryとは化学ではなく「びびび」とくる感覚だ。脳でいうと松果体あたりか（いま、研究中）。

ところで、ニュースとbreakは共振する。「にょきにょき」は、たけのこやきのこと共鳴する。mushroomingがそれ。The news broke out.のように。「悪事千里を走る」The bad news travels faster.

元号が改まると、運気がぐんぐん上がる（luck breaks out）のは、言霊信仰に由来すると、神道家の羽賀ヒカルは述べる。明治（45年間）は、「日と月で治める」、大正（15年間）は「大きく（一に止まる）す」、昭和（64年間）は、「日が召されて和する」、平成（31年間）は、「一（イ）・八（ワ）・十（ト）成る」、そして、令和の「令」は、第三の眼（アジュナチャクラ）の「目で見えない真実を見極める力」だと述べられる。

羽賀ヒカル説に、私説を加えてみたい。令に続く「和」だが、これを私はintegrityと訳す。

「和」をジグソーパズルとすると、それぞれのpiecesは、integral parts（欠かせない部分）で、それらを結合させる（これがto integrate)。そのトータルがintegrity。人が、日本が統合すれば、円く収まる。これがintegrated wholeになる。

みんなが仲良く、とはno missing pieces（見失われた部分がない）という状態だ。たとえ和を乱し、村八分になったものでも、貝殻追放（ostracize）されたわけではない。和の中に融合（fusion）されている。日本が、そして世界の運気がぐんぐん上がる（rise like a meteor）令和日本を夢見たい。

80歳を迎えた私の運気は、ますますぐんぐん上がりそうな気配だ。(Indications are I'm coming back as strong as ever, as I go on eighty.)

く

gungun-barbari

ぐんぐんばりばり　up-and-coming

よく目や耳にするup-and-comingを辞書で引くと、「頭角をあらわした」「(最近) のしてきた」「精力的な」「活動的な」「やり手の」と出ている。だが目移りがして、日本人学習者には使いづらい。いっそのこと「ばりばり」という擬情語を使えば、すぐにでも使えるではないか。ペーパーバックにこんな英語があった。

He's the hottest up-and-coming literary agent.
(彼はばりばりの著作権代理業者だ)

「ばりばり」でも、「現役ばりばり」(184ページ) は「現役」といういまが強調されているが、up and comingは、「ぐんぐん」と伸びるという近未来までが含まれる。comingは「見えてくる」という視覚を利用する。目だ。ところが、大阪弁の仲間であるオノマトペには耳までが加わる。「やつはぶいぶい言わせてる」というふうに──ちょっと柄(がら)がよろしくないようで。

kekkou (kanari) ohku-no

けっこう (かなり) 多くの　some

日本人の「多くの」をmanyと訳していいものか、という問題がアメリカ大使館内で起った。同時通訳の師であった西山千氏の発議であった。

日本人は、空気に動かされ、「多くの」を条件反射的にmanyと訳してしまう。数人の話で、みなさんがmanyになる。「けっこう多くの人」は英語感覚でいえば、someだろう。some people say—「けっこう多くの人」が言っているのだ。「多く」のなかでも、「かなり多くの固まり」(clusters) があると、someでよい。イギリス人でも「かなり多くの人」をsomeと表現している。

Some are corrupted by power. (かなり多くの人たちは、権力で腐敗する。)

Some has to do the work, and they reward themselves with

grand titles.（かなりの人が、その仕事をやらなければならない。そして自分たちを尊大な肩書で報いている。）

The Economist（Jul. 4, 2019）で、some（ある人）と単数扱いしながらも、theyと複数扱いしている。

Some say Mr. Matsumoto is dangerous because he asks why.を和訳すれば、このsomeを「かなり多くの日本人」と訳す必要がある。忖度（そんたく）とか、空気を読む日本社会でwhy（なぜ）と聞く人間は、浮き上がりがちである。ディベートというぶっそうな知的な銃器を振り回す危険人物がsomeであっても、けっこう多くの人間がそう思っているに違いない。Some people get hurt, being asked why.（「なぜ」と問われて傷つく人はかなり多い。）

keba-keba-shii

けばけばしい　flamboyant

Carlos Ghosn presented a characteristically flamboyant defence against charges of financial wrong doing.（*The Economist*, Jan. 11, 2020, p53）

日産ルノーのボスであったカルロス・ゴーンは、あのど派手なパフォーマンスをベイルートでもぶちかました。財務上、やましいことなど一切ないと、しゃあしゃあと開き直ったのだ。characteristicallyは、「彼の柄（がら）にふさわしいやりかたで」のこと。それを「いつもの」と短くし、さらに縮めて「あの」と訳した。しゃあしゃあ（just like that）というオノマトペは、「間（ま）」として用いた。flamboyantの「けばけばしい」「ど派手な」という語感をやわらげるためにも、目の保養のためにも、オノマトペというわさびを加えてみた。

それにしても、思い切った（audacious）逃避（flight）をやってのけたものだ。あの「中興の祖」と謳（うた）われた救世主のゴーンはどこへ行ったのか。Ghosn is gone.この私が考察したしゃれは、*The Economist*も最近見出しに使っている。Ghosn, going, gone to Lebanon. これは、英国の競売人、古物商家サザビー（Sotheby）のノリだ。買いはレバノンの競売人へ、とはいかにもしゃれている。参った、参った。I'm sold on that.

kochi-kochi

こちこち　too moral

道徳や倫理にうるさいmoral人間は、完全性（perfection）故に出世するが、もろい。秀才の菅原道真はtoo moralであったはずだ。漢語に長けていたが、漢語じゃ女が口説けないだろう、きみィ。やっぱりやまと言葉でないと、とソフトに迫る、腹黒い（scheming）藤原時平には勝てない。

神が悪魔を苦手とするわけは、秀才が天才を煙たがるのと同じ理屈だ。神はさらーと神々しい（untouchable）が、悪魔はねちねちとしている一方で、touchable（身近）でapproachable（人なつっこい）なのだ。悪魔の恐ろしさを最も知りつくした人物、ナポレオン・ヒルが73年前に、こっそり著した快著が*Outwitting the Devil*（邦訳『悪魔を出し抜け！』）ではなかったか。成功した天才的英雄の成功例ばかり扱ってきたナポレオン・ヒルが惹かれたのは、英雄（表）の裏に潜んでいる影の悪魔の存在ではなかったか。本当に恐ろしい相手とは、笑わなく、つんとした（aloof）神ではなく、ひっひっひっ（snickering）と嗤い続ける悪魔の方ではないか。

kotch-kotch-kotch

こっこっこっ　cluck, cluck, cluck

鶏はこのように鳴く。下駄の音のからっからっからっ（clop clop clop）とよく似ている。それなのに、オノマトペが国によって異なるのはなぜか、山口仲美氏はこう述べる。「擬音語は『物まね』ではないからだ」と。物まねだったら、実際の声や音をそっくり真似ればいいから、世界各国共通になるはずだ。

名古屋外国語大学の教授時代に、クラスで外国と日本のオノマトペ比較をした。どちらの音が本物に近いか、生徒たちといつものクラス・ディベート（究論）をリードした。猫のにゃーはmeaowと互角。しかし山羊のめーめーは英語のbaaに優り、牛のもーはmoomooと引き分け。蛙のげろげろはribbitを負かし、馬のひひーんはbayに負け、そして豚のぶーぶーはoinkに負けたが、あひるのがーがーはquackと互角。このように決戦は続いた。

日本のオノマトペと「マザーグース」と闘って、どちらが勝つかという勝敗が目的ではない。あくまで究論だから、狙いは師弟にとり共通の自己発見（heuristic）の喜びである。オールド マクドナルド ハダ ファーム イーアイ イーアイ オーと、一緒に合唱し、英語の世界に融け込もうとした。

しかし、プロのディベーターは、どこかまだ物足りない。鶏のこけこっこーが英語圏のcock-a-doodle-dooに優っていることを証明したところで、どこか空しい。遊子悲しむ。そんなときに、山口仲美氏のコラムを読むと、やはりプロだ、とシャッポを脱ぐ。

「フランス語では、coquerico, cocorico（コクリコ　ココリコ）、ドイツ語ではKikeriki（キケリキ）、イタリア語では chic chir chi（クックルクー）、ロシア語ではkykapeky（ケカレクー）、おとなりの韓国ではkokkiyo-koko（コッキョーココ）、中国ではgēr, gēr, gēr（略几露几略几）と、かなり変わっている。私は中国でしばしば雄鶏の声を耳にしたが、常に『コケコッコー』と聞こえ、ついに『ゲルゲルゲル』とは聞こえなかった……。」(p99)

まだまだ続く。氏の調査能力には舌を巻く。

引用ばかりでは気が引けるので、私もギリシャで調査した蟬の声を披露したい。ミーンミーンと鳴く蟬はいなかった。耳にした蟬の声のすべてはツィカツィカツィカであった。日本のチーチゼミに近い。蟬は英語ではcicada（ラテン語はcicāda）というが、これは、蟬の鳴き声から来ている。耳に忠実なツィカダなのだ。

プライドの高いギリシャ人は、ギリシャ以外の外国人の、わけのわからない言葉を使う彼らをbarbarous（野蛮なやろう）と決めつけた。バーバーと、ちんぷんかんぷんな発音をするガイコクジンどもはすべてbarbariansとはよく言ったものだ。日本人が外国人を“毛唐”と蔑視したようなものだ。

言葉は武器なのだ。周辺の国の人たちは、チンプンカンプンな外国語を、It's all Greek. と言って、プライド高いギリシャ人に一矢報いた。しかし、山口氏は述べる。「擬声語は『言葉』である。だから、それぞれの国の『言葉に使う発音』で写し取らねばならない。」さらに「どの発音が実際の音や声に近いと感じるかは、その言語の使用者の感性に任されている」とも。

これは、彼女自身の言葉だ。重みがある。「使用者の感性」か……。そういえば、教授時代の私がある日、教室で試みたオノマトペディベートは、感性コンテストそのものであったのだ。

gottsui

ごっつい　big

大阪人は「ごっつい」ことが大好きだ。その点アメリカ人とよく似ている。イギリス人はアメリカ人のbig趣味を低く見る。京都人が大阪人のbigを低く見るように。大阪人だけでなく、大胆不敵さで人気のある人間は、大阪人でなくてもbigだと言える。

地上波をサヨクの占領地とこきおろす「日本文化チャンネル桜」の水島総(みずしまさとる)氏や、中国政府からの南京虐殺をめぐる抗議に対し、びくともしない（unfazed）元谷外志雄(もとやとしお)氏（アパグループ総裁）は、まさにbigだ。もてもてで恐れられる存在だからbig。こわもてビッグと形容したい。

ジャーナリストとかオピニオンリーダーとしては、私はsmallだが、英語教育界ではbigな方だ。常識にぐいぐい迫る（come on strong）人間は、こわもて（formidable）する存在なのでbigだ。いや、この「こわもて」もbigだけで通じる。

ごっつい奴は、ごっつい考えをもつ。Big guys get big ideas.（Big guys think big. でもよい）

こんなふうに覚えたらどうだろう。「もてもての人気者」はhot、「こわもて」はbigなのだと。

korogaseru (damasu)

ころがせる（騙す）　seduce / con

「あの爺さんをころがせてやれ」という詐欺師の「ころがす」の音霊は、漢字で分析すると凝(ころ)がせるからきたのではと思う。

ヒントは、『古事記』（712）の淤能碁呂島(おのごろじま)からだ。漢字はやめて、ひらがなに転換すれば、音が聞こえてくる。古くは「おごろじま」で自凝(おのころ)の意で、自然と凝(かたま)ってできた島を意味する。若い女医がかなり年上の医師に「先生がいないと淋しいのよ」と女を使って言い寄り（wooという）、あっという間に籠絡(ろうらく)する（sweet-talk、cajole）、情的操縦（emotional manipulation）の術も素(もと)はといえば、

「凝る」の言霊が由来する。

詐欺師はcon artist。彼らの「ころがし」の術は、従ってto con。「説得」じゃなくて、「納得」なのだ。強引に説得されて被害にあったとしても、被害者は納得していたわけだから、詐欺師から、自分の方がI was conned.（詐欺にかかった）と訴えられるおそれもある。しかし、女を使って、納得させられたり、丸め込まれては、自己に落度があったから、弱い立場になる。「ころがされた」I was completely sold.と泣き寝入りするか、それとも素直にI sold out.（魂を売った）と素直に詫びるより他はない。

ところが、おのごろ島は、あくまで自然に凝ってできた島だから、そこに神意（divine will）がある。人間同士の出来心とは違って、霊格ははるかに高い。『古事記』をひも解こう。

「矛の先より垂り落つる塩の累積りて嶋となる。是れ淤能碁呂島ぞ」と漢字で記している。俗に、淡路島のこと。元の矛の霊に触れたい人々には、南方の、沼島という離島がおすすめ。ちょくちょく私が足を運ぶ、霊島だ。瀬戸内海の塩田業者は、古来より海水を濃縮されたかたまりを、ころころと転がす（roll over）技術を開発した。

koro-koro (kawaru)

ころころ（変わる）　flip-flop

「あの政治家は意見をころころ変える」（That politician flip-flops often.）、このFL語は覚えておくと便利だ。changes one's opinionsでもいいが、芸がない。サンダルなどがばたばた・かたかたするときにも使える。下駄はclop clop。からからの擬声語で、すぐにでも使える。馬のひづめのぱかぱかも同じ音。Fはfireのように軽く、瞬間に動き、消える。Lには方向性があり、真っ直ぐに動く。だから、FとLは相性がいい。

彼の手はふにゃっとしているという場合なら、His hands are flabby.となる。floppyは、へなへなで締まりのないという響きだ。どちらもよく似ている。いい加減な人間（floppy guys）に多い。「ころころ」はこのように、否定的な意味で使われることが多い。猫の目のようにころころ変わる、の「ころころ」は英訳できない。

change（colors）like a chameleon. ならネイティヴも使用する。通常ころころは「転がるさま」「目まぐるしく変わるさま」を表すときに使われるので、R語で間に合う。

仕事場でも、ころころ転がるならroll over and overでよい。ツキが回って、人生の歯車がころころ転がり始めると、I'm on a roll.（いま、ぼくはのっている）と表現できる。R語のrollは、round（円）だから、ごろごろ回るときにも使える。

goro-goro-korogaru

ごろごろ転がる　rumble

重いものが転がる音はrumble。お腹のなかで重いもの（便）がごろごろ動くのもrumbling。ごろごろとぴかぴかは雷光（lighting）の霊力（spiritual force）の表れだ。

The rumbling thunder and the flash of lightening. 重いG音と軽いF音のコンビが絶妙だ。

Rはぐるぐる（ごろごろ）と転がる（roll）が、人の耳には聞きとれない。自然からの音が連続する。すずむしのりんりんは、ring, ring, ringだ。人間の言葉はL語だが、自然なR語だ。

犬がウーと唸るときもgrrだ。猫がごろごろというのど声はpurr。ここにもR語が繋がっている。猫のように強引に男性に迫ってくる女性は、アメリカではgirlでなくgirrlと表現される。1個のrに、さらにもうひとつのrがくっつくと、おっかない。

いま、雷がよく落ちるラドン温泉地で、遠方からrumbling noisesを耳にしながら、この原稿を書いている。

なぜ、地熱の高い地に、雷が落ちるのか。the falling of a thunderboltという英語がおかしい。天の神を父の神とすると、地の神は母神のはず。fallという一方的な行為ではなく、両性の交わり（まぐわい＝性交）ではないか。ごろごろはお互いが響きあって同時発生するものなんだと、急にぶつぶつとぐちりたくなる。I can't resist grumbling. 愛とは振動（vibration）のことなのだ。

goro-goro (sui)

ごろごろ（水）　roaring (water)

「ころころ」（flip-flop）と比べると、「ごろごろ」は、より重い岩石が転がり続ける音響を感じる。いま、大峰山の超名水と呼ばれる「ごろごろ水」（鉱泉水）――roaring waterとしか訳せない――を机上に置き、ちびちび飲み（sipping）ながら、この原稿を書いている。

五代松鍾乳洞より、ごろごろ（roaring down）と音を立てながら流れ、流れて、天川の人たちに愛飲された、この湧水は、カルシウムをほどよく含んだ弱アルカリ自然水なのだ。

おのごろ島と重なり、淡路島にべったり寄り添った、あの沼島を訪れた日々を思い浮かべた。いざなぎ、いざなみ二尊が、天の浮橋に立って、天のぬぼこの矛先からしたたり落として成った島なのだ。塩の動きがころころ（私の耳に響かないので訳は控える）、ごろごろ（roar）になった、という話はよく聞いていたが、この説にはしっくりとこない。（The theory doesn't sit well with me.）むしろ、この「ころ」は、「凝る」（get stiff）がごろりと転読したのが正しそうだ。自ずから、凝り固ったから、おのごろ（自凝）島（self-clotting island?）なのだ。まるで自然発生（spontaneous generation）したような成り行きだ。

goro-goro (neko-ga) naku

ごろごろ（猫が）鳴く　purr

雷がごろごろ鳴るのがなぜrumbleなのか、なぜ猫のごろごろがpurrなのか。ときに迷う。人が嬉しそうに話すときもpurr。エンジンの快調な音もpurr。なぜP語なのか。人が蠱惑的に、低い声で話すのは、男が女を誘惑するときに用いられることが多いから、やはりP語になるのであろう。

女が男を口説くときにpurrを使うのは、人間が猫化（cat-like）したいまの日本ぐらいではないか。このcattyとは、女性の言動に関して、意地悪いうわさを流すなど、陰険というイメージで捉えられている。

catty menも増えてきた。He's a man who loves purringly win

over an opposing force.（彼はごろごろとのどを鳴らしながら反対勢力を懐柔するのが好きな男だ）という例文を加えておこう。菅原道真なら口唇を噛みしめながら呻（うめ）くだろう。Yes, Fujiwara Tokihira was catty, indeed. と。

こ

goro-goro-bura-bura

ごろごろぶらぶら　hang around

ころころは、まだ好感が持てる動作だが、ごろごろとなると、あまりいい感じがしない。

あいつはいつもごろごろしている。He's always hanging around with runaway girls.（彼はいつも家出娘たちとごろごろしている。）

どこかの知人宅で、居候（いそうろう）をしながら、ごろ寝（sleeping on the floor）をしている、という人間は周囲の人に不信感を与えるものだ。ただし、猫がごろごろとのどを鳴らす（purr）のは許される。rが重なっているから、ごろごろごろごろといつまでも続く。

ごろごろ、ぶらぶらしていても、無宿浪人やフーテンの寅さんなら許されるが、無職外人や、野良猫に対しては、白い眼が向けられる。しかし、そんな人でも、じろじろ見てはいけない。Don't stare them in the face（suspiciously）.

ところで「ぶらぶら歩く」は英語に直訳はできない。せいぜいstroll（さまよう）ぐらいか。日本語のオノマトペ＋動詞は、動詞だけにされてしまう。しかし、ゾンビのように複数でぞろぞろ歩くは、walk in droves というように分割することもできる。

さて、ごろごろに戻るが、オノマトペは自然から発生したものが多い。雷がごろごろ鳴るは、rumble。腸が鳴るときもrumbleかgrumble。There was a rumble（roll）of thunder in the distance.は遠雷のこと。神の怒りか。猫のごろごろ（purr）は喜びのジェスチャーといわれている。

ごろごろしている居候（いそうろう）（hangers-on）は、ごろごろしながら、無為（むい）に暮らしているから、They are idling away their time.と陰口を叩かれることが多い。何かのために時間をつぶしている（killing their time）なら許されるが、idlingという行為はみっともないものだ。

私の日記には、ヒマという語は一度もない。――13歳で当用日記を書き始めたときから一度も。行動パターンはころころ変えても、ごろごろと無為は日々を送ったことはない。貧乏ひまなし（Beggars are no choosers.）と言うからね。

saah

さあーーーー。　Wish I knew the answer.

日本人は、都合の悪いときは、大きく息を吸って、「さあー」と言う。Wish I knew the answer.（答えがあれば教えてほしい）と。東京都の知事は誰がやっても、何をやっても非難される。誰にもできないじゃないか、と開き直っても、見苦しい。そんなとき、アメリカ人はどう答えるか。あの肩をすくめるジェスチャー（a helpless gesture）をするのだ。Just shrug!（肩をすくめて）「私には答えようがない」（You're asking the wrong person.）と。

zakkuri (ieba)

ざっくり（言えば）　tell the truth that hurts

ざっくり（getting straight to the point）、ざっくり言う（tell the truth that hurts）。真実（ホンネ）が、ずけーっと語られたときは、誰かが傷つく。だから、the truth that hurts と傷の痛さ（hurtfulness）を強調した。

コーヒー・ブレイク

受験英語

伊藤和夫氏は、静脈英語の大家であるが、そんな「守り」の英語教育に不安と憤（いきどお）りを感じておられる良心的なお方だった。氏は次のようにざっくり斬り込まれる。

「いささか極端な言い方をすれば（ざっくり言えば）、偏差値によるランキングでは入りやすいということになっている大学ほど、英語の問題は長く、かつ難しくなってくる傾向さえある。あれで、基礎力が備わった学生を選べるなどとは、筆者には到底思えないのだ。」（p17）

たしかに、長文解釈は、私が勧める速読を促進させるものだと私も信じていたが、これまでに入試問題に出題された長文にすべて目を通し（そんな仕事を与えられたので）、「うーん、私の英語人生もここまできたか」と感無量になった。案外楽しい役目だ。雑念も浮かぶ。設問のあり方に問題があると、伊藤はさらに鋭いメスを入れる。

「……『速読』とか『長文読解』とか、口あたりのよい名前をつけていても、実質的に行われている受験教育の大部分は、設問と関係のある部分だけを問題本文の中から要領よく見つける練習、極端な場合は、○×問題の選択肢だけから正解をあてるという不毛な練習に堕してしまっているのが現実である……。」（p18）

伊藤和夫は、駿台予備校のカリスマ講師で、若手のホープである関正夫（せきまさお）に、氏の受験英語改善への熱い思いを託されたようだ。

同書『予備校の英語』を私に贈呈してくれた、原純一（はらじゅんいち）氏（Just In Time Reading）は、私と同じくビジネス畑出身で、モデルにされたトヨタのかんばん方式（Just In Timeの訳に若干異議があるにせよ）こそ、量から質を生むという思考だ。

氏の縁で、これまで宿敵視していた、進学塾思考を身近に感じ始めた。私のビジネス思考は、efficient（パッと英語が身につく、てきぱきした）で、しかもforcefulな人材で、かつeffective（じわーっと確実に結果を産む）でpowerfulなleadershipの育成にぎゅっと絞られる。

効率的か、「てきぱき」か。効果的か、「ばりばり」か。パアーッと花咲くforceか、じわーっと継続すれば身につくpowerなのか。両者は、似て非なるものだ。言葉をイメージするpowerは、それを活用するforceに匹敵（deserve）すべきものだ。同じ「力」でも、forceとpowerは違う。「術（force）は道（power）を求め、道（power）は術（force）で証す。」

私の英語道を支持し、動脈英語を受験道に持ち込まれ、映画『美味しいごはん』の字幕翻訳班のチームリーダーとして、私を指名し、委託された、謎の男がいる。この南極老人こそ、受験王と呼ばれる天才だ。

氏との出会いがなければ、受験のための静脈英語の動脈化運動に乗り出すことはなかった。真理を求めて、ざっくり斬り込む人は、リスクを楽しむロマンチストか、失敗を恐れない外科医（ドクターXのような）に似ている。It takes one to know one.（蛇の道は蛇。）

sappari

さっぱり　refreshing

「さっぱり」は、どの和英辞典でもたくみに解説されている。clean, neat and tidy. 性格の「さっぱりした」はfrankかopenhearted。味はa light, simple taste。さっぱりした食べ物ならsomething simpleでよい。

しかし、さっぱりした食べ物でも、さっぱりしたお茶漬けの味となると、急に難訳語となる。欧米人なら、まずblandと訳すだろう。

これでは味がなく、まさに無味乾燥となる。だから、どこかにrefreshingを残したいのだ。a rice in tea for refreshment はどうだろうか。just a bowl of *ochazuke* for the road（別れの茶漬けいっぱい）も洒脱な味がある。

人間関係でもそうだ。べたべたした関係にピリオドを打ちたいときがある。「きれいさっぱりあきらめる」というが、直訳すればmake a clean break（with 〜）となろう。breakを動詞として使うとbreak off（with 〜）となる。そのあとにonce and for all（きっぱり、未練なく）を加えたら、ちょっぴりわさびの利いた味になる。「彼女とはきっぱりと別れた。未練はない。」I'm done with her, period. べつにperiodは口に出して言う必要はないが、私の好みの表現だから我慢してもらおう。セミコロンでは、まだ未練がある。蛇足になるか。That was refreshing.（別れてさっぱりした）もいいだろう。

「さっぱりする」（さわやかになる）はfeel refreshed.「気が楽になる」はfeel relieved. 言いたいことを言って、さっぱり（すっきり）することは、refreshingだ。「さっぱりあきらめる」は、let it go（きっぱり、さっぱりも、このなかに含まれている）。Let go of your belongings.（断捨離よ。）も、シンボルはnice and cleanだ。人間関係でも、さっぱり、そしてさばさばしている人は、realistic and pragmaticと訳すこともできる。さっぱりさせよう。Let go of it.

sappari-shita (ningen)

さっぱりした（人間）　a good sport

日本人の"粋（いき）"は、さっぱり感と置き換えられる。ねちねち、べたべた人間はうっとうしい。sportyではない。スポーティーな人間が好まれる。大阪では、うっとうしいネクラ人間は「眠いやっちゃ」と毛嫌いされる。ラテン気質の大阪は、お笑い芸人の天国だ。

大阪へ戻ると、いつもほっとする。笑いが戻る。粋な人間はいつも「笑い」に包まれている。さっぱりした笑い（great laugh）は、人をいじる（mock）笑いではなく、きわめて健康的だ。粋は、大阪ではさらに純度の高い粋（すい）になる。オノマトペ王国の「笑い」はさっぱりしている。ユーモアのある粋な人とはa good sportである。

sarah-to-mizu-ni-nagasu

さらーっと水に流す　get over it

like waterは不要。もちろんflush itも余計だ。水洗トイレじゃない。いやなことを忘れることは、すべてget over it。itがわさびのように効いている。

「彼女のことを忘れる」はForget about her.よりGet over her.の方がよい。別れた相手のことを忘却の彼方（かなた）に捨て去ることは、非人道的である。動脈英語はbig wordsを好まない。

「さっさと忘れちゃいな」なら、Get it over with her.となる。勧めたい表現ではない。勧められる口語表現は"Stop sobbing.（しくしく泣くんじゃない。）Get another one to get over an old one."（別れた男より、次の男よ）だ。

sara-sara

さらさら　murmur

さらさらは、欧米人にとり、つぶやき（murmur）になる。

高校時代にはまったドイツ語の詩に、小川（Bach）がさらさら流れ（murmeln）、小鳥（Vögelein）がtwittern（twitter）というくだりがあった。音は英語と似ている。

チョウは羽をばたばたとさせている。Die Schmetterlinge flattern vom Blumen zu Blumen.（The butterflies flutter from flower to flower.）

音とともに、スペルも英語と近い。音は万国共通かなと思わせる。同じさらさらでも、木の葉がかすかに触れ合う音はrustlingだ。

小川のさらさらも、つぶやき（murmur）から音量が増すと、gurgleになる。このgurgleは、水がごぼんごぼん（どくどく）と音を立てるときの擬音語だ。乳児がのどをゴロゴロ鳴らす音や、うがいのときの音もgurgleだ。

san-zan (na-me)

さんざん（な目） a disaster

映画の英語がさっぱり聴きとれず、劇場を出たときには、くやしかったが、振り返って「ありがとうございました」と一礼をして去ったことがある。That was a disaster. 映画が私にとり道場となった。他流試合のつもりで訪れたところ、英語が聴きとれず、門弟にぼかぼかに殴られても（beaten up）、その痛み（feeling torn apart）だけは学んだ。

上京後、米大使館で同時通訳の修業を積み、外国人特派員協会で故・松下幸之助（まつしたこうのすけ）の通訳を頼まれるところまで、腕を磨いた。ようし、成果を見せたいと、うずうず（can hardly wait）していた。ところが直前に幸之助氏と気心が通じ、大阪弁のわかる部下に通訳を任されて、私は解任。

対抗意識から、ドタキャンに文句は言わないが、見学だけはさせてほしいと食い下がり、ライバルの技を調べた。

幸之助氏のスピーチは、すべて即興。その場の雰囲気や気分でしゃべり、いっさいメモを使わない。「天井は低い。外国さんは背が高い。充実感を感じますなあ」が第一声。この「つかみ」で笑ったのは、大阪出身の数人と、通訳者だけで、誰一人笑わない。すべった。通訳者のa sense of fulfilmentという直訳英語はまさに興ざめで、当時の外国人特派員協会のカリソン会長に「どうでしたか」と聞いたところ、That was a disaster.「さんざん」だったと言う。
同時通訳王国で知られたサイマルの通訳者は、大阪弁の、しかもあらかじめスピーチの内容を提出しない人の通訳は引き受けません、と断っていたとのこと。賢明。

jiih-to-miru (jukushi)

じーっと見る（熟視） gaze（at/on）

熟視、注視、凝視は、gaze（at/on）を使う。太田竜という、元サヨクで、神道の研究に没頭されてからは、極ウヨクに華麗な転身をされた哲学者がおられる。いやおられた。天皇起源の話となると、目が輝く。
だが氏と私が、お互いに凝視（holding each other's gaze）し合ったことはない。"I've never met his gaze."彼は人の目をあまり見ない。そこまで反ユダヤ主義を通されると、命が狙われることはありませんか、と聞いても、「覚悟しています（I'm prepared.)」と言葉数は少ない。
氏の、英語を通して収集された膨大なユダヤ情報（陰謀論を含め）は中途半端ではなかった。コンピューターのような頭脳で、右翼の論客をびびらせ、後に両翼陣営から恐れられた太田竜氏の英語を耳にした人はいない。彼の情報網を調査したことがある。借りた1冊の英書の下線部には、ボールペンの赤インクが食い込んでいた。力が入っている。
守屋汎氏（徳間書店）から、「太田先生は、英語は凝視されるのです」と聞いて、速読家を誇る私も、思わず身がすくむ思いがした。速読でもなく、精読でもなく、じーっと英語を読まれるという。穴のあくように、目的意識（ユダヤ陰謀論など）をもって読む(gaze)。じーっと見るのではなく、穴があくように、食い入るように読むというのだから畏れいる。

jiih-to-yomu

じーっと読む scan

書かれた英語を「見る」前に、「読む」訓練が必要だ。音読時代の私は速読が苦手だった。すぐに、声を出してしまう。スピードと同じく、情報量も激減する。

2000年1月8日の私はホノルルで、情報収集に余念がなかった。ALC（Press Inc）が私の英文日訳と翻訳文（松本アカデミーの生徒たちによる）を1冊の本にまとめてくれた、『松本道弘エッセイ集 ハワイでの心の旅 Part 2』がここにある。英文で、自分の重い心を告白している。

I'll confess to my readers: I can't speed-read his book. And worse still, this booklet on HAWAII'S MONARCHY is giving me more trouble. I can't even skim or scan it. Blame it on my poor concentration or my poor comprehension or my poor Mindmap（frame of reference）.

Skim:（take a floating layer from the surface of（a liquid）, read superficially: look over curiously.（Oxford）

Scan: look at intently or quickly.（Oxford）

Kurageru: to jelly-fish, to float like a jelly-fish following the course of the wave.（Matsumoto's mid-brained dictionary）

汗をかきながらの英作文だが、心はくらげのように浮遊している。ハワイだからこうなるのだ。しかし、しっかり英語で考えている。

英語で考えるとは、定義に強くなることだ。翻訳班の私塾紘道館の生徒たちも、オノマトペを使って見事に翻訳してくれた。

Skim:（浮遊物を液体の表面から掬い取る）流し読みする。ざっと調べる（オックスフォード）

Scan: じっと見る。またはざっと見る。（オックスフォード）

Kurageru: くらげのようになること。波間にただよいながらくらげのように浮んでいること（『松本道弘の両脳辞典』p10）

アラモアナの海でぷかぷか浮びながら、ぼけーっと空を眺めながら、思考をぼわーっと膨らませ、ホテルに戻り、英文日記をしこしこ書いたものだ。私の思考の「根っこ」にある行動哲学は、「続けること」だ。まず「続ける」「辞めない」——そのために持続的な集中思考を鍛える。気を引きしめて“英語で考える”。そのために、英語情報を集める。時間との闘い（a clock to fight against）が続く。

「続けなきゃならない」という真剣なあせりからきている。だから、オノマトペの難訳辞典企画という恐怖からも逃げられないのだ。

その緊張感と融和するには、ぼけーっと遊読することだ。遊読（ludic reading）という日本語は私の造語だが、そこには、遊び心（playful spirit）が要る。skimが「ざっと」（掠めとる）、scanが「じっと」（見る）なら、この「見る」を「読む」に変えるだけでよい。ざーっと、速く読むか、スピードを落さずじっくり読むか。ケースバイケース（It all depends.）だ。それを“遊読”という。

shihn

しーん。　You could hear a pin drop.

手塚治虫のマンガのひとコマを思い出す。

「あのしーんという音はなんだ」「あれは、静かだという意味を書き表す言葉ですよ」というユーモラスな解説がされている。目から入るマンガの世界に、オノマトペがぬぅーと侵入している。マンガ家の手塚治虫は、それを逃さず、ユーモアに変えている。「しーん」を英訳するには、多言を要する。ネイティヴなら、You could hear a pin drop. と訳すだろう。１本のピンが床に落ちる音が聞きとれるほど静かだという、オーバーな表現が用いられる。

ICEEの司会者のツルタ・ナミコは両親が日本人だが、豊富な海外経験を活かした彼女の英語には、バツグンの冴えがある。2018年のときに彼女が何気なく使った英語に驚いた。「会場がしーんとしていますね」を、You could've heard a pin drop. と自然に使っていた。しかし、この「静寂」を、「しーん」というオノマトペにするだけでも通じるのではないか。

jihn

じーん　feel it

破天荒な人生を送った作家トム・ウルフ（Tom Wolfe）は、編集者パーキンス（Maxwell Perkins）を、けばい女のいる酒場へ連れて行き、「頭で考えるんじゃない」、「(心で) 感じるのだ」と言った。
「感動なんだ」「感動しろ」という語気を伝えるには、Feel it. しかない。漢字の「感動」もfeel itに収斂(しゅうれん)される。聞き手の「うーん、感じる」では弱い。感動は押しつけられるものではない。心の深奥(しんおう)の部分からじーんと感じ、自分がしみじみ感じるものだ。
「感動しろ」と言われ、「はい、感動します」では、言葉にパワーがない。努力すれば自(みずか)ら感じるってもんじゃない。自(おの)ずからのめり込めば、じーんと、あるいはじわーっと感じてくるものだ。

そこには「にじみ (osmosis)」がある。しーんという閑寂を表すオノマトペは、冷涼とした空気感が伝わる。ピンが床に落ちる音すら聞きとれる、というから「乾き」がしみ込む。しかし、そこに「湿り」を加えるなら、濁音のじーんが必要だ。
「じ」には、どこか「にじみ」がある。しーんにはなくても、じーんには水分がある。日本語の音霊には、仁(じん)とか恕(じょ)といった情的な相互浸透にも湿りがある。水分を含んだ濁音がじわーっとしみ込んでくる。中国語は乾いた言語だが、同じ漢語でも、湿った日本風に発音されると、水気が加わる。

ひらがなが石を水に流そうとする。流れようとしない、外来語はカタカナに委(ゆだ)ねる。まつもとみちひろ、はまだ日本人だが、ミチヒロ・マツモトとカタカナ表記にすると、日本人としての松本道弘は、日本語よりも英語の方がうまい、日系米人か、ガイコクジンにまで風化されてしまう。

本辞書が扱うオノマトペを、基本的にカタカナではなく、ひらがな表記にしたのは、日本語の、そして日本文化の風味を残したかったからだ。日本の味とは、日本の風土と関係がある。火山の「火」があり、河川が毛細血管のようにいたるところで流れている「水」があり、台風という「風」の怒りが大雨をもたらす。まだある。「石」の呪いだ。この地震の国は岩石をも揺さぶり、ごろごろ溶解させる。

こうした火、水、風、石をまとめるには、「空(くう)」という無常観 (Change is the only constant.) や、「無私」と、禅でいう「諦念感(ていねんかん)」(acceptance) を必要とする。これが禅の心。Let's accept it.

「空」が日本の「道」に結びつく（宮本武蔵『五輪書』参照）のは、自然の成り行きだ。ごつごつした中国の岩石を「ひらがな」で流し、「水」になじまない外来語もどきは、カタカナで異物扱いにする。これでは、彼らは浮かばれない。不当な扱いを受けた彼らの怨念を晴らす（do justice to them）ために、日本人らしく、じわじわと書き続ける。

このような熱く湿っぽく、ウェットな日本文化は、いかにドライな外国文化でも、情的にどろどろに融(と)かし、正体不明なカタカナ英語を繁茂させる。

いま述べた、ウェットやドライも、原意と関係なく、いつの間にか神隠しに遭(あ)って、日本文化の隅々で異常発生している。したがって「じーん」も外国語に訳せない。このじめじめ感は、瑞穂(みずほ)の国の一大特徴である。

深い感動はI feel it.のあとに、in my bonesぐらい加えた方がよさそうだ。じわーっと思いを広げるには、骨にまで響かせる情的パワーが要る。

ところで、「何かを感じる」の「何か」は、すべてitで統一しよう。英米語は一見より論理的だが、気になる物や状態をすべてitとして扱う、いい加減なところがある。であれば、日常会話でitをじゃんじゃん使おうではないか。Get it?（だろう？）

jihn-to-kuru

じーんとくる　hit home

『沖縄高校野球あるある』（TOブックス）のなかで、山里蒋樹(やまざとまさき)氏は、うまいオノマトペを使っておられる。2019年夏のエピソードである。

「――地区予選の決勝戦が終わり、健闘を讃え合う姿に感動。甲子園で沖尚の応援で受けた印象とだぶって、次の個所を読んだときにぐっときた。地区予選の決勝が終わると、両チームの選手たちがお互いの健闘をたたえ、ハグしたりする。悔しさに打ち震えながらも、高校３年分の思いを相手に託す敗者と、それを受け止める勝者の姿がなんとも美しい。イラストに使われた言葉が泣かせる。『オレらの分まで、がんばれよ！　ジーン。』」

このジーンというオノマトペが、まさに難訳の極みだ。「じーん」を尾野秀一氏は、例文でこんな風に訳されている。

寒さがじーんと骨身にしみた。The cold pierced me to the bone.
娘の花嫁姿を見て、彼はじーんときた。Seeing his daughter in her wedding gown struck him deep to the heart.
銀閣寺を実際この目で見て、いかにすばらしいものかがわかり、胸にじーんときた。I saw the Ginkaku-ji Temple with my own eyes and it hit home how wonderful it really was. (p138)

私は、このhit homeという英語の響きが好きだ。日本の心を水とすると、音がない「しーん」の「し」に濁音を加えて、「じーん」と湿らせることによる効果は計りしれない。じわーっと伝わってくる。

jihn-to-hibiku

じーんと響く。 That gets me.

その言葉がストレートに胸に突き刺さるのではなく、はらわたにまで響く（hit one's belly）ような感動を受けた場合、That（really）got me.でよい。reallyを外して、「ぐっときた」と、「ぐっ」で抑えることはできる。こういうオノマトペが英語には乏しいので、どうしても低エントロピー動詞であるgiveとgetに戻ってしまう。

急所を突くような発言なら「きゅんとくる」が勧められる。この神経を瞬間にきゅっと収縮させる、ちょっぴり痛い（poignant）心境とは、日本文化の特長といえる「にじみ」のことだ。

この「にじみ」がosmosisとしか訳せないのが、じれったい（tantalizing）。日本語のオノマトペはこのように、西洋のそれと違って、水気を含んでじわーっと浸透していく。

しみじみ語るといった、「にじみ」調も相互浸透を意識したものに他ならない。「いじめ」や「いじる」といった日本的現象（bullyのようなドライなものでない）も、水を媒体にした「にじみ」のそれだ。この「いじめ」には、じめーっとした継続性があるので、英語では「いじわる」のmean［miːn］に近い。[ː] が水の流れを感じさせる。

この「じーん」から、微かな水の音（濁音）まで消すと、しーんとなる。

物語が完了したとき、シェイクスピア（William Shakespeare）は、The rest is silence. と言語を加える。あとは沈黙という解説を蛇足と考えるのが、日本的な余韻だ。「しーん」ということばも要らない。

コーヒー・ブレイク

しぐさtells

しぐさとは、ある物事をするときの態度ややりかたのこと。つまり見えるのだ。いや隠そうとしても見えてくるものだ。これがtellの正体。

英和辞典で見るtellは、大きく分けて、①話す（語る）tell the truth、②告げる（示す）のふたつだが、これではシンボルが摑めず、使えない。もうひとつ「物語る」を加えてみようか。「常識によれば」はCommon sense tells me 〜となる。直訳すればAccording to common sense, となり、多くの日本人にとり、こちらの方が親しみやすい。

以上、３点から、tellの主語が人間や言葉だけではないことがわかる。本来、抑えていても、抑えきれず露呈してしまう。これがじっとできないtell。告げ口をすることもtell talesという。死者は中傷をしない、作り話もしない。The dead tell no tales.（死人に口なし。）

しぐさ（tells）とは、それほど「勢い」があるのだ——言葉以上に。

jiku-jiku

じくじく　bitter

じくじく、じめじめ、じわじわ、じわーっ等々はすべて、日本という「水」っぽい文化の産物だ。だから、乾いた文化の英語という色眼鏡では、見えない。感じるより他ない。

いま、執筆先の旅館で川を見ながら、YouTubeで“SUGAR: The

Bitter Truth”という1時間半番組を聴きながら、オノマトペにじわーっと融け込もうとしている。弁舌さわやかな博士がsugar（砂糖）はまだしも、Fructose is poison.（フルクトースは毒）と息巻いている。砂糖はまだしも、果糖が毒だとは。これを聞いてすかーっとする人もいれば、むかむかする人もいる。

フルクトースを勧めている医者は、たらーっと汗をにじませる心境だろう。これらのオノマトペを英訳すれば、bitter truthになる。耳に痛い（It hurts.）発言だ。“苦い真実”と直訳してはピンとこない。砂糖の摂り過ぎが肥満を促進するという周知の事実なら、It's bitter-true.か、Bitterly true.とストレートに英訳すれば通じるはずだ。

医者なら、Umm, it's metabolically plausible.（うーん、代謝論的にはうなずける）と言うか、しぶしぶ認める（accept with bitterness）だろう。

ホップの効いたビールをbitter beerという。語源を見よう。古英語のbiter（噛むような）が原義であるから、不快なほど苦い（salty、sour）という「つらさ」が伴う。オノマトペの「じくじく」と苦味を噛みしめている心境だろう。

Did you leave him?　Yes.

With bitterness?　No. No hard feelings.

という英語の会話が聞こえてくる。

「あと腐れ」はhard feelingsだが、これもbitternessのうち。

bitterとはsweetの正反対だが、その仲間の感情は、bitter-sweet（memory）で表すことができる。『オックスフォード辞典』を読めばすっきりする。arousing pleasure tinged with sadness or pain. 例文もいい。The room, with all its bitter-sweet memories.

では、「傷だらけの英語道」は？

My memories of the story of my life evolving around English? Umm. Bitter-sweet.

日本人好みの「傷だらけ」は直訳しないほうがいい。映画『傷だらけの栄光』の英語のタイトルはSomebody Up There Likes Me。

英語の道を突き進んでくると、いつの間にか、オノマトペという異界、いや苦界に迷い込んでしまった。じっくり考えてみると、

Somebody down there loves me. と呻きたくなる近頃だ。このじめじめした気分、やっぱり、いやしょせん私は純血日本人なのだ。

shiku-shiku (naku)

しくしく（泣く） sob

涙は水。日本は水の国。水いっぱいのみずみずしい、瑞穂の国。日本というオノマトペが幸う国の力（power）は、水であり、その作用（force）は四方八方に広がる。

言霊（音霊）もオノマトペの力（force）である。水はさらさら流れるかと思えば、台風が近づくと、ざあざあ流れる。いま、小川のせせらぎを耳に、深夜の執筆を進めている。すらすら、さらさらとペンが進まなくなると、いらいらする。アイディアが止まると、心の傷が痛み、しくしく泣きたくなる。

「努力（effort）」の代わりに、欧米人は、blood, sweat, tears と音韻を並べる。共通分母は水だ。しくしくが、じくじくになり、涙も汗のようににじみ出る。しくしく泣くのがsobであれば、さめざめはweep（silently）になる。すべて水の働き（force）に戻ってしまう。

自分で恥ずかしく思うさまは、忸怩と表記されるが、漢字を使えばshameかguiltのどちらだろうかと、理解に苦しむ。いっそのこと、オノマトペという水に流してしまえばいい。心が水のように、じくじくする。これだけでいいではないか。

「おれがやらねば」という気負いと血の騒ぎで始まった、この難訳辞典の企画も、血と水のspiritに動かされているのだ。血は汗とともに、塩っぽい（salty）だけのことだ。

歯医者と話をしても、「日本人相手なら、しくしく痛みますか、それともじくじく痛みますか、と問えば、わかってくれますが、外国の人に対しては通じなくて困りますね」と、こぼす。水なき痛みはひりひりだが、多少の水量があれば、しくしく痛み、水量が増し、その痛さが深く、長引けば、じくじくと、濁点が加わる。血がさらさら流れなくなれば、どろどろする。

jiikuji-taru

じくじたる　feel guilty

ある和英辞書には、bashful, ashamed, embarrassedを載せている。顧みて内心じくじたるもの（思い）がある、に同辞典では、こんな苦しい訳を掲げている。

have incidents in one's past that one blushes to remember

ずいぶん苦労されたなぁと、察するにあまりある労作だ。じくじたる思いで引用させていただいているが、編纂者の名誉のために述べると、私が学んだことは、blushの動詞の扱い方だ。救われたような気がする。

理由を述べてみる。『日本国語大辞典』を引くと、「じくじ」とは「自分の行為などについて、自分で恥ずかしく思うさま」と、『広辞苑』的に、広がりのある説明がなされている。この「恥ずかしい」は、英語ではashamedか、embarrassedのいずれかになる。

ズボンのチャックが外れたまま壇上に立って、英語のスピーチを行う行為（一度だけ見た経験がある）がある。How embarrassing! この恥ずかしさはashamedではない。この男性が壇上に登る前に、知っていて止めなかった周囲の人がashamedなのである。もし、悪意に負けてしらんぷりした人物がいたら、その人は一生、guilty conscienceに悩まされるだろう。

本来、じくじとはguiltyから離れないものではないか。いろいろな和英辞書には、shameとguiltyの間に差がないように思う。日本人が定義を好まない人（sloppy definers）が多いのは、日本が「にじみ」の国だからだ。水のように融け合ってしまっている。この点に、ぐさーっとメスを入れなければ、私はこれからの英語人生でじくじたる思いから解放されることはないだろう。

shikkuri

しっくり　comfortable (with)

新型コロナウイルスで、会議という会議が「密」という呪いゆえに敬遠され始めた。私が40年近く率いてきた紘道館も、オンラインでやることになった。東京人はぴりぴり（edgy）し始めた。いまではオンライン会議のほうがしっくりくる人が増えてきた。

People in Tokyo are more comfortable with online meetings.

がやがや（buzzing around、ハチのぶんぶんいう音から）、がんがん（bang bang）、そしてオンラインでもばんばん（zoom zoom）やり出した。オンライン会話はまだ私にはしっくりこない。

し

Online talk doesn't sit well with me, yet.

殿が美女をそばに引き寄せるときに、「苦しゅうない、近う寄れ」と言うが、この心情はイギリス英語でしか表せないのではないかと思う。

"I'm not uncomfortable. Come're." と。

CNNインタビューアーのクーパー（Anderson Cooper）記者なら、そんな女性に「どんな気持ちだったの」と迫るだろう。その女は、こう答える。"I don't feel guilty. Uh, a bit guilty to his legitimate wife, you know."

shikkuri-ikanai

しっくりいかない　wrong for ～

いま、深夜の常宿でYouTubeの番組を耳にしながら、この原稿を書いている。番組内容を同時通訳していた。Western liberal democracy is wrong for China. このwrongが日本人には使いこなせない。意外に難訳なのだ。私はとっさに、このintelligence番組に耳を傾けた。会議の論題を「西洋のリベラル民主主義は中国になじまない」と訳した。そして、「しっくりいかない」とオノマトペ風に訳した方がいいと考え直した。

なじまない、にじまない、といった表現も日本人好みだが、これらの表現にざっくりメスを入れてwrongという、日本人にとり歯がゆい難訳語を取り上げた。これで難訳病は快癒（かいゆ）に向かうはずだ。

最初のスピーカーは格調の高いイギリス英語を使った中国系の女性であった。いきなり、Western-liberal democracy is bad for China. と、wrongをbadに変えた。中国に民主主義を押しつけるのは間違っているのではなく、「有害だ」と喝破しているのだ。中国と西洋のデモクラシーは水が合わないと言い切っているのだ。ギクッとした。

She sent the chill down my spine.（彼女の発言を聞いて、私はギ

クッとした。)

濁音がつくと、やばくなる。乞食（bum）を「こつじき」と濁音を加えると、偏見が生じる。誰かの情にすがって生き続ける人は、bum とか moochers と毛嫌いされる。

(shitsumon-suru-nara) jikkuri-kangaete-kara

（質問するなら）じっくり考えてから

be mindful of (what you're expected to ask)

空気や場を読むことを意識せよとは、じっくり集中して考えよのこと。この意識はmindfulnessのことで、無私だと勘違いしてはいけない。「気配り」thoughtfulness に近い。何かに意識を集中するとはmindfulnessのことだが、禅や瞑想のときの「無心」をmindfulと勘違いする欧米人が多い。無心とはmindlessnessのことだ。禅では、no mind という。mindful と正反対のコンセプトだ。無心の剣をno-mind sword といい、英語道が目指す最終ゴールは、no-mind Englishだ。弓の達人が弓の存在を意識しなくなる。英語の達人は英語をも意識しなくなる。そのno-mindが「道」のゴールだ。

自分の英語力を意識しすぎる人は、人から疎(うと)んじられる。He's too full of himself.（自意識過剰）と。

jitto-miru

じっと見る　hard look / stare at

日本人がよく使う「じっと」は、オノマトペのなかでもしょっちゅうお目にかかる難訳語だ。firmly, steadily (steadfastly), intently と、和英には出ていても使いにくい。石川啄木(いしかわたくぼく)の「はたらけどはたらけど猶わが生活(くらし)楽にならざり じっと手を見る」の、この「じっと」の心は胸が痛むほど重い。look (stare, gaze) at (into) one's handなのか、自分の顔を鏡でじっと見る（staring at my face in the mirror）なら、これでよいが、その対象が「手」とは。

人の顔をじっと見てはいけない。Don't stare at stranger's face. は、Don't talk to strangers. と同じように、親が子に向かって諭(さと)す言葉だ。「じっと聴け」は、Listen with undivided attention（patiently).「じっと考え込め」はLose yourself in thought.

さて、石川啄木の「じっと手を見る」は、Looking myself in the hands.ではないか。自分の手だけをじっと（intentely）眺める馬鹿はいない。手というmirrorを通して、自分の不幸な姿を眺めているに過ぎない。

いま、私は*Psychology Today*（Dec. 2019）を鑑として、見出しの“A HARD LOOK AT EVIDENCE BASED TREATMENTS”（証拠に基づいた治療法を凝視する）をじっと見ながら、オノマトペを焙り出そう（bring into light）としている。このhard look（厳しく眺める）から、「じっと」の正体が顕らかになった。じっとペンを見ると、手が汗でじっとりしてくる。（My hands are damp with sweat.）「～を見る」ならlook at ～でよい。「人をじっと見る」はstare at a person。stare into a person’s faceとintoに変わると、穴があくほど見つめることになり、ちとやばい。She’ll stare back. きっとにらみ返すだろう。

「じっと」「じろじろ」はstare at、「じーっと」はstare into（宙を見つめる＝stare into space）。look at ～は「さらーっと」見る。watchは目を離さず眺める。

「うちの子どもを見ておいてね」は、Watch my kid.でよいが、頼まれた隣人はlookしたがwatchせず、その結果、近くの池で溺死するといった事件が発生した。「見ておいてね」はlookではなくwatchであったのに。裁判で有罪となったが、世間が騒ぎ、無罪となった。あの三重県で起こった隣人訴訟事件のことだ。

電車のなかで、じーっと人の目を見る（locking eyes）人は、犯罪的だ。eye contactは、社交術では大切とされている。スピーチの場合でも。だが、特定の人にeye lockという目鍵をかけることは慎みたい。電車のなかでは、他人の目を見ず、あえてそらせる方が大都会の礼儀であろう。これをcivil inattention（都会的に洗練された無愛想）という。Don’t stare at them!（じろじろ見るな。）

shittori-shita (onna)

しっとりした（女）　nice and placid

ちょっと古いが、傷のある過去をもつ高倉健が、ナワノレンでちびりちびりと飲む酒は、どこかに憂いがある。その相手をする女にも翳りがある。She has history. しっとりしているが、わけありの女性だ。だからといってShe's a damaged woman.（やばいわけあり女）とは言えない。アメリカ人なら、ずけっと言う。

美人で性格がいい（good-natured）女性は、おしなべて明るく愛嬌がある。だが、危険なほどやばい美女（dangerously beautiful women）は警戒心が強く、無愛想で、無口になりがちだ。阿久悠の「舟唄」でも、女は無口がいいという。ぬるめの酒にほどほどの美人がいい。

尾野氏は、She is not only beautiful but also placid and good natured, too.（彼女は美しいだけでもなく、しっとりと落ち着いて気立てもよい）という例文を挙げている。英語にも日本語にも味がある。とくに私は形容詞にこだわる。このplacidが「落ち着き」とは。そこに私はniceを加えた、nice and placidと。

「しっとり」を直訳すればmoistとなり、どこか水がある。「しっぽり」とか「しとしと」にも水を感じる。しっぽりは同じmoistでも軽い。しとしとと降る雨（rain falling lightly）の相合傘はロマンチックだ。しっぽりと濡れてゆきたくなる春雨はdrizzling rainとしか訳せない。

She and I have to spend the night all by ourselves in the same rain. Tonight will be a night of ecstatic roses.（今夜同じ小屋で、彼女と私はふたりきりで過ごさなければならない。今宵はしっぽり……。）

このa night of rosesの訳は、ネイティブのインフォーマントだろうが、こんなパートナーがいれば、編者も幸せだ。a night of rosesとは初対面の英語だが、「めくるめく一夜（a night of ecstatic pleasure）」と訳してもいいだろうか。

水もmoistから「じとじと」し始めると、stickyに変わる。

しなしなした体の女性には色目を使いたくなる男も、じめーっと迫りくる妖女からは視線を逸らそうとするだろう。人は誰しも、べとべとした関係（sticky relationship）を好まない。

「春雨じゃ。濡れていこうじゃないか」という程度の異性関係でとどめておこう。このまま、ずるずる続けば、のっぴきならない（trapped）関係になる。アリ地獄だ。じゃーじゃーと土砂降りになって、ずぶずぶの関係（stuck like glue）にまで発展すると、どろどろの情痴に狂う（torrid affair＝灼熱の恋）序奏となる。水が火になり、炎になる（flare up）。

好きな男の浮気が許せなくて、「あなたを殺していいですか」と演歌「天城越え」の、めくるめく異界に迷入してしまう。水も度を越せば危険だが、火は可燃性ゆえに、もっとやばい（risky）。

shitoyaka
しとやか　modest / graceful

しとやか、ささやか、つつしみ深い。これらは、やまとなでしこの形容詞として通じる。これらをオノマトペ風にまとめると、「そこそこ」。modestyの美学におさまる。Government immigration effort is modest.（政府の移民対策は、そこそこだ。）
「そこそこ」は「まあまあ」と置き換えることができる。modestとdecentぐらいの違いしかない。少ない、低目という意味だ。

オノマトペという難訳に挑戦するプロジェクトを立ち上げたとき、身震いがした。スタートは寒々（さむざむ）しかった。I got off to a modest start. 私のmodest budget（ささやかな予算枠）では、類書集めすら大儀（たいぎ）だった。しかし、ちゃんとした収入（decent income）が見込めるようになり、常宿を変えてから、だーっと突進し始めた(darted off)。「だーっ」をdartとひっかけた。私の得意技だ。

jime-jime
じめじめ　damp

この『オノマトペ辞典』の執筆の途中から、新型コロナウイルスのために急遽この小川の側の旅館に乗り換えた。その半年間の天気模様を追憶してみると、70％が雨。そのうち台風が３回。じめじめした（soggy/classy）毎日が続いた。気分もじめじめする（feeling damp）。日本という水の国とは、じめじめした国（humid country）なのだ。

オノマトペの多くは、水のじめじめ、べとべとから生じた現象なのだと、水は思考をもあいまいにし、定義をぐにゃぐにゃにする。

定義やディベートが生まれたのは古代ギリシャ。ギリシャはいまでも、滅多に雨が降らない（365日のうち350日はからからの）国だ。明瞭（clarity）により、科学や議論に必要なロジックが生まれる。1週間アテネに滞在すれば、水虫が完全治癒するというビジネスマンの証言がある。からーっとした国の気性も、からっ風（a strong dry wind）のようになる。武士道が愛でる惻隠の情（empathy）は生じない。ねとねとした（sticky、男女の関係がねちねちとべたつく）「百人一首」も。そして、べとべとした（gooey）オノマトペも。

ギリシャ語はちんぷんかんぷん（gibberish/all Greek）と馬鹿にされたギリシャ人は、やつらこそ野蛮人（barbarians）だと、外国人に一矢報いた。bar bar bar（べらべらべら）と、わけのわからない言葉をしゃべるやつらという意味だろう。

jime-jime-shita (seikaku)

じめじめした（性格） dark

じめじめした梅雨は、dampでclammyだから大嫌いという人が多い。ウェットな人間にはセンチメンタルな側面もあり、ドライな人間を嫌う人から好感視されることもある。じめじめの「じ」の語感には、澄んだ水の動きを感じる。そういうじめーっとした気質の人は、ネクラ人間と同じくdarkでひとくくりにできる。

しかしdarkには、「じ」の水っぽい動きがない。この動きには、「じわーっ」とか「じわりじわり」と進行するprogress deeply and surelyとしか解説できない継続性がある。

狙った獲物に「じわじわ」とか「じりじり」と接近するには、1、静かに（quietly） 2、急がずに（in small steps） 3、気づかれないように（stealthy）近付くことだ。close in on ～という、よく使われる表現がこれに近い。この人に近付こうとしっかり心に決めたら、じっくり（thoroughly and carefully）作戦を練ることだ。

sha'a-sha'a-to

しゃあしゃあと unashamedly / brazenfacedly

（いけ）ずうずうしくとか、ぬけぬけとという、オノマトペ風の

（話し言葉ファン好みの）表現は、書き言葉ファンには煙（けむ）たがられる。しかし、情感はどっしりと伝わる。

私の教授時代に、18歳の女子大生からの「松本先生は、授業中にオウム真理教が使うディベートをしゃあしゃあと教えています……。学校側は、あのような恐ろしい先生を解雇できませんか」というニュアンスに満ちた匿名の抗議文が寄せられ、教務室に呼び出されたことがあった。しゃあしゃあ（brazenfacedly）は私の感情的な解釈、いや、たしか「平然と」という副詞が使われていた。

その匿名の生徒からの怪文書（多分ディベート嫌いな教授の偽作文だと思う）が原因で、ディベート禁止令が出され、教授職を棒に振った。「しゃあしゃあと」とは、厚顔無恥のこと。unashamelyという殺人的表現には傷ついた。私はどうどうと（audaciously）ディベートを教えたつもりであった。

shakih-to-shiro

しゃきーっとしろ。　Shape up.

ごろごろしているぐうたらに効き目のある言葉は、「しゃきーっとしろ」だろう。Shape up.がピタリ。のどかな日本の社会で、現代人の使うシェープアップ（英語ではGet in shape.）は、外見のことしか意味しないが、英語のshape upとなると、心身ともにピシーッとしろ、という意味になる。だからShape up or ship out.（しゃきーっと腹をきめなきゃ、船から降りてもらうぞ）という言葉に重みを感じるのだ。

日常会話なら、Get your act together.がよく使われる。getの表現は、オノマトペの英訳にはきっと役に立つ。

shakhi-to-shita (yasai)

しゃきっとした（野菜）　crisp(y)

初めての字幕翻訳を担当して、身も心もぼろぼろになった。その主原因はオノマトペにあった。大阪はオノマトペが標準語かなと思わせるほど、擬音（擬態）語の宝庫だ。ぐちゃぐちゃ、ぶわーっと、しゃきっ、きらきらという難訳語が、これでもかこれでもかと登場する。めっちゃ、怖かった。野菜の「しゃきっ」はfresh and greenと訳したが、そのときはcrispを使うのをためらったからだ。『新和英大辞典』では、しゃきしゃきした性格は、a neat, crisp character、しゃきしゃき感（野菜などの）はcrispinessと堂々と掲げている。たしかに、crispとは、ぱりぱり（セロリなど）かりかりしたという新鮮さを感じさせる。『ウィズダム和英辞典』（三省堂）はfresh and crunchyを加えている。手の切れるような糊の利いたシャツも、crisp（ぱりっとした）感覚を与える。

shan
しゃん　fit

「しゃきっ」とよく似た擬音語である。「しゃん」は姿勢、気持ちがととのっていることに中心があるが、「しゃきっ」は引き締まることに重点がある。酔っ払った人に「しゃんとしろ」と言うのも、相手の体が「しゃん」としていないからだ。

長男がしゃんとしないと、二代目が家督を継げなかったり、三代目が組織をつぶしてしまうから、世間の眼が光っている。（The eyes are on them.）そのために、二代目、三代目には「しゃん」とさせる第三者のしつけが要る。「しゃきっとしろ」（Shape up or ship out!）と叱るtough love giverが。

こんな情景に最もフィットする英語がfitだ。二代目教育は厄介だ。何度も経験がある。頼まれるたびに、まず融け込めるかどうか（Can I fit in?）と自問すべきだ。Am I fit enough to ask him if he's fit to step into his father's shoes? アメリカはF語の国と言われている――いや、私がそう言っている――が、イギリス人もこのfitをよく使う。こんなふうに。

The biggest gain from technology may be that it makes it easier to keep old people fit enough to remain in their homes for longer.
（*The Economist*, Jan. 11, 2020, p44）
（テクノロジーが最も価値を発揮するのは、高齢者が体力を十分に保ち、自宅に長く留まるのを容易にすることかもしれない。）

fitが形容詞に使われ、F感覚がぴったり（fit）現れている。

ヨーロッパでは最長寿国として知られているフィンランドでは、65歳の人間なら、あと20年は長く生きられるという。（A 65-year-old Finn can expect to live another 20 years.）

フィンランド人は冬が長く運動不足で、脂っこいものを好んで食べるので、不健康長寿国（ヨーロッパでもボトム・ハーフ）になりつつある。Who can fit in? 沖縄問題も解決できないのに。None can any more than I can. 昔懐かしい、鯨構文（Whales are not any more fish than a horse is.）が役に立つ。any more thanのあとは肯定文。

フィンランドも沖縄も食改善のための大改革が要る。（Both Finland and Okinawa need to fix it: dietary shake-up.）

運動不足で、しゃきっとできない沖縄人が増え、日本一の長寿県という看板が崩れ始めている。なぜか。アメ食をはじめ、ハンバーグまがいの「スパムおむすび」が大人気だという（*TIME*で読んで驚いた）。Spam omusubi can't, or shouldn't fit in out there.（沖縄の伝統食にふさわしくない。）そもそも（to begin with）おにぎりとスパムは相性がよくない。（Spam and rice balls don't fit together.）

shan (chan)-to-shinasai

しゃん（ちゃん）としなさい。　Get a life.

ペーパーバックにはgiveとget表現が多い。ゲラライフ。よく耳にもする。

"Right, Simon," M.K. said. "Why don't you get a life? Why don't you get married?" p207）

（「その通り、サイモン」とM.Kは言った。「どうして、しゃんとしないんだ？ どうして結婚しないんだ？」）

最初は、「しゃきーっ」のshake upが適訳と思ったが、やっぱり（on second thought）「しゃんと」はゲラライフにした。「しゃっきりして結婚しろ」はないだろう。shake upと違って、a lifeをgetせよ、とはその人生が半死（half dead）状態であることが前提なのだから、「しゃん」とか「ちゃんと」と言葉をやわらげた。Shake up.（しゃきっとしろ）では目線が高すぎる。

shutto (te-ashi-wo-dasu)
しゅっと（手足を出す） spontaneously / in a blink

伊藤和夫氏は、英文法にネクサス（NEXUS）は避けられないと述べておられる。隠れているbe動詞を探し、その働きを知れば、英語によるアウトプットは簡単だ、という。伊藤氏を師と仰ぐ西巻（にしまき）尚樹（なおき）君は、そのネクサスをhave, do, そして私のgiveとgetにまで広げ、動脈英語の獲得にも役立つ独自の英文法をまたたく間に（in a blink）編み出された。

文科省はにがにがしく思っている（being sour）が、一流の予備校では、ちゃっかりネクサスを教えているという。文法用語のネクサス（NEXUS）とはJespersenの用語で、*Dogs bark.* / I think *him honest.*などの斜体語間の関係をいう。たしかに、隠れているが、junction としてつないでいる。

ラテン語のnex-nectoとは、to bind のことだ。縁（えん）のことではないか。間（the ma）を重んじる私は、単語と単語の中間に存在する見えざるNEXUSの存在が気になり、20代の後半でgiveとgetの構造を知れば、あとはNEXUSに任せて、ほぼすべての和文は、英訳できる（基本単語のストックさえあれば）、という理論を打ち立てた。静脈英語を学んだ多くの日本人は、加齢とともに英語を忘れ、使えず、英語ぎらいに変わっていく。そのために、関節を鍛えよ、と主張してきた。

西巻君は、「あのかまきりの、『しゅっと動く』動作がNEXUSですよ」と電話で励ましてくれた。とくに、「しゅっ（in a blink）」というオノマトペがうれしかった。スピードに生命を賭けているかまきりに、関節炎患者はいない。

かまきりは、努力して自然体（spontaneity）を身につけたのではない。生まれつき（innately）なのだ。まさに自然に手足が動くのだ。だから、「しゅっと」はspontaneously と訳した。ちなみに自然発生とはspontaneous generationだ。かまきりは決して死骸を食べない。餌の生身だけを食し、あとはぽい捨て。

what you call（いわゆる）とか、scarcely ～ when ～とかcome what mayとかnot so much A as B（AであるよりむしろB）といった、死に体の英文法には見向きもしないシャープな触覚（feelers）

がある。英語学習者にも英語の語感（the feel for living / delicious English）が欠かせない（critical）。擬態の名人でもあり、変化に対する適応力（adaptability）に長けている。

「しゅっと」感覚を翻訳に活かしてみようか。まずは1995年に出版された本の、ごつごつした英文を料理してみよう。

Creative thinking may well mean simply the realization that there's no particular virtue in doing things the way they have always been done.（p154）

創造的な思考とは、おそらく、ものごとをこれまでいつもしてきたのと同じやり方ですることに特別な意味はないと悟ることにすぎないのかもしれない。

模範解答もごつごつしているが、まぎれもなく優等生の解答といえる。

これでは、尻っぽから訳さないと正解は得られない。だから、同時通訳者のように頭から訳そうという運動が生まれ、それなりに評価も得た。会計学でいう、先入れ先出し法（First-in First-out formula）だ。俗受けするが、この発明家はプロの同時通訳者ではない。「創造的思考とは、つまるところ、こんなふうに悟ることなのかもしれない。こんなやり方をしたことで評価されるなんて——これまでみんながやってきたやり方なんだから。」

息がつまりそうになる。ではプロの同時通訳者なら。

いきなり訳さない。少し間をとり、全体像を摑むや否や、直ちに訳し、話者より早く終えるかもしれない。ちょっとかまきりになりきってしゅっと訳してみるか。

Creative thinking may well mean simply the realization.

創造的に物事を考えるとは、どんなことでしょうか。ちょっとした「気づき」かもしれません。（残心を効かせ、間をとっている。）

That there's no particular virtue in doing things the way they have always been done.

ざっくりいえば（オノマトペできゅっと押さえる）そんな仰々し

いことじゃない（no particular virtue をやまと言葉に変えたまで）ってことです。――これまでみんながやってきたことなんですから。

これが西山千師匠流の同時通訳なのだ。私は師の技を盗んだに過ぎない。あくまで、呼吸を乱さず、やさしいことばで、歌うように語りかけるのだ。これを同時にこなす。――さらさらと（effortlessly）。

話者に感情移入すれば（のりうつれば）何でもないことだ。しかしプロの同時通訳者が意識するライバルがいる。それが映画の字幕翻訳者という忍者だ。彼らなら、息を殺し、字数まで絞ってしまう。時間的余裕があるから、芸術的な超訳が可能となる。口語体で話者に語らせてみようか。

「創造的な考え方って簡単なことなんだ。ぼくがやったんだ、って偉そうに言えるわけがない。だって、みんなが同じやり方でやってきたんだもの。」

話を戻し、この出題論文に対し、伊藤和夫氏は辛口のコメントをされており、ほっとした。

「……これだけの材料でmay well の意味を正確に読めるということ自体ムリではないかと思うが、それより、出題者は無限に近い英文の中から、とくにこの英文を訳出の対象として選び出したとき、それを自分自身の持つ英語の全体像と、どう関連づけていたのだろうか。」（p154）

苦労のし甲斐があったと、自分を慰めたくなった。Cold comfort!

こんな新旧ごったまぜの英文が語られても、プロの同時通訳者は文句が言えない。伊藤和夫氏が、せめてもの慰め（cold comfort）と言ったのは、そういう意味だ。

もうひとつ、じっくり検討してもらいたいことがある。同時通訳者にある泣きどころ（where it hurts）だ。次の文をどう訳すか。

He could write what he had wished to say with clarity and directness.

静脈英語（学校英語）では、こんな訳になりかねない。

「彼は自分が言いたいと思ってきたことを明瞭直截（ちょくせつ）に書くことが

できた」(p196)

しかし、かまきりの権化ともいえるプロの同時通訳者は、このcould を仮定法過去ととっさに判断する。書くことができたという過去形はすでに眼中にない。かまきりの動脈英語では、I could writeを耳にしたとたん、「書こうと思えば書ける」と反射神経的に(とっさに)訳してしまうだろうからだ。血液がさらさらした(smoothly flowing blood)動脈英語の天敵は、血がどろどろと淀んでいる(thick or viscous blood)静脈(受験)英語だ。かまきりは、血液の流れない生き物にはまったく興味を示さない。

受験英語という静脈英語は、鬱血がひどい(severely congested)から、血液は死に体(virtually dead)になっている。このドロ沼のなかで酸素を求めて闘ったドン・キホーテは、私が知るかぎり、伊藤和夫氏と、始祖鳥のように翔ぶ恐竜となった安河内哲也氏と、伝説の受験名人の異名をもつ南極老人の3人だけだ。

shoboi

しょぼい　sour / lame

sour experienceは不愉快な経験で、sour remarkはいじわるな発言だ。しょぼいより、ピリリと辛い。この不快感の源泉を懲りずに追及し続けていると、やはりsourに突き当る。「酸っぱい」は、多くのネイティヴにとり、よほど不快なのだろう。食物の話となると、肉食人間と草食人間の関係は気まずく、ぎすぎすする(turn sour)。酸っぱい飲み物は栄養価が高いのに、ちと残念だ。酸っぱい梅干しにたっぷり砂糖を混ぜるご時世だから、やむを得ないのかも。

沖縄県は世界一の長寿県ともてはやされたときがあったが、都道府県別の平均寿命のランキングで沖縄県は大幅に後退している(2020年度の調査では、男の寿命は36位、女は7位)。そんな沖縄でも大宜味村だけはダントツに健康長寿(healthy longevity)を誇っている。その理由は酢、酸である。沖縄では必ず飲むことにしているシークアーサーの最大の産出地は、ここ大宜味村である。調味にも使う、このシークアーサーは「酢」(シー)を「食わせる」(クアーサー)の合成語だ。たしかに、酢は、酸っぱい(sour/vinegary)。 It makes your mouth pucker.(puckerは唇をすぼめる。)

嫌われる覚悟で、ちょっと嫌味な一言(sour noteという)を残しておく。sour milkは腐っている(bad)が、sour pickled plum(梅干し)は健康的(good)なのだ。

隅田川の花火を見た。そのとき、ホーミー女史(カナダ育ちの才媛)が「カナダでも見たけれど、あちらはlameで、こことは較べものにならないわ」とパパに語った。そのとき、医学界では屈指の同時通訳者として知られているパパ(上田亮医師)は、ただちに「しょぼい」というオノマトペで訳した。

ネイティヴ英語(動脈英語)には勝てないと、シャッポを脱いでいる。そのdecency——さすがだと思った。lameは「さえない」「できそこない」というニュアンスであろう。

私なら、あの「しょぼい」を同音のshoddy[ʃάdi]と訳すであろう。見かけ倒しの、安っぽい、粗雑な、という意味合いがある。ショディとは、縮充しない毛製品などのくずから得る、再生羊毛のことだ。安物、まやかしものといったニュアンスだ。再生羊毛はたしかに、見かけ倒しだ。

jirettai

じれったい　wishy-washy

ふたつの選択肢に挟まれて、じくじく、くよくよする、じれったい(tantalizing)人は、優柔不断(indecisive)な人間として、生き馬の目を抜くビジネスの世界では厄介者とされてしまう。wishy-washyが近い。

教養ある欧米人にはtantalizingが好まれる。ギリシャ神話のタンタルス(Tantalus)王から来ている。ゼウスの子、アガメムノンらの先祖で、神々に愛されたが、冒瀆(ぼうとく)したことから、冥界でじわじわといじめられる。この飢渇の罪がえげつない。眼前に垂らされた果物が口元に届かない。くやしさといらだたしさが伝わってくるだろうか。

ところで、ゴルフ用語で窮境のことをstymie(スタイミー)という。のっぴきならない立場、ホールと打者のボールの間に他のボールがある状態のときなど。こんなふうに使う。That really stymied us.（あれには困ったねぇ、お互いに。）

jiwa-jiwa

じわじわ　slowly but steadily / stealthly

モーツァルト（Wolfgang Mozart）の直属の部下はつらい。西山千直属の私もつらかった。くやしいが“華”（wow factor）のある師匠にはどうせ歯が立たないと、いじけていたあの頃の弟子の私は、嫉妬深くねちねちしていたサリエリ（Antonio Salieri、宮廷音楽家）であった。あのサリエリの「じめじめ」は、いつもあっけらかんとしていたモーツァルトが許せない。revengeful（執念深い）なネクラ人間であった。いや、あの輝いたモーツァルト（sunshiny Amadeus）が、実力派だが“華”のないサリエリをmoon shinyなキャラに変えてしまった。上方では、英語において無敵に近かった修行僧の私にも、意地があった。師に近づきたい一心で芸を磨いた。そしてじわじわと（surely but steadily）師に近づき始めると、ふたりの兵士（柵のなかのgladiatorsに近い）の間から、ある種の嫉妬心と競争意識がにじみ出てきた。（『アメリカ大使館神といわれた同時通訳者』〈さくら舎〉参照。）あの頃の心境は、steadilyよりもstealthly（こっそりと、かすかに）に近かった。

shin-shin (to)

しんしん（と）　silently

「しん」とは物音や声は聞こえず、あたりが静まりかえっている様子。また人の棲(す)む気配を感じさせない静かさ。これを強調すると「しーん」となる。寒さや音などが身にしみるときは、「しんしん」と、さらに強調する。

英語ではしーんをsilentlyという抽象名詞で置き換えるしかない。シェイクスピアなら、The rest is silence.（あとは沈黙のみ）という蛇足的な言葉で、沈黙を埋めるだろう。埋めなくてもいいのに……。The snow is falling silently.では「間」が殺されてしまう。静寂が肌身にしみてこない。

染みる、沁みる、浸みる、といった水偏(さんずい)から水気を感じさせる動詞群こそ、瑞穂(みずほ)の国が誇るみずみずしいオノマトペ文化なのだ。

shinmiri (to)

しんみり（と） sadly

しんみり（sadly）語る人の言葉は、どこか寂寥（loneliness）で揺れている。肩がすすり哭いている。この翳り（shadiness）は文学になる。夏目漱石の『こころ』の、暗ーい、翳りのある文をしみじみと（*shimijimily*）朗読すると、周囲の人は耳を傾けたくなる。人は誰しも逃避の場所へひきこもろうとしたがる。そのためcave（洞窟）を必要とする。ダビデですら、アドラムの洞窟（Cave of Adullam）にひきこもった。不満の徒が集結した、このひきこもり（shutdown）には、怨念に支えられた"志"があったから、『水滸伝』に出る梁山泊を想起させる。離党組の隠れ家はCave of Adullamと呼ばれる。ダビデは流浪時代にしばしばここに逃れた。まさに駆け込み寺（a refuge to cave into）。The templeよりthe caveだから、より人目につかない。

sui-sui-to (yakusu)

すいすいと（訳す） effortlessly

ぺらぺらと英語をしゃべるも、すいすいと英語を聞きとり、すいすいと訳すのも、すべてeffortlessly（肩の力を抜いて）が近い。

effortlesslyは努力しないという意味ではない。その反対だ。通訳であれ、翻訳であれ、がつがつ努力しなくても、肩の力を抜けば、すいすいと訳すことができるという意味だ。

同時通訳を主業としていた頃、interpreter highという造語を編み出したことがある。「同通」にのってくる（on a roll）と、とんぼが空中を翔ぶように、まったく疲労を感じなくなる。インタープリター・ハイとは、effortlessの状態にはまることなのだ。

sukahtto-suru(mune-no-tsukae-ga-torete)

すかーっとする（胸のつかえがとれて） get it out of one's system

英語だけを教えていれば、生活は安泰であったが、ディベートを教え始めると、生活に窮するようになった。英語を学ぶ方法はディベート思考（たとえ日本語でもいい）が不可欠なのに、という私の思いが伝わらず、いつも、もやもやした（hazy）大学教授時代を送ったものだ。

大学を去って、ずいぶん長くなるが、あの頃の「もんもんとした」気持ちを少しでも晴らしたいと念じるだけで、気分が「すかーっ」とする。この「すかーっ」は、I got it out of my system. と表現できる。

いましがた、Netflixで連続ドラマ*Divorce*を見ながら、「この表現だ」と思い、すぐにメモをとった。「胸のつかえをとる」の「すかーっ」はget it off one's chestだが、「すかーっ」は身体（system）から、胸をはじめ、内臓全体のつかえをとるのだから、やはりget it out of one's systemがおすすめだ。

zukazuka (hairu)

ずかずか（入る） gate-crash / barge in ～

ずけずけとものを言うとか、ずかずかと割り込むというように、「す」に濁音が入ると、強引さが加わる。そういう不躾な人をgate-crasherという。アポなく、ずかずかと乗り込むことをbarge in ～という。

Do you mind if we barge in?（われわれが突然ずかずかと乗り込んでもいいでしょうか。）

ぶしつけ（不躾）に、ぶっきらぼうに、ぶすい（不粋）に振舞うことは、人間にあるまじき、がさつな行為だ。そもそも濁点が増えると、恐竜や怪獣の世界に入る。ゴジラ、モスラ、ガメラのような怪獣の攻撃のマナーもがめつい。

劇画『ゴルゴ13』の主人公の名も、処刑場のゴルゴタの丘から来ている。イエス・キリストがローマの役人たちに捕まることを予期し、祈ったところがゲツセマネ。

『旧約聖書』にも濁音が登場する。ソドムとゴモラという街が罪深きゆえに神の怒りに触れ、滅ぼされた歴史的事実は『旧約聖書』に記されている。ダビデがゴリラのようなゴリアテを倒す物語は、日本でいえば義経が弁慶を倒すような英雄物語だ。ゴリアテ、ベンケーと、でっかくてずぶといやつらは、濁音という武器で防禦しているかのようだ。

大阪のどてらい（どぎつい）奴、佐賀のがばいお袋、名古屋のどえりゃー女将と、濁点の主はすべからく、どぎついのだ。怒ったら、ぐわーっと唸るが、笑ってもぎゃっはっはと下品になる。

ところが『ハリー・ポッター』（Harry Potter）シリーズを読むと、濁点が消え、イメージを先行させる意味論が登場する。スリザリン（くねくね）寮のスネイプ（蛇）先生や、ずる賢いマルフォイ（mal＝「悪」「不良」「異常」）といった、不届きで下司な野郎がずけずけ、ずかずか、どかどかと闊歩し始める。日本の難訳怪獣名は、耳（右脳）から、西洋の難訳人間名は目（左脳）から訳すより他はない。

zuke-zuke

ずけずけ　pull no punches / brutally frank

ずけずけを形容詞で表すと、blunt。白熱インタビューはblunt interview。口語表現ではpull no punchesがよく使われる。歯に衣を着せない（tell it like it is）人はえげつない（brutally frank）人だ。speak bluntlyかwithout mincing words（歯に衣を着せずに）が近くなる。He doesn't mince his words. He hits many people where it hurts.（彼は歯に衣を着せずにずけずけ言うので、多くの人を傷つける。）to hit sb where it hurtsは「急所をぐさーっと刺す」こと。

大阪のおとなりの神戸人は、frankで好感がもてる。大阪人の私には、図々しさと好奇心を武器に、相手が京都人、奈良人、和歌山人、神戸人であれ、誰にでも、どこにでも、いつでもずけずけ、ぐいぐいと割り込んでいける。

大阪人の言葉には「ど」がつく。ど根性、ど派手。だから阿呆にも、どあほ、と「ど」がつく。ときにはえげつなくなる。柔道部のOBの連中と会うと、「ど」くづきあう。私の蛇皮のベルトは、東京ではうける。「おしゃれですね」と。大阪では、「そのど派手なベルト、なんとかならんか。趣味悪いのう」とずけずけ言う。これをbrutal frankness（えげつなさ）という。

sukkiri (saseyoh)

すっきり（させよう）。 Let's get it over with.

これっきりにしよう。すっきりさせよう。こういう擬情語は、英訳に困る。かといってbig wordsを使うと、情感を損なう。言葉は文明の利器。だから、オノマトペは野卑とされ、毒として遠ざけられる。

劣位に置かれた生命体は、毒で復讐しようとする。堕しめられた女は、毒婦化して周囲に毒を撒く。家族にうとんじられ非力となった老婆は、鬼ばばと蔑まれ、返す言葉に毒気が感じられるようになる。水中で無力なくらげが、そのまま非力に甘んじているわけがない。毒くらげにとり、毒は自衛手段に他ならない。

毒にこりた外敵は、それっきり二度と近づかない。毒づいた老婆は、これですっきりする。「ひっひっひっ、これでいじめられることもない。」

「いやよ」（No way.）と、ずけっといえば、相手も二度とちょっかいをかけない。使える英語を紹介しよう。

Give him a flat no. Let's get it over with.（あの人には、はっきり「いや」と言って、すっきりさせましょうよ。）

「それでほっとした」は、That's a relief. すっきりしたあとにくるのが、「ほっと」だろう。Now, I can breathe easy.

「ほっと」とは、呼吸がらくになること。すっきりしたあとで、もっとリラックスすると、I can breathe easier, now. と比較級を使おう。

sukkiri (shita)

すっきり（した） that feels good (better)

気持ちがすっきりする場合はfeel refreshed/feel better。「頭がすっきりした」は、Now I get it. とかMy mind is clear.

吉本興業をめぐる内紛は、もやもやしたままだ。2019年7月23日現在（東スポ）。現在？　いや、このもやもやは、続きそうだ。霧はまた立ち込めるもの。お笑い芸人の加藤浩次が司会する情報番組「スッキリ」（日テレ）が、どろどろしている。もやもやしていた加藤は、「辞める」と言ったが、それですっきりしだろうか。松本人志はまだすっきりしていない。
“That doesn’t feel good. Not me.”と心中で叫んだにちがいない。いつもばらばらな（uneven）吉本興業はいまやどろどろだ（down and dirty）。

ばらばらな意見は、diverse opinions. 私の試訳は、Everyone speaks with different voices.足並みが揃った状態なら、They speak with one voice. このvoiceをvoteに置き換えたら、国際政治が語れる。

The Economist（Jul. 6, 2019, p 8）のマンガですっきりした。This cleared my mind.

香港の活動家が、Hong Kongの模様入りの雨傘を広げて連呼している。We believe in the treasured principle of ONE MAN ONE VOTE.（我々は「一人一票」の大切な原則を信じている。）このデモも、中国の習近平が笑顔で答えている。So do I. I AM THAT MAN.
「まったく同感。その一人の（すべての票を握っている）男がこの私なんだから」と。なるほど、この風刺マンガですっきりした。Ah, that feels better now.

sukkiri-suru

すっきりする　get it off one’s (/the) chest

「胸のつかえがとれた」という場合に、Now I get it off the chest. というget表現が用いられる。胸はまだheartでふわついているが、腹はgutの部分で、さらに深遠でどっしりする。胸のつかえがとれても、腑（gut）に落ちないと人は納得しない、すっきりしない（It doesn’t sit well with me.）ものだ。この腹とはinternal intestines（内臓）のことで、ひっくるめてthe systemと呼ぶ。

Now I get it out of the（/my）system.（やっと腑に落ちた）は、胸より腸の方が「すっきり感」が深い。cathartic（カタルシスの）といってもいい。日常会話で「まだすっきりしない」という場合は、I’m not comfortable with it yet.で間に合う。とにかく「すっきり」「ほっとする」はcomfortの一形態だ。

sutten-ten
すってんてん　go stone-broke

完全に一文無しになることを、すってんてんという。男性陰語で「握り××たま」というが、隠すところは、男のあそこしかないという。そこまで追い詰められると、誰でもみじめになる。「す」は素っ裸の「す」。すっぴん（no makeup on）の「す」。すっからかん（何もない）の「す」。素うどんの「す」。

suppin
すっぴん　without makeup on

アルクの創始者であり、私の旧友である平本照麿（ひらもとてるまろ）氏が創立50周年記念パーティーの席で、私に手渡してくれた自伝の書『自由の風便り』をざっと読み、「すっぴんで戦え！ Fight Without Makeup On.」という章が私の目を引いた。
「英語第二公用語」を唱え始めた私にエールを送ってくれそうな個所があった。Jake Paradiseの英文が序文に使われている。

The poorest at speaking foreign languages are the Americans and the Japanese. Most Americans think no other languages exist other than English. Most Japanese try to woo the English language but nearly always end up getting rejected.（p86）
（アメリカ人は英語以外の言葉があることを知らない、たいていの日本人は英語に恋い焦がれたあげく振られる。情けない。身につまされますね。明治以来、日本人は英語コンプレックスを抱き続け、英語後進国と言われてきました。しかし英語はいまやグローバル第二言語（GSL）です。この辺で厚化粧した英語に恋い焦がれるのはやめて、すっぴんの日本語英語で勝負してもいいと思います。）

そう、平本氏は述べている。
英語（English）にesをつけたEnglishesという発想は、私の英語第二公用語論と相通じるので、心強く感じる。氏がす（素）っぴんというオノマトペを用いた言語感覚はじつに鋭い。受験英語で厚化粧された英語では、国際的には通用しないことを見抜いておられる。和英辞書では、wear no makeup; have no makeup onが使われているが、動脈英語を好む私は後者を選ぶ。
「王様は裸だ」の静脈英語は、The king is naked.になる。まだwear no clothesの方がましだ。これを「すっぴん」とすると、He's got nothing on.となる。耳にした。しかし、この動脈英語を耳にして、何人の日本人が聞き取れるだろうか。「ヒーズガッナセンオン」と耳にして、アマチュアの同時通訳者が「王様は裸だ」を"Emperor's（New）clothes"と同時通訳ができるだろうか。

suppon-pon

すっぽんぽん　out in the cold

「すっぽんぽん」とは身に何もまとっていない、丸裸の状態、nakedのこと。しかし、この意味で使われることは、まずない。
「すっぽんぽんで路頭へ投げ捨てられた」というように、誇張されて使われることが多い。英語では、（thrown）out in the cold。
格調にこだわるイギリス人もこんな風に使う。Though America is out in the cold, the price is falling chiefly on Russia.（*The Economist*, Jul. 27, 2019, p 7）
「路頭に迷う」とは、thrown in the streetsのことだが、outを活かして、be out in the coldの1本に絞ってしまおう。近い経験を持つ私は、何度も日記にout in the coldを使ってきた。
すっぽんぽんのように、「す」（素）をくっつけるだけで諧謔（かいぎゃく）（たわむれ）味が増す。Netflixで全世界中をあっといわせた『全裸監督』の主役が、YouTubeで「私の主義は、ネバー、ギヴアップ。なんども、すってんてんになり、家ではいつでも、はりのむしろ（on the bed of nails）でした」と激白。映画のモデルであるAV監督（村西とおる）の目が光っているが、お構いなし（Who cares）。彼の文無しの状態は「すってんてん」（broke）というより、「すっぽんぽん（stone broke）」が近そうだ。

zubu-zubu (yuchaku)

ずぶずぶ（癒着）　revolving door

共産党議員（塩川鉄也（しおかわてつや））が国会中継で首相と文科大臣に向かっ

て、教育行政と出版業者との癒着に斬り込んだ。

業者と大学側との癒着なら、べたべた（cozy）ぐらいが関の山。まだほのぼのしている。しかし、政府と大手の教育機関となると、ずぶずぶ（stuck like glue）になり、ぷんぷん臭（にお）い（smell/stink）始める。公私のずぶずぶはunholy allianceであるから、国民への裏切り行為になる。私のジャーナリスティックな動脈英訳はrevolving door（回転ドア）だ。監督省庁と私企業とのずぶずぶの関係（天下りなど）のことだ。共産党の狙いは、ここまで来る。

sura-sura (kakeru)

すらすら（書ける） effortlessly

手紙がさらさら書けるようになるまでは、かなり年季がいる。恋文でなくてもいいが、こつこつ（slowly but surely）書く稽古を積む必要がある。添削（てんさく）（correction）されるのがいやだったら、日記を書いたらどうか、13歳から毎日のようにがんがん書き始めた私は、いまも止まらない。あかん、今晩も当用日記が待っている。

書くスピードはぐんぐん伸びる。自然にロジックが身につく。このスピードにのると、話すより、書く方が多弁になる。The pen writes me. ふとこんな英語が生まれた。ペンが私を書く。すらすら英語が書ければ、英語がぺらぺら話せるようになる。私の思考もぐるぐる回り始める。オノマトペが増えてくる。YouTubeの英語もすらすら耳に入ってくる。

私はmultitasker（ながら族）だ。自動書記（automatic writing）は、のりのり（writer-high）の状態になることだ。

さて、まとめよう。この「すらすら」「すいすい」「ぺらぺら」は、すべてeffortlessly（肩の力を抜いて）で通じる。自然体とか、自（おの）ずからという現象は、自然界の現象に近い。

人為ではないから、オノマトペがおっとりがたなで（hastily）支援にかけつけてくれる。そして、すらすらすいすいと（effortlessly）助けてくれる。

zuru-zuru

ずるずる　drag on

「ずるずる」という音を耳にすると、D語かS語かと考えてしまう。

きちんと期限を決めておかないと、ずるずるになるよ。

Set a strict time limit and never let things drag on.

「スープをずるずる飲む」なら、slurp up soup。

「鼻をずるずるすする」はsnifffle（snuffle）。

ところで、私が気になるのは「す」や「ず」の「う」の音霊だ。葛（くず）の茎（つる）には、「う」という母音が隠れている。藤原家のふじわらの「う」のように。

周囲の人間関係を蔓（茎）のように繋がりを求めて、いつの間にかずるずる巻き込んでいく、日本史の藤原一族のように、直立せず、地面をずるずると這い続ける。うっとうしい存在と見るか、すっごくたくましい（Wow!）と絶讃するか、意見はふたつに分かれる。

zuru-zuru (suberi-ochiru)

ずるずる（すべり落ちる）　slip (/ slide) down

「ずるずる」そのものの姿はslitherだ。あの『ハリー・ポッター』（Harry Potter）に登場する、蛇のような目つきのスネイプ先生はslithering（くねくね）人間の多いSlytherin寮を担当している。snakeの動きもS語のslither。くねくねがつるつるの坂を転げ落ちる動きも、S語の世界だ。sliding（slipping）down the slippery slope. そのどん底までは、to the skid row（貧民街にまで身を落とす）。すべてS語を並べてみた。

イケメンで売り出した、芸人の徳井義実（とくいよしみ）は、これまでは日の出の勢いですいすいと芸能界トップにまで上り詰めたが、その後はすらすらと泳ぎきれず、途方もないスケールの脱税で、あとはずるずると滑り落ちている。芸能界といえどもあてにならない（dicey）水商売。銀行をはらはらさせるのが芸能界と水商売だ。人生そのものがあやふや（dicey）なのだから、私の文筆生活も浮き草稼業なのかもしれない。

soh (kamo-ne)

そー（かもね）。　You could say that.

「そー」も「さあー」（Wish I knew.）も、オノマトペっぽい難訳日本語だ。母音は言霊の玄のそのまた玄である。老荘の説いた哲理で、天地万象の根源で、私の究論道でいえば、「空」にあたる。「あんたは罪人だ。友だちのガールフレンドに色目を使った。」（You're a sinner. You gave the eye to your friend's girlfriend.）と言われたら、ふたつの答えがある。ひとつは、What? Says who? 相手がThe Bible says so, ときたら、Any law against flirting with another woman? とあくまで、自己正当化する。第二は、せやねん、Yes, I am.「オレ、ワルやねん。」I'm bad. と。これが、大阪の話芸人が得意とする「ぼかし」論法。全面降伏して姿をくらませるから、イカやタコのスミによる隠蔽工作だ。英訳すれば、Yes, you could say that. これが「ぼかし」と「ぼけ」の笑い。

英語圏の人は頭足類のスミによる隠蔽の代わりに、仮定法（if）を用いてぼかす。自分が潔白であると自己を正当化する（大都会ではたとえウソでも正当防衛とみなされる）、それが東京人の「ぼかし」だ。しかし、大阪人（お笑い芸人を除き）の「にじみ」は違う。自分が女性に弱いところもある俗人であると認めて、そういう嘘がつけない自らは善人であるとにおわせる。これが「にじみ」である。

そんな戦術を愛でる風土が、大阪という水（情）の町だ。演歌は「水」のパワーで「じわー」「じーん」と心に響かせる。酒、涙、雨、泣き、ため息、未練（うじうじ）とべたべたから、じめじめと、湿っぽくなる。いじられても、いじられても悦ぶ、マゾヒスティックな、このムラでは、自己正当化ほど醜いものはない。

しかし、激しくいじられても、「かもね」（You could say that.）で次のように、笑いで逃げよう。「あんた阿呆や」「せや、おれ阿呆やねん」。大阪という「水」の世界での処世術は、自己否定による自己肯定から始まる。だから、「笑い」が得意なjokersが勝ち残る。YouTubers同士のコンテストで上位に残るのは、笑い芸人キャスターばかりとなる。東京人は、自分はいま「馬鹿」を演じているのだという自覚を失わず、表で笑い、裏で泣くピエロ（clowns）が多く、大阪人からみると気色悪い（weirdを意味する関西弁）。

このあたりで、タコ（大阪人）とイカ（東京人）のからみ合いはやめよう。東京人は言う。There you go again, you flip-flop.（また、あんたのうそが始まった。意見をころころ変えて）、その突っ込み返しはこれ。You could say that. と完全降伏することだ。

soko-soko-no (seikatsu)

そこそこの（生活） decent living

そこそこの収入はdecent income。そこそこの美人の「美」はdecent beauty。やばい美人の「美」はdangerous beauty。そこそこの「美」はundangerous beauty。これは私の、ウケを狙った造語だが、まずこんな表現にお目にかかったことがないだろう。最近はまっているイギリス英語の影響を受けたのかもしれない。

イギリス人はオーバーな表現（overstatement）より、控え目な（そこそこの）表現（understatement）を好む。prettyに対するuglyより、unpretty（not pretty）を選ぶ。I'm not pretty. That's not funny. より、I'm not amused. を選ぶ。disを用いた強烈な否定より、unを好む。That left me totally unamused. と。こんな私の英語を耳にしたイギリス人は、爆笑するだろう。賭けてもいい。That's not gonna happen.（ありえない）と、不快を顕(あら)わにするより、It's not likely（unlikely）to happen. と抑え気味の表現（understatement）を好む。

このエレベーターは、一階で止まりますか、と聞いたら、同乗していたイギリス人がHopefully. と答えた。この「そこそこ」のユーモア精神！ 大口で笑えないので、口を閉じて、あごで笑った。

不美人（unapealing）の女職員がオフィスでヒスを起こしている（make a scene）のを目撃したイギリス人なら、An unlovely scene. と言うのではないか、想像だが。その女性を決して「ぶす」（ugly woman）とは言わず、unlovelyと表現するだろう。She's rather unlovely. ぐらいかな。

*The Economist*英語に染まり始めた最近の私だ。だが、前妻の嫉妬深い*TIME*が、ジョー・バイデン（Joseph Biden）のことをどう形容できるか知ってるかいと私に問う。「decent（身の丈に合った）なのよ」と。

zokkon-horeru

ぞっこん惚れる　a crush (on ～)

こんな英文の（　）を埋めてほしい。onかinかwithか。

I have had a crush（　　）a guy for 10 years, but I fear that he would see I am not fun enough, capable enough, or socially graceful enough. *Psychology Today*（Dec. 2018, p23）

（カレシにぞっこん惚れて10年間、しかし、私って退屈な女で実力もないし、社交面でもぱっとしないと思われているんじゃないか、気が気でないんです。）

さて、*Psychology Today*の英文では、onになっているからマル（○）。inはお互いもう逃げられない関係（be in loveのin）だから、バツ（×）。withなら△。I have a crush with him.でも通じる――inでさえなければ。

inには、be interested in ～（「どっぷり」に近い）のように、理性や疑問が入り込む余地はない。onは接触しているが、こちらもあちらもころころ変わる（flip and flop）可能性がある。惚れる（crush on ～）と愛する（in love with ～）とは違う。時間のスパンが違う。ぞっこん惚れ合っていると、お互いにいじり合う（teasing each other）ことも、からかい合う（poking fun at each other）ことも許される。この「ぞっこん」を省くと、なじりあい、足の引っ張り合い（getting in each other's way）になる。いじり、いじめ、いびりと、言葉が濁り始め、濁音が増える。

sotto-shite-ageru

そっと（してあげる）　let someone be

映画『いまを生きる』（*Dead Poets Society*）のなかで、「そっと」とうまく訳されていた英語があった。Let him be.であった。Leave him alone.とか、Let him go.とか、Let go of him.も近いが、どこか「彼を止めておこうとする」外部の力（force）がある。ところが、助動詞のbeが使われているから、Let it be.と同じく、自然（それまで）のままで、と軽いタッチになる。

静脈英語で育った日本人は、「そっと」をそっと訳すことができないから、深読みして、Give him privacy.という、ごつごつした英語を使おうとする。私だって、周囲の視線を避けて独りになりたいときがある。べつにprivacyという法律的な権利を求めているわけではない。Let me be.と言わなくても、黙ってくれる、ただ「そっと」してほしいのだ。空気の読めない人や外国人からWhy? と聞かれると、ムードがこわれる。そんな気配りのできない人に近寄られる前に、私の方からJust let me be.とjustをつけて、距離を置く。ドラキュラを寄せつけないためのにんにく、いや十字架としてのjust。

somo-somo

そもそも　Long story short / Common sense says ～

「そもそもの発端(ほったん)はだな」と、事の成り行きの発端に遡(さかのぼ)ろうとすれば、話は長くなる。だから、perspective（遠近法）を用いた。しかし映画『アルキメデスの大戦』では、「そもそも」が、3回も使われていた。それらを分析すると、過去より現実に目を向けよ、という忠告である。

「そもそも、君がそんなことを言える立場かね」という戒めは、本質論だ。その場合の「そもそも」は、The bottom line is ～. となろう。事の発端や本質論に話が及ぶと、長広説(ちょうこうぜつ)とならざるをえない。だから、To make the long story short ～. がてっとり早い。映画で耳にした英訳はもっと縮められている。それがLong story short（そもそも）だ。

「そもそも」とは何か。定義もできないまま、人は使っている。

辞書とはなんですか？ この『難訳辞典』は辞書ですか？ そもそも辞書とは？ ぼかぁ、そもそも論ってのは大きらいでね。

「そもそも」を、『日本国語大辞典』（小学館）でのぞいてみよう。「そも」を重ねて強くいう語。主として漢文訓読また漢文訓読調の文章に用いられた。改めて事柄を説き起こすことを示す。一体。さて。

まだわからない。『源氏物語』（1001-14頃）の「若紫」にある。「そもそも女人(にょにん)は人にもてなされておとなにもなり給ふものなれば」という引用を読んで、見えてきた。「改めて」の意味が、耳にも響く。女というものは、という経験則が公理に近いcommon senseとだぶってくる。日本人好みの「常識によれば」はaccording to common senseと訳されているが、英語らしい表現はCommon sense tells us（or says）.とコモンセンスを主語にすると、それがたちまち公理という魔法の杖に変わる。

そもそも、男は上に仕(つか)えて、上に立つもの、といえば、a general ruleになるが、「そもそも、あんたはできちゃった結婚だろう。そんなあんたが、自分の息子に、まず籍を入れよと言える資格があるのかい」という場合、和英辞典ではto begin withか、after allが多用されている。大学進学塾の模範解答も、和英辞書的（静脈英語的）に、そうなる。それでも筆記試験では合格点がもらえる。

You're wrong to begin with.

だが、そもそもスタートから間違っていたという事実を強調するなら、to put it in（into）perspective（遠近法的に考えれば）となる。「そもそも」というパラダイムの中にperspectiveが入ってくる。

ルネッサンスの頃から遠近法や画法が思考に入ってきた。会計学では、それがレオナルド・ダヴィンチ（Leonardo da Vinci）と友人であった、ルカ・パチョーリ（Luca Pacioli）が開発した複式簿記（double-entry bookkeeping）だ。欧米人は、ことの成り行きを大切にする。to gain（get）perspectiveとは、「時の流れ」を立体的に眺めることだ。

そもそも、日本の浮世絵には、perspective（遠近法＝高所から眺める思考法）といった立体的思考がない。だからディベート風のやりとりができない。ディベートが闘論のままで“究論”——源流はソクラテス（Socrates）やプラトン（Plato）やアリストテレス（Aristotle）にまで遡る——にまで昇華することはない。そもそも、日本人には物事を抽象化し、その仮説をスポーティーに闘わせ遊ぶという、からっとした精神風土とはまるっきり無縁だった。日本人の問題解決法には、知的なロジックよりもフィーリングや直感などの「情」によるところが多い。

「そもそも」を、ここまでひっきりなしに使ったが、いまだに正解の訳が見つからない。「沖縄では、そもそも民意なんかない」はCommon sense tells us that the public opinion doesn't exist. 強力なメディアが民意を操っている。そもそも論は覆すことのできない公理に近いもの（その中に英語のcommon senseが入る）を拠りどころとしているから、なかなか覆すことができない。

taji-taji

たじたじ　on the ropes

国会討論は相変らず見苦し（ugly）かった。しかし、面白かった。今井雅人議員が首相に向かって「あんたが書いたと、私に指差して言った。無礼な。謝れ！」と息巻く。英語の民間試験導入に関して、萩生田光一氏（文科大臣）に突っ込みを入れたところ、たじたじとした（on the defensive）当時の安倍首相は、ぶち切れて、今井議員に向かって、「作文はあんただ」と言ったことで逆ぎれされてしまった。このたじたじは、ロープ際まで追い込まれてしまった（on the ropes）と超訳した。一昔前なら、剣ヶ峰という相撲用語を使っていただろう。首相が絶体絶命の状態（againtst the ropes of a boxing ring）で踏み止まっている、と感じたからだ。

tasketeh

助けてー！　Aaaaagghh!

*The Economist*の表紙にAaaaagghhという英語が飛び出した。ネクタイ姿のイギリス人男性が、ジェットコースターのような猛スピードの車の上で絶叫している。助けてー！　という声が聞こえる。もし、「助けてー！」を英訳すれば、日本人ならHelp! と直訳するだろう。ヘルプなら、誰も来ない。声が届かない。ヘオッ（プ）で、声はもう少し遠くへ届く。しかし、このアーアーアーは「助けて」よりも、効き目がある。これがオノマトペの威力なのだ。身の危険を感じて「助けてー！」と大声でわめくときに、ヘルプゥーという日本式発声では、helpの発音が確かでも、助けは来ない。

*Oh, Yuck!*のカバーのAaaaagghhにも注目しよう。アメリカ英語でも同じくAAAAAGGHH!（Aが５回）であった。All of a sudden, she's up to her ankles in something really mucky. She screams. AAAAAGGHH! It's QUICKSAND.（*Oh, Yuck!* p126）

（身体がベタついた恐怖に襲われ、彼女はいきなり、助けてーー、砂地獄だわ、と叫んだ。）

Workman社の*Oh, Yuck!*（Joy Masoff 著）は映画の「砂地獄」の恐怖から助けを求める音声を活字化している。「助けてー！」という女優の悲鳴を５つのAとふたつのGとふたつのHで表している。

chiku-chiku-suru

ちくちくする　prickly

ハチなどに刺された（sting）痛みは、ちくちく（prickle/tingle）する。これはirritatingだ。医者が患者に「ちくちくしますか、ひりひりしますか、ずきずきしますか」とたずねる。日本人ならわかるが、外国人には通用しない。Hurt a little.か、Hurt a lot? だけでよい。sharp painはぴりぴり、dull pain（ずきずき）は鈍い痛みで、chronic painならしつこい痛みだ。

chigu-hagu

ちぐはぐ　uneven

un-がうまく使えれば、動脈英語のプロ。「かっこがいいね」がcoolなら、「ださい」はuncool。ふたりが均整のとれた間柄なら、We're even。ところがふたりがちぐはぐなら、uneven。

好奇心のある人は、実用英語をモノにするのが速い。「ちぐはぐ」を耳にして、そう感じる主体としての主語の「ひびき」（vibration）を感じて英訳を考えるcritical thinking（決断思考）を動脈思考という。リスクという赤い血を恐れないからだ。

試験に出るから覚えようとする慎重派は、テクストブックから、静脈英語をこつこつ学ぼうとする。いわゆる優等生（book-smarts）は、even を見て、頭で考える。「偶数だな」と。その反対の奇数はoddだから、２で割れない。左右対称にならない——だから、ぎこちない。こんなふうに考える人は、偏差値は高いだろうが、いつまでたっても英語で日常会話ができない。

証拠を示そう。教科書から離れて、アメリカの17歳児（大学進学前の高校生の歳頃）を対象とした*Seventeen*という雑誌を使ってみよう。

このカバーを17歳の進学塾の生徒数人に見せて、質問をした。

「特集の“101 Answers To Your Most EMBARRASING QUESTIONS”のembarrassingの意味は、何だろう」

語彙力に自信のあるひとりの塾生は、「当惑する――いや、させるかな」と答え、そしてピンク色のカバーと写真を見て感じた生徒は、「恥ずかしい」と答えた。見出しのセンテンスを読んだ人は、「恥ずかしくて聞けない質問（の答え）」と答えた。「じゃ次の質問。この女子高校生ふたりがひそひそ会話をしている『吹き出し』（baloon）の内容を英語で埋めてごらん」

ひとりの高校生は、「うーん、恥ずかしい会話の内容かあ……最近、ちょっと肥ったみたい、かな。」

「それじゃ見出しにならないだろう。こんな英会話ふうの問題が東大入試に出たことがあったな。想像力をかきたてる問題が。」

しかし、このピンク色はもっとsexyな内容を期待している。Why Do My Boobs Feel UNEVEN?（私のおっぱいが左右ちぐはぐの感じがするんだけど。）

こんな和訳ができるまで、数分もかかっている。boobs（おっぱい）が主語になり、述語がfeel（感じる）となっている。従来の英文法の教科書では解けない、次のunevenの姿。evenの否定？　先述の even を想い出してほしい。偶数？　左右対称。その否定のun。じゃ奇数？　左右が非対称な感じがする？　そんな訳では、まだまだ静脈思考だ。思いきって、オノマトペ風に、「ちぐはぐ」と訳してみると、もっと読みたくなる。

動脈思考は、想像力を膨らませ、思考を拡大させるから、すぐに（斬れる）動脈英語が身につくはずだ。両思考を、even（横並び）にしてみよう。ちょっと練習しようか。「こんな難訳辞書企画がとんとんになれるとでも」の「とんとん」は、秀才なら、turn a profitという優等生英語を選ぶ。天才は、瞬時に、break evenを選ぶ。そう、とんとんがeven。負けてくやしがっている秀才が、天才に復讐するというときは、revengeというビッグワードを使う。しかし、天才は言葉の表にとらわれず、その裏（中身）に意識を集中させ、I'll get even.という動脈英語をとっさに使う。

ち

コーヒー・ブレイク

「ちぐはぐ」と日本文化

夢のなかで、こんなにオノマトペだらけの日本の文化とは何だろうかと思考を練っていた。

そうだ（Eureka！）、“間”の国だ。その左右へ極端に偏らないbalanceの国だ。白黒ではなく、灰色の思考。かっこよくいえば、1（白）と0（黒）の間には、無数の色調が存在する量子物理の世界だ。このあいまいさのロジックとは、fuzzy logicで……とまで考えて、思考が止まった。その状態を表すオノマトペが見いだせない。

夢のなかで、もやもやした私の思考をすっきりさせようと足掻いている。「もがく」をあて字で表すと、「藻掻く」となる。苦しんで手足を動かすことだから、必死にあがいている状態だ。このように、現実と夢はいつもちぐはぐなまま、ペンを進めている。

うーん、「ちぐはぐ」はどう英訳すればいいのか、と思いあぐねて、はっと目が覚めた。この「思いあぐねる」をオノマトペで表すと、「もんもん」となるが、べつに無理して「悶悶」と漢字化する必要もない。日本の文化は漢字よりも、今回の『難訳辞典』の見出しのように、ひらがなの方が、しっくりいくのだ。

ざっくり言えば、（to be blunt）、この言霊が支配する、日本というオノマトペ文化圏では、漢字は必要でないのかもしれない。「あお」は、青（blue）でも緑（green）でもどっちでもいい。いや、「あお」は日本の古代から、灰色（gray）も含むのだ。「目」（前頭葉）が支配する「知」ではなく、「耳」（側頭葉）に牽引される音霊が咲きみだれる、瑞瑞しいオノマトペ国家――それが日本なのだ。はっと目が覚めたのが、2019年10月25日の午前4時であったから、ここまで分析しながら書き始めて、30分も経っている。午前4時半、手元の『日英擬音・擬態語活用辞典』をのぞいた。

ちぐはぐ［chiguhagu］の見出しは、For things which should correspond to be out of order or lacking harmony.となっており、心痛の跡が窺える。編者の尾野秀一はレズリー・エマソンの協力を得ながらも、訳出のために四苦八苦されたに違いない。8つの

郵便はがき

切手をお貼りください。

102-0071

東京都千代田区富士見
一―二―十一
KAWADAフラッツ一階

さくら舎 行

住所	〒　　　都道府県		
フリガナ		年齢	歳
氏名			
		性別	男　女
TEL	（　　　）		
E-Mail			

さくら舎ウェブサイト　www.sakurasha.com

愛読者カード

ご購読ありがとうございました。今後の参考とさせていただきますので、ご協力をお願いいたします。また、新刊案内等をお送りさせていただくことがあります。

【1】本のタイトルをお書きください。

【2】この本を何でお知りになりましたか。

1.書店で実物を見て　2.新聞広告(　新聞)
3.書評で(　)　4.図書館・図書室で　5.人にすすめられて
6.インターネット　7.その他(　)

【3】お買い求めになった理由をお聞かせください。

1.タイトルにひかれて　2.テーマやジャンルに興味があるので
3.著者が好きだから　4.カバーデザインがよかったから
5.その他(　)

【4】お買い求めの店名を教えてください。

【5】本書についてのご意見、ご感想をお聞かせください。

●ご記入のご感想を、広告等、本のPRに使わせていただいてもよろしいですか。
□に✓をご記入ください。　□ 実名で可　□ 匿名で可　□ 不可例文からゴチック表記の英訳個所を拾ってみると、haywire, disagree, contradictory, unmatched, odd, all out of harmony, out of place, clumsyと、なんとも多彩だ。それにきわめて効率的（efficient）に配置されている。ごくろうさま。さて、これらをひとくくりに「ちぐはぐ」で間に合うとすれば、オノマトペほど効果的（effective）な“人間”言語は存在しない。目による思考より、耳からの振動（vives）の方が、より効果的に「響く」からだ。

間（the ma）の国とは、（調）和の国でもある。左右にぐらーっと偏ることを善しとしない。バランスをとりながら、お互いに響き合う神国なのだ。君と臣が一如であることが建前であり、上下、左右、そして時間と空間は、微妙にバランスがとれている。たとえ左右非対称であっても、この「間」という支点があればこそ、社会がしっくり（smoothly/nicely/getting along well）いくのだ。このしっくり感が崩れると、ちぐはぐ（unbalanced）になり、人間関係はぎすぎす（cold/heartless）する。この見えざる関節的な空間のことを英語ではNEXUSという。私の英文法の基本は、このvibraterを司る関節（NEXUS）にある。

思い起こせば、寝入る寸前まで、YouTubeでネパールのMingyur Rinpoche法師の英語によるスピーチを耳にしていた。ネパール人のちぐはぐ解消の方法は、meditation（瞑想）であって、西洋のdebateではない、というところまで覚えていたが、いつの間にか爆睡してしまっている。この無意識の睡眠学習中に、日本は「間」の文化であり、「間」を先行させる文法が必要だというひらめきが受胎（conceive）されていたのかもしれない。まずチョムスキー文法の「しばり」から解放されねば——。

chibi-chibi

ちびちび　little by little / bit by bit

「ちびちび」を直訳すればlittle by little、またはbit by bit。子どもでも、いまから使える。こんなふうにだ。My English is getting better, little by little.「言っただろう。ボキャビルをちびちびとやるんだ。」I told you. Build your vocabulary bit by bit.「ちびちび」に、「けちる」という否定のニュアンスを加えると、暗さのD語を加味した方がいいだろう。in driblets（in small doses）とD語が増える。ちびちび与えるはdole out in driblets。

ちびちび使うときのちびちびもin dribs and drabsという音韻が使える。dribは、dribbleと同じく、「したたる」だ。その変形がdrop（ぽたぽた）だ。

さて、もうひとつのdrabだが、これも、少量以外に、単調や生気のなさといった、なんとも暗いイメージだ。流行語でいくと、しょぼいのだ。自堕落な女はdrabと呼ばれる。D語にはロクな意味合いがない。

ちびちびは、どうも「けちる」という「ち」の音が、人の気持ちを縮（ちぢ）ませる。小柄であった私も、学生時代にちび（shorty）と呼ばれ、腐ったものだ。同じくらいの頻度で使われるpee-wee（ぽこちん）は、幼児がおしっこをする（pee）ほどのちびだから、私の「ちび」は背が低いだけで、そこまでのちびではなかった。昔の話だ。Yes, I *was* a shorty. だから、はげている人（baldy）を「はげ」（a baldy）と呼んで傷つけることはない。

chibiri-chibiri (nomu)

ちびりちびり（飲む）　sip

茶やコーヒーは、sip. ウイスキーでもsipのほうがよい。take little sips of tequilaのように。

がぶがぶ飲むは、drown oneselfかdrink wine like a whaleではどうか。ちょっとオーバー（too much）か。

chiyahoya (sareru)

ちやほや（される）　pampered / with too much attention

女医をぶった斬った筒井冨美（つついふみ）氏（子持ちフリーランサー）の存在が気になる。紘道館と医学界とのコラボのシンポジウムを開催するに当たり、「ぜひ彼女を紹介したい」といって、氏の著書『女医問題ぶった斬り！』（光文社新書）を、紘道館の上田亮医師が送り届けてくれた。オノマトペも見事に駆使され、文体がきりりと歯切れがよい。

「ミスコン入賞女子医学生は仕事上で実績がゼロでもチヤホヤされ

る一方、タレント女医が中高年以降もキラキラと輝き続けることは難しい。」（p32）

「ちやほや」はflatter sb with attention、show or attention on sb、とあり、indulge、spoilとかpamper（a child）という子ども扱いに変わっていく。著者のさらさらした筆勢を読めば、子ども相手のpamper（甘やかす）やspoil等の英語の「ひびき」が肌で感じられる。

charan-poran

ちゃらんぽらん　devil-may-care

「がむしゃら」で「むこうみず」の人間は悪魔にとりつかれたような行動に走るので、happy-go-luckyと同じく、決してほめことばではない。これをほめことばに変えると、get-up-and-goの持ち主となる。He's got get-up-and-go.はくそ度胸があり、たのもしい。オノマトペには、get, giveなどのG語がコロケーション（同列配置）として使われることがめっちゃ多い。

chan-to-shita (hito)

ちゃんとした（人）　decent person

ちゃんとした人は、ちゃんとした仕事（decent job）があり、ちゃんとした稼ぎ（decent income）のある人。だから、ちゃんとしたマナー（decent manners）もある人なのだ。両親が娘の嫁ぎ先に勧める男が、まさにdecent personsのことだ。身の丈（たけ）に合った人とは、decent personのこと。同じ目線で見る人もdecentな人だ。

かつて萩生田光一文科大臣の「身の丈」発言が国会中継でも追及されていた。「身の丈」という本来decentであるべき標準語がin-decentであるように使われ、inappropriate（不都合な）発言になり、野党から「辞職しなさい」と攻められてしまった。もし、「身の丈に合った」を「ちゃんとした」とオノマトペイックに表現していたら、あそこまで被害は拡大しなかったはずだ。それにしても、国会議員たちの質疑応答にもdecency（自然な距離感）がほしい。

chokkai (wo-kakeru)

ちょっかい（をかける） mess with

「ちょっかい」とは、猫が前の片足で物をかきよせるような動作のこと。そこから、横合いからよけいな手出しや干渉をすること、さらに異性に戯(たわむ)れかかることと、広く使われるようになった。ちょっと、かきよせる、という音の響きが快い。She's his other woman, don't mess with her.（彼女は彼の愛人だ。ちょっかいをかけるな。）

ち

男を主語にすれば、He's above the law around here. Don't mess with him.（彼は法律で縛れない。ちょっかいをかけるな。）

*The Economist*も、この口語表現をしょっちゅう使っている。

It's（Corona virus is）messing with Texas.（July 4, 2020, p32）

コロナウイルスが、テキサスにちょっかいをかけている（テキサスはコロナウイルスに手を焼いている）。

choppiri hansei

ちょっぴり反省 a bit guilty afterward

従来の和英、英和辞典の訳を中心とした静脈英語で育った英語学習者は、「反省」と聞くとreflectionかself-reflectionを想起してしまう。まるでパブロフ（Ivan Pavlov）の条件反射だ。だから、反省会もreflection meetingになってしまう。では英作文の質問。「こんな私の説で、静脈英語を勧めている進学塾の先生方が大量解雇されたと知ったら、こんな私でもちょっぴり反省もしたくなる」、こんな私の心境を入試問題に採り上げ、受験生たちに英訳させたらどうなるか。

模擬解答のヒントとして、さり気なくfeel a bit guilty afterwardを加えておこう。反省がguiltyに繋がるのは、あくまで状況判断によるものだ。これこそ、リスクを恐れない動脈英語、つまり、酸素と栄養分を大量に含んだred-hot blood Englishなのだ。

赤い血は、risk-takingだが、青い血はrisk-averse（リスクを避けたがる）だ。そして日本の英語教育を伝統的に支えてきたのも、このcold-blue blood English（静脈英語）。

伝統的な英語教育は、新鮮な血を嫌う。嫉妬深い（green with jealousy）官僚組織と結びつきやすく、ひょっとしたら、「青い血」

を緑色のgreen-blood（嫉妬深い血）と捉えた方がいいのかもしれない。言いすぎたかな。ちょっと私の複雑な心境を動脈英語で描写してくれる箇所をペーパーバックから引用してみよう。

"I could eat four of these sandwiches" he says,"but I won't. If I eat a hamburger, I feel so guilty afterward."（*Sex and the City* p139）

悪かったなと自省し、そのguilt feelingを認めるのも潔（いさぎよ）いうえに、優しすぎる日本人の処世術なのかも。

ち

chintara-chintara (dara-dara)

ちんたらちんたら／だらだら　dilly-dally

「ちんたら」とは、何事においても積極的でなく、だらだら行うさま。ぐずぐず、ふらふら、のらくらもこの類（たぐい）で、dilly-dallyで言い表せる。

While you are dilly-dallying out in Tokyo, your family back in Osaka is falling apart.（おまえが東京でちんたらちんたらやっている間、おまえの大阪の家族はばらばらになっているというのに。）

dilly-dallyが使えない人、使いたくない人にはもっと覚えやすい、care-free lifeを勧めたい。心配のない生き方（ほめことば）より、無責任な生き方（けなしことば）に近づく。

「ちんたら」を「だらだら」と置き換えるなら、語感的にdilly-dallyも使えるが、いい加減や無責任というニュアンスならcare-free livingに近くなる。だらだら進学の勉強をするより、人生一度でいいから試験に出ない、オノマトペにどっぷりつかれ。Stop dilly-dallying. Get involved with onomatopoeia unheard of among cram school kids once in a while.（unheard ofは前代未聞の意。）

コーヒー・ブレイク

つーんと鼻をつく受験英語

伊藤和夫著の『予備校の英語』は、つーんと私の鼻をついた。「出題される英語が英会話中心で、英語の活字離れが進んでいる今日、英語が軽く（flakeyかflaky）なってきた」と歎く、受験英語のカリスマ教師（駿台予備校）の胸の痛みを察すると、きゅんとくる。*TIME*が読めなくなった最近の大学生の読解力の低下を歎く私の心の痛みが分かちあえるようだ。「きゅん」には好感がある。しかし「つーん」には好感度はない。悪臭がする。氏の次の文体を嗅いでみよう。

「……筆者は、ヒアリング問題の導入が持つ大きな意味を、決して無視しているものではないが、東大の英語問題全体の中でヒアリング問題が占める位置を見ると、それがあたかもガン細胞のごとく、他の問題とは無関係に自己増殖を続けてきたことを述べた。『無関係に』と言ったが、ガン細胞の増殖に対して他の部分が完全に無関係であるはずはない。」（p153）

ぶわーっと悪臭が漂っている。ヒアリング導入を決して無視しているわけではないが、という枕詞的な薫りは、ガン細胞云々のくだりから、かき消されている。進学塾が教える静脈英語の限界はここにあると考えた。ヒアリング（正しくはリスニング）の導入は、動脈化の要であるから、この必要性がガンのように他の域にまで「転移」するという表現は、ちといやみ（spiteful）が毒々し（toxic）すぎ、私が悪臭と評する所以だ。

故・伊藤和夫氏とは生前にお会いし、今後の英語教育の在り方に関して、ディベート（建設的議論）をしたかった。そんなお方であるだけに口惜しい。つーんと鼻についただけなのに。「におい」は記憶に残り続ける――氏の死後まで――だけに胸が痛む。

tsukuzuku (kangaeru)

つくづく（考える）　muse on ～

thinking things overは、何度も何度も考え直すこと。
「つくづく」とか「しみじみ」には、どこか過去に対するこだわりがある。どうしても私にはmuseしか思い出せない。reminisce［rèmənís］というM語もあり、追憶するときによく使われるが、涙なくして語れない「しみじみ」トークは、museという「う」の母音が欠かせない。the museとは、詩神（the Muse）なのだ。石を抱きて、野に歌うロマンの「心」は、museでしかない。～しみじみ飲めば、しみじみと～という「舟歌」の「しみじみ」はmus-

inglyと訳す他はない。fighting back tears（涙をこらえて）というわさびをつければ、さらに情感が増す。

tsuru-tsuru (zuru-zuru)

つるつる（ずるずる） slippery

16世紀初めの中（世）英語slipper（つるつるの）から発している。

S語は怪しげ（sexy）な単語だ。そこから抜け出そうとするL語と恋愛結婚するから、それこそ歯止めが利かなくなる。

a slip of tongue（失言）は、舌が滑る（slip）ことだ。だから滑るslipが「つるつる」と形容詞になるとslipperyとなる。

ふたりはずるずると坂道を転がり落ちていく、という様子にはSL語が多用される。Both of them slipped down the slippery slope.「するする」が「ずるずる」になると、さらにやばくなる。ずぶずぶな関係の末路は、まさにつるつるした坂道を滑り落ちるという情景だ。

だらしない（脇の甘い）男（sloppy males）が、ずる賢い女（sly females）の奴隷（slave）になると、奈落の底にまで転落する。すべすべした艶（つや）のある女が、ずべ公になる。

濁点とは汚点のことだ。その地獄の一丁目が、ドヤ街skid row。skid rowのrowはskid road（ころ道）から来ている（1931年の米語）。多くの食いあぶれた木こりが転がりついた道路のことだ。転じて浮浪者、酔っ払いなどの落ちぶれた人たちが流れ着いた貧民街（slum）のことだ。

「オレはひどく落ちぶれたことがある」（Once）I was on skid row. よく耳にするので覚えておこう。

最初はつるつるした男女の道でも、いったんずぶずぶの関係になり、ずぶずぶとすべり込むと、もうおだぶつ（down at the end of the road）。

tsun-to-sumasu

つんとすます put on airs

つんとすました女は、aloof。とりすましたさまはput on airs。

つんと距離を置き、自らを高く売る駆け引き（game）をthe game of playing hard to getという。アメリカの母は年頃の娘に、Play hard to get.と忠告するという。「誰とでもデートせずに、しっかり選ぶのよ」という意味。娘を想う母親は、決して相手を見下す（look down on one's nose on at 〜）生意気なa stuck-up womanではない。それは生物学的に根拠のある、母親らしい忠告なのだ。

tsun-to-niou

つんとにおう　pungently

鼻につんとくるのは決していいにおいではない。「つん」を直訳するとpungentlyになるが、この副詞はめったに使わないbig wordだ。

つんと鼻をつくにおい（odor）は、a sharp medical odor、体臭はbody odorという。イタリアの元大統領のベルルスコーニ（Silvio Berlusconi）は恋多き政治家だった。彼が70歳のとき、20歳の少女に恋を打ちあけ、ふられた。あのもてもての漁色家がなぜ、簡単に振られたのか。その原因は、祖父と同じ体臭だったかららしい。

彼女は、「あなたのにおいが、好きか嫌いかではなく、祖父のbody odorなの」と気を遣（つか）って答えている。加齢からくる老臭ではなく、祖父の入れ歯を洗浄する薬剤の悪臭odorであった。口臭（bad breath）ではなく、体臭（body òdor）が原因になりうる。通常BO（body odor）が使われる。においとは「記憶」なのだ。

Do I have a bad breath?（口がにおうか？）と女性相手に問わねばならなくなるほど、口臭が気になる歳になった。Try harder to keep your breath smelling nice in front of ladies. Don't kill the mood.（女性の前で良い口臭がするように努めなさい。気分を害さないように）と自分に言い聞かせている。いまの私の心境は、Yes, I'm a bad kisser. I'm bad. I've got b.b.（bad breath）（そう、私はキスが下手だ。口臭がある。）もっと使える英語を教えてあげよう。Wake up early, and smell the coffee.と。これで、「早起きして、コーヒーのにおいをかいでしゃきっとしましょう」となる。

tsun-to-hana-ni-tsuku

つんと鼻につく。　It stinks.

におい（smell）にはS語が多い。It smells.（It's fishy.）とかIt stinks.とかIt smells（blood/money）.のように。くさいにおいはIt stinks.（つんと鼻につく）か。He sucks.（あの人サイテー）と陰口を叩かれるよりましだ。

Do I have bad breath?（ぼくの息がくさい？）と聞けば、No.と答える人が多い。しかし、身内の人は、正直に答える。Yes, keep your breath smelling nice.と言って、ヒントを与える。

オノマトペは"文"系の思考だとばかり考えていたが、ここまでのめり込んでくると、"理"系的好奇心が逆転し始める。つんとくる（hit my nostrils smack in the middle）というのは、直線に鼻孔の中心部をつくのか、それとも光や音のように波動になって拡がるのか、と。池に一石を投じたら、波動となってスパイラル状に拡散するはずだ。やはりS語なのだろう。肉体的エネルギーはことばのエネルギーと同じく、化学的に、そして物理的にも螺旋（らせん）状に働くはずだ。

芸の世界の「間（ま）」でもそうだ。詐欺もプロになると、ロジックだけではなく、情理をからめるので、もう名人"芸"の域に入る。「泣き」も「笑い」も入る。甘すぎる話（The story that sounds too good to be true.）はにおう（smells）。鼻につく（stinks）。詐欺（scam）も、サクラ（shill）を使う。腹黒い（schemy）やつで、ネズミ講（pyramid scheme）のような戦略（strategy）を企む輩（やから）は、機転（savoir faire）と技倆（ぎりょう）（skills）に長（た）け、臨機応変に世間を泳ぐ（swim）。S語ばかりで、うんざりする。S-words suck.

(seisei) doudou-to

（せいせい）どうどうと　fair and square

正々堂々は、四字熟語として、堂々と通る。しかし、この「どうどう」は、どうもオノマトペイックだ。堂々とは、いかめしさがあっても、気品があり、少しも隠すところのない公然としたさまで、勇気を強調すればnice（decently）and audaciousとなろうか。オバマ前大統領の好きな大胆さはaudacityだ。

こんなおいしい英語を*The Economist*（Nov. 9, 2019）で見つけた。

Most of the world's billionaire wealth has been earned fair and square.（p61）
（世界の億万長者の富のほとんどが正々堂々と稼がれたものだ。）

手塩をかけて得た富は貴いが、あまり貴いとはいえぬ富豪家がいる。経済学者のいうrent-seekers（賃貸で食べる人たち）だ。資本、労働力、機械、知的財産などの所有者で、汗を流さずに、愚直な（square）賃金労働者から、がばがばと儲け分をかすめとる（rake in）きわめてunfairなキャピタリストたちだ。
『新和英大辞典』も、fair and squareとopen and aboveboardを載せている。どちらも同じくらいの頻度で使われている。

と

dokahn
どかーん　take chances

東京人の男性から見ると、大阪人は「どかーん」と行く（risk-taking）タイプに映る。ある京都の女性の大阪人観は、「ぐいぐい」（forceful）だった。ここから類推すると、東京と京都の人たちには、「どかーん」と「ぐいぐい」は、不粋（ぶすい）（uncool）に映るのだろう。沖縄の宮古島の人たちは、泡盛を「ぐいぐい」飲み（gulf down）、気性も「どかーん」（take chances）だという。
「どかーん」という擬音語は、後先を考えず思い切って体当たりすることだから、英訳すれば、take chancesということになる。サントリー精神といえば、「やってみなはれ」。これを訳せばTake chances! になる。松下幸之助翁も同じ考えだ。失敗して刑務所に入れられても、周囲は「ええ勉強しはった」と讃美する。Because he took a chance.（リスクをとった）という。ところが、chancesと複数形で用いると、どんなことでも、どんなときでも「どかーん」と（ひるまずに）勝負に出るから、蛮勇（audacity）に変わる。

If Osakans don't take chances, they're not Osakans anymore. If Kyotoites take chances, they're no longer sophisticated or civilized Kyotoites.（大阪人がどかーんといかないと、もう大阪人ではない。

京都人が一か八かの勝負に出れば、もう垢抜けした都会人ではない。）

東京で一旗上げようとして、どすん（a thud）と堕ちた人は多い。京都人の洗練（sophisticated）を失うと、東京では失敗する。どかーん（Bang, bang, bang）が、どすん（Down and out）となる。大阪出身の私も、東京では何度も、女にも……何を言わせるんや。Don't get me started!

tokoton-yaru

とことんやる　get to the bottom of ～

考えてみたら、*The First Wives Club*を著したOlivia Goldsmith氏は、とことんやるタイプだ。捨てた男（ex-husbands）への怨みを果たす（get even）ことを超えて、ウサを晴らし（get to the bottom of it）た。最高の復讐とは、「自分が幸せになること」（復讐しないこと）ではなかったか。これが本書の「おち」（bottom line）であったのだ。とことんやる人は、恨み節で終わってはならないことを熟知しているはずだ。

dosshiri-shita

どっしりした　have gravitas

オノマトペと漢字表記が衝突することがある。「どっしりした」とは、その人物の風姿がほんわかと伝わってくる。それに漢字の「格」を加えると、輪郭が姿を現わす。「風格が必要だよ、きみィ」と諭されても、風格とは何かと問う人はいない。なんとなく理解できればいい。それが、オノマトペが支配する日本の精神文化構造なのだ。

人間の“格”は変化する。英文法でいう「格」ではなく、オノマトペの世界では、マクロの人間だけではなく、ミクロの人間も進化し続ける。まず、人間としての「骨格」の形成だ。これがcharacterに近くなる。学校教育が人間形成に役立つという場合に使われる英語はcharacter buildingだ。それが品性を高め、品格を形成する。

『国家の品格』（新潮新書）がベストセラーになったのも、品格という言葉がオノマトペ化し、定義ができなくても、人それぞれの角度（angle）から、実態を忖度（gut-think）したからではないか。漢字ではdignityとなっている。しかし深読みすればcharacterになる。

外見にくっきり現れるpersonalityは、persona（ペルソナは仮面のこと）のことだが、その仮面の中身となると、やはりcharacter（人間としての骨格に近い）となり、必ずしも外見で勝負するdignity（威厳）ではない。それに対し、私は日本人の品格は「石」のようにがっちりしたdignityではなく、火のような気概（passion fire）であるべきだと、別の定義で挑んだ（『日本の気概』）。

しかし品格――いや、ヒンカクというオノマトペもどきが闊歩し始めると、止まらなくなるのが、日本というオノマトペに支配された文化圏だ。あまり注目されなかったが、誰ひとりとして私説に反論する人がいなかった。

私が言いたかったのは、「品格」とは大陸国家好みの「石」の概念で、「気概」は海洋国家好みの「火」の心構えやコミットメントである、ということだ。しかし、オノマトペ人間は定義を嫌うのか、「気概」説は影をひそめてしまった。石は「どっしり」（firm）、しかし火はめらめら燃え（burn up）て、炎になる（flame up）。I'm still on fire!

島々を回って（私は離島の人々から学ぶのが好きだ）愛島心の「かたち」（identityよりも、このことばが私は好きだ）を求めたところ、すべてが「気概」はわかるが「品格」という意味がわからない、という。

難破船を見れば、相手がどんな国であり、どんな思想の持ち主であれ、ただちに救助に向かうという。逃げないというのが、離島の人たちの愛島心。その延長としての愛国心（patriotism）は、やはりfireではないか。

沖縄が大好きな私は、オキナワの気質を「なんくるないさ」（Who cares?）と捉えた。中国船が尖閣諸島で日本漁船を追っかけても、「なんくるないさ」とクールに対応するのが本島（那覇中心）のウチナンチューの姿勢だが、宮古島の人によると、「なんくるないさ」は、これ以上逃げられないから闘うより他はない、命？

「なんくるないさ」（Who cares?）となる。

石と火。この違いは、石（どっしり）と火（めらめら）と、オノマトペ風の感じに委（ゆだ）ねたいが、漢字はさらに、その思いの輪郭を築いてくれる。まとめよう。「どっしり」のオノマトペを漢字で分析すると、背骨のspine（backbone）から、気質が加わり、characterが生まれる。これが人体を覆えば品格となる。そしてそれが不動のものとなれば風格（gravitas）となる。

同じ風格という言葉を用いても、私が私淑している沖縄尚学学園の名城政次郎理事長が使えば重くなる。沖縄県下では教育の神様と呼ばれ、いまでも90歳近いご老体ながら、ばりばりの現役を張っておられる。

品格の上に、風格があるのだ、と氏が吼（ほ）えるとき、その威風に圧倒されるのか、側近の誰ひとり、風格の意味を問う人がいない。

ICEEの主審（チーフ・ジャッジ）であるデビッド・グロフ（David Groff、『五輪書』の翻訳者）に尋ねると、gravitasではないか、と答えられた。台湾で調べたが、品格があっても、中国語には「風格」はないという。現在のために過去をぶっ壊す文化には、風格は育たない。風習（custom）の「風」（the ways）すら「風化」してしまうのだろう。

toppi-na

とっぴな　kinky

もともとkinkyとは、ねじれた、よれた（twisted）、（黒人の髪のように）ちりちりの、という意味で使われたが、口語表現として使われるし、風変わりな、とっぴな（関西弁ではけったいな）という意味でも使われる。「けったいな考えやな」は「とっぴな考え」に置き換えると、kinky ideasとなり、日常でも堂々と使える。

ところで、kinkyは「（性的に）変態の」という意味で（kinky sexというふうに）使われることが多く、関西では名うてのマンモス大学として知られている近畿大学でも、Kinkyという「音」を消した（Kindai Univ.）。正解！

(~ ni) doppuri

(〜に) どっぷり　in on 〜

格調の高い英語は、I'm significantly involved with 〜となる。だが、状況を無視した静脈英語(cold blue English)はリスクが多い。子どもでも聴いてわかる英語は、動脈英語(red hot English)といえるが、格調英語派(日本に多い)が苦手とする、斬れば赤い血が吹き出す"使える"英語だ。「どっぷり」はinだけでよい。

「私の説に賛同していただけますか」は、Are you in? だけでよい。In or out?(インノアアウ㋣)「動脈英語(red English)にまだどっぷりつかっているのか?」と聞くなら、Are you still in on it? となる。インノネ?　この英語が耳に入らない。

動脈英語そのものより、「どっぷり」を強調するなら、intoを使えばよい。相手も「いろいろなことに首を突っ込んでいるのね」(I see you're into a lot of things.)と突っ込みを入れてくる。「あなたの奥さんも?」「はい、ふたりともどっぷり。」(Yes, we're in on it.)inとは、中にのめり込んで、外が見えない状態だ。onは、接触(外から)だ。外からも見えないのがin。I'm interested in it too. といわれたら、関心がある(静脈英語派はそう解釈する)と軽く考えてはならない。inの響きは、口先だけの社交辞令ではない、本気なのだ。重いのだ。

tori-aezu

とりあえず　for now

アメリカの難関大学(hard knocks)は、まだ白人優位(43%)といわれている。その理由は legacies や recruited athletes が白人優位に傾くという空気が残っているからだという。父が白人でハーバード出(legacy students という)だとか、有名スポーツ選手だったから、というだけで dean's interest list(学長のお気に入りリスト)に名が載るお国柄なのだ。これも能力に基づくエリート主義(英訳すると meritocracy, sort of)が幅を利かせている証拠だ。

The Economist(Oct. 5, 2019)の次の見出しには、ぐっときた。(Hit me close to home.)

University admissions making a meritocracy. Washington D.C.

Harvard wins, for now.

この最後の小見出しがニクイ。（とりあえず）ハーバードの勝利——いまだけやがな（for now）。

doro-doro

どろどろ　muddy / sordid

映画には濡れ場（a love scene）はつきものだが、もっと低俗な映画館では、さらさらした恋愛関係も、どろどろし始める。steamy sex（情欲に溺れたセックス）はtorridかsordidに流れつく。

子どもの手がどろんこになるのはmuddy、家族関係がどろどろしはじめると、泥川のようにmurkyになる。女々しい（mushy）男女関係がずぶずぶの関係となると、S語（sexが中心）がぞろぞろ（in droves）登場する。それがsordidな状態（a sordid state）に発展する。as bad as it gets. 一言で表現するとdown and out。

doron (to-kieru)

どろん（と消える）　skip town

どろんと姿をくらます、を直訳すれば、disappear suddenlyとなる。ほとんどの和英辞典は、これにget awayを加えているが、情感が伝わらず、もどかしい。絵になる英語表現として、私はskip town（ずらかる）を使いたい。

カルロス・ゴーン（Carlos Ghosn）被告（元日産代表）が突然レバノンへとんずら（take it on the lam）した。日本の弁護団は、唖然（appalled）とし、呆然（dumbfounded）としたままだ。カルロス・ゴーンという巨大なイカ（giant cuttle fish）が墨を吐いて、ドロン（gone）したのだ。

日本の弁護士は「英語もできない私が、打つ手はない」とテレビのなかで語っていた。日本語を学ぼうとしないカルロス・ゴーンと、英語を学ぼうとしない日本の弁護士。異文化交渉が成立するはずがない。

オリンパス事件でも、ニッサン事件と同じパターンのミスマッチ事件が起こっている。英語しか話さない青い眼の社長と、日本語しか話さない日本の企業幹部、いずれ、どちらかがどろん（sudden disappearance）するだろう。時間の問題だ。It's not the question of 'if', but 'when'. と訳しておこう。

日本企業のビジネス・リーダーも、日本語オンリーという隠れみの（a fig leaf）をかぶって、いつでもタコのような微かな墨（ink）を出すが、多言語という迷彩戦略に長けたイカのinkには勝てない。Cuttlefish skip town by color change. グローバル・ビジネス戦争とは、イカとタコのan ink warに他ならない。

tondemo

とんでも　impossible

「英語は数学なり」と言い続けてきた私は、ディベートを科学、そして数学と近似させる。そして、そのデジタル思考を、再び日本人向きにアナログ思考に再転換してみる。

probableは、覆すことはまず不可能（80％以上はイエス）。plausibleは、引っくり返すことは、まずない（なるほど＝50％以上はイエス）。possibleは、ありえないことは決してない。その最も低い可能性（least possible）まで否定するのだから、かなり語気は荒いはずだ。

My husband is not a flirt. It's impossible.（うちの主人の脇は甘くありません。浮気なんてとんでも。）

Flirting isn't cheating, madam.（奥さん、浮気は裏切りじゃありませんよ。）

Sounds plausible.（かもね。）

don-to-koi

どんとこい。　Bring it on!

スティーブ・コールベアがレディー・ガガにきわどい質問をした。「きみがLGBTQ（レズビアン、ゲイ、バイセクシュアル、トランセクシュアル、クイアセクシュアル）を支持するという政治的発言をしたときは、ファンを怒らせたか、と挑発した。そのときレディー・ガガは、「私の政治的発言に関しては、一歩も引かないわ。Bring it on.」と無表情で答えた。このブリンゲロンとは、「どんとかかってらっしゃい」という宣戦布告であった。「私（オレ）は逃げない」というときに言うBring it on! は、なんとも雄々しい発言だ。「どんとこい」というオノマトペしか訳せない。しょっちゅう耳にする。

ton-ton

とんとん　even

会計学でいう損益分岐点はbreak-even point。動脈英語で「いつとんとんになるの？」と聞くなら、When can you break even?
「貴社の損益分岐点は？」と問うより、「とんとん」の方がvisualで、使える（workable)。だから動脈的（arterial）なのだ。evenのシンボルを摑めば、応用が効く。「これでふたりはおあいこだな」は、This makes us even.「いや、まだだ。すぐにでもあんたにリベンジしたい」は“Not yet. I'll get even with you soon.”

don-pisha (sono-tohri)

どんぴしゃ（その通り)。　There you go!

テレビの情報を信じる人は、2016年、トランプではなくヒラリー（Hillary Clinton）が大統領になると読んでいた。日本の駐米大使館の人たちも、安倍前首相が「ヒラリーだろう」と言えば、“There you go, prime minister.”と答えた。しかしウラの情報（intelligence）をインターネットで集めていた知識人は、「いや、トランプだ」と信じていた。

最初にヒラリーに挨拶した安倍前首相は、乗る馬を間違えたらしい。すぐに、トランプに乗り換えた。「どんぴしゃ」や「そのとおーり」といった相手を喜ばせるフレーズは、すべて一時的な同意でしかない。

「図星！」もBull's eye.もBingo! もそうだ。トランプが勝ったとき、「やっぱり」(I knew it.）と答えた人が多かった。人はメディアの報道に振り回されやすい。「女性問題で窮地に立たされているトランプでは、きっと負ける、とお前も言っていたじゃないか」と言われて、「痛いところを突かれたな」(You got me!）と頭を掻いた人は多かった。それみたことか、と追い討ちを加えるときに使う言葉が、Gotcha! だ。耳にはガッチャと響く。アメリカのニュースキャスターがしょっちゅう使う。I got you.を縮めたものだ。

nah-nah

なあなあ　soft love

　沖縄の国際通りの裏通りでヘアカット。現地の床屋さんに話しかけ、オノマトペハントするのも愉しい。

「この店、お兄さんは何代目？」

「３代目。」

「家業を継いでるの？」

「いや、そんな人、沖縄にはいません。僕も他からぶらっとやってきて、ここに居座っています。」

「へー、じゃ初代？」

「ええ、私も次の初代を探しています。」

「血の繋がった二代目が育たないのは、なぜ？」

「親と子がなあなあになるんだ。野球の球団でも同じだね。」

　ついにオノマトペ発見。「なあなあとは」と追う。

「男親は息子を『ぬーが（文句あるか）』と叱れないだろう。息子も親爺に対し『なんくるないさ』と甘えちゃって。ここ沖縄では、対立する前に、別れちゃうんだ。」

　うーん、自分の家庭でも同じ「なあなあ」だなぁ、と考え込んだ。

　親猫が仔猫を噛む「甘噛み（love bite）」の世界か、ここは。たとえ叱っても猫キック。家賃は自分で稼げとtough loveを発揮することはできない。「だって」と反論されるのがオチ。だからsoft love。ずけずけ説教する（pull no punches）ことができず、パンチを控えてしまう（pull punches）。ここはディベート不毛の「なあなあ」の世界。

　たしかに、沖縄は大企業でもせいぜい二代目でのれんを畳み、三代目が引き起こしがちな「のれん倒れ」を回避するという。だから、シンガポールは、二代目に跡目を譲る前に、ちゃんとした後継者（decent successor）を立てて、さり気なく、同じ血筋を三代目に引き継がせた。

naru-hodo (to-omowa-seru)

なるほど（と思わせる） plausible

Oh, that sounds plausible.（なるほどね）という英語をよく耳にする。『新和英大辞典』は、1（言葉・陳述など）妥当〔本当〕と思わせる、理にかなった（reasonable）；もっともらしい、まことしやかな、と解説し、その解説にふさわしい例文を載せている。

on a plausible pretext（もっともらしい口実）は、私の口と耳にはネガティヴな響きがする。

いろいろなディベートに関する書物では、感情抜きに、確率論から解説されているので、知的にすっきりする。

地球が太陽の周りを回っていることは、absolutely true（100%）。月には、まだ火星人や地球人が住んでいないことはprobably true（80%以上の確率）。アメリカの月面着陸が宇宙科学の進歩に繋がった確率はpossibly true（20%以下の確率）。

太陽もブラック・ホールを公転しているという仮説で、plausibleは、50%以上だが、70%以下だといわれている。

統計は嘘をつかない、つけない。いや、人が統計に嘘をつかせる（Humans make statistics lie.）のだ。だから、統計の数字には、「もっともらしく」とか「まことしやかな」といった感情を交えるのも危険だ。いや、illogical（非論理的）だと置き換えよう。

ふつうアメリカ人は、plausibleという白に近い灰色よりも、黒に近いpossibleか、白に近いprobableを使う。映画『幸せのちから』（*The Pursuit of Happyness*）のなかで、パパが幼い子どもに、probableとpossibleの違いを教えている部分に、動脈英語（red-hot blood English）を感じた。happynessとは、幸せであること。iではなくyに留意。

probableとは、good chance it happensで、possibleは、might or might not（約束はできない）という違いが、子どもにも通じた。

nan-toka (yatte-mima-shou)

なんとか（やってみましょう）。 Let's see what I can.

決まり言葉である。官僚は「善処します」という、あいまいな言葉を好む。beaurocratese（官僚用語）とかlegalese（法律用語）の類だ。

アメリカ大使館で通訳術を学んでいた頃、必ずこの「善処」の訳にひっかかった。do the best I can なら「最善を尽くす」という公約になる。前向きに検討をするといったまま、数年間待ったが、いつまで待てばいいのか、とアメリカ側はいつも業(ごう)を煮やしていた。「前向きに」とか「善処を」とはfriendly refusalに近い。いんぎんに断るときに使う言葉だ。相手にも「察し」が必要なのだ。NoなのかYesなのかと思案に暮れて、やはり、このオノマトペイックな口語表現でいいのでは、と思い直し、Let's see what I can. に落ち着いたものだ。

nan-to-naku

なんとなく　sort of

I got through college, sort of.（なんとなく、大学を出ちゃった。）

I got married, sort of.（なんとなく、結婚しちゃった。）

I got engaged, sort of. I don't want to get married.（なんとなく、結婚を約束しちゃった。）

いくら動脈英語といっても、これじゃ軽すぎると抵抗されるムキは、justという動脈英語の薬味を使ってみてはどうか。

I just got through college. I just got married.　以下同文。

niga-niga-shiku (omou)

にがにがしく（思う）　sour

「にがい」はbitter。このbitternessは、あと味の悪さ（恨み節など）のhard feelingを指すが、「にがにがしい」「ささくれ立った」という相互不信にまで意味が広がると、味覚に関する比較文化論にまで広がる。日米関係がささくれ立つと、同盟関係がお互いにぎすぎすする。そんな不協和音を表す形容詞として、ひんぱんに使われるのがsourだ。

なに？　酸っぱい？　レモンみたいに？　と平均的日本人は首をかしげるだろう。そこで意味論に入ろう。「酸っぱい」は「不愉快」「気むずかしい」「にがにがしい」等に解釈は広がる一方だ。こんなとき、私は英英辞典で、意味論（syntactically）にまで深掘りする。

『オックスフォード英英辞典』は第一義のレモンや酸のような味から、第二のfeeling or expressing resentment, disappointment or angerと、五感を刺激する解説に移っている。んーん。見える。感動する。例文がまたニクイ。He gave her a sour look.（不快な表情を見せた。）そして、私の英文を加える。Their relationship will end up on a sour note.（ふたりの関係はきっと気まずい形で終わるだろう。）

2019年8月17日号の*The Economist*の見出し“Sour about a sultana”にヒントを得て書いた。ジャワ（インドネシア）は、王位継承をめぐり揺れている。sultana（スルタナ）とは、イスラム教国王妃のことだが、スルタンの側室という意味で使われる。父のスルタンは娘に王位を譲りたいのだが、彼の両親は「とんでも。女が王になるなんて」と、にがにがしく思い、王位をめぐる両サイドはぎすぎすしている。

nijimu (hito-ya-shisou)

にじむ（人や思想）　by osmosis

最も私を悩ませた難訳語だ。結論的に言えば、訳せない。だが、近づけることはできる。液体などが染みるなら、blotかblurが使われる。B語がまず浮かぶ。ぼんやりとする、はbe blurred。インクなどがにじむのはrun。（*e.g.* The ink runs on this paper. This felt-tipped pen won’t run. このサインペンはにじまない。）血のにじみはstrain。液体がうっすらにじみ出るときはooze outかwell up。前者を勧めたい。「う」の音霊を活かしたいからだ。

ところが、日本という水の国は、「にじみ」の文化圏に入る。大河を敵対視する、ドライ（乾いた）な中国では「ぼかし」が好まれる。ぼかしは必ずしも水を必要としない。ぼかしは人為的であるが、にじみは自然の驚異（wonder）だ。この「にじみ」が人間関係にも表れてくる。

あの人にあやかりたい、という表現も、近くにいて、あの人に「にじませてもらいたい」という日本的な「甘え」の心情が感じられる。

師匠に染めてもらうという弟子の心情には、真心がなくてはならない。私はby osmosisしかない、と言い続けてきたが、ホーキング（Stephen Hawking）博士がこのように使っているので、「やったぁ」と快哉(かいさい)を叫びたくなった。

'If you merely expose yourself to the influence of higher patterns, they begin to "rub off", or, as it's been said, "You get it by osmosis."'（*A Brief History of Time,* p211）

この「あやかる」「にじむ」に、rub offは昔から使っていたが、同書にはgetが使われているから嬉しくなった。

日本の芸は、師匠のそばで、同じ息を吸いながら、人となりにあやからせていただいて、芸を盗むことだ。私が故・西山千から芸風を学んだのも、この「にじみ」だ。

I got it by osmosis from Sen Nishiyama.

niya-niya / nita-nita（warai）

にやにや／にたにた（笑い）　a grin / a sneer

日本人は、ねばり強い民族として知られている。福島の大災害で全世界に証明したあのねばりはresilienceだ。そこには回復力が含まれている。

return、reviveといったR語群が弾性を表している。ぐっと耐えることを、イギリス人ならkeep a stiff upper lipと表現する。日本人は、そこに笑い（grinと訳される）を加える。西洋人によく不気味がられた。白い歯を見せて笑う（a silly little grin）な、と怒らせたこともある。そこから「ぐっと耐える」ことがgrin and bearと表現されるようになったのだ。

にたにた、にやにやもgrin。大きく歯を見せて笑うときはgrin from ear to earという。耳にまで広がるから、賛成の場合でも軽蔑の場合でも、その笑いの真意はもう隠せない。決して冷笑（cold smile）ではない。smileやsneer（せせら笑い）のようにS語になると、silent（under breath）になる。

L語のlaughには声や表情が聞こえるが、気取る人（snob）が好む笑いは、やはりSから始まる。

ninmari-warau

にんまり笑う　smile to oneself

「にこにこ」笑うことはsmile。これは好感を与える。「にたにた」や「にやにや」笑うとgrinになる。「くすくす」笑いはsnickerで、「にんまり」笑いはsmile to oneselfだ。「せせら笑い」（冷笑）は、sneerか、cynical smileだろう。嘲笑となると、jeerかな。それ以上はbooing（野次）となる。馬鹿笑いはa horse laughか、guffaw。ハラから笑う、健康的で、健全な笑いは、いちおしのa belly laughだ。前述した、三島由紀夫が最も愛したイギリス人のヘンリー・スコット・ストークス記者は、Yes, Mishima used to guffaw.（そう、三島さんはよく馬鹿笑いしていました）と私に語ってくれた。

nuku-nuku

ぬくぬく　warm and snug

温かく（warmly）気持ちよく（snugly）育った人間は、もろい（fragile）。人生の荒波に負けない人材を育てるには、崖から谷底へ突き落とすtough loveが、ときには必要だ。ぬくぬくした状態は、comfort zoneとか、cocoon（繭）と表現される。

進学のため、一流大学の家庭教師の下で過保護にされて（spoon-fed）学んだ英語も、ひ弱だ。進学塾で学ぶspoon-fed Englishも、私流の新語でいえば、“静脈”英語（venous English）だ。こういうhands-on English（手とり足とり教え込まれた英文法）とは別に、自己発見して学んだhands-off English（突き離されて学んだ英語）こそ、酸素いっぱいの“動脈”英語（arterial English）だ。

最近私が生活をともにし始めたユニークな進学塾がある。ケータイ禁止、恋愛禁止というストイックな氷河体験を強いられており、決してぬくぬく（nice and warm）した環境ではない。2019年以前は、センター試験を前に、ひゅうひゅう吹いている寒風に曝された階段にうずくまって、英文の音読をしている学生がいた。そしていまも。使える英語が身につくかどうかは、未証明だが、人間が鍛えられることは確かだ。

ぬくぬくした状態では、斬れば血の出る動脈英語は学べない。

（Warm and snug living kills your English and your life.）

nuke-nuke-to

ぬけぬけと　nonchalantly / coolly

「しゃあしゃあと」(brazenfacedly / brashly) ほど悪意に満ちていないが、ぬけぬけとは、nonchalantly / coolly と、場が読めない人の「あつかましさ」がにじみ出ている。ぬけぬけとうそをつく、は、tell a lie nonchalantly (coolly) のこと。

nuru-nuru

ぬるぬる　slimy

ぬるぬると、べとつく人、動物、天候はすべてyuck (気味悪い)。「きもい展」で見たチャンピオンはゴキブリだった。S語類も、きもいものが多い。ぬるぬるした (slimy) snake、scorpion (さそり)、snail (かたつむり)、seaslug (なまこ) などは、slow (sluggish) でねちねちして (slimy) きもい。私が最も尊敬するが、最も友達だけにはなりたくないのが、ゴキブリくん。しかし、*Oh, Yuck!* の著者のJoy Masoff氏は、ゴキブリより、くらげをさらに評価されている。口とおしりの穴を同じに使うくらげ (jellyfish) を尊敬されている。Jellyfish have no brain, no heart, and no lungs and they have been around for 650 million years. (くらげには脳も心臓も肺もなく、6億5000万年前から存在している。) そして、油断すると毒にやられるぞ、と恐れながらも畏(おそ)れている様子。うーん、くらげか。あの納豆のようなslimyな姿と感触がなんとも神々(こうごう)しい。

nechi-nechi (shita)

ねちねち（した）　stick-to-it-ive

本書をほとんど書き上げた頃、「もやもや」から「むずむず」に変わりつつある粘着質の自分に気付いた。理想を求め続けるのはいいが、どうも私はねちねちしすぎている。A型気質ゆえか、さらっとした現実主義者のB型が羨ましい。

この粘り強さ――tenacity/perseveranceとかresilienceといえば、聞こえはいい。しかし、stubbornだと言われると、聞き捨てならない。そもそも、こんな固い英語では温(ぬく)もりがない。オノマトぺ風に表現するなら、いったんやり始めると、べたーっとくっつき（stick to it）離れられなくなるタイプ。この「べたーっ」はstickyなのだ。stickをオノマトペっぽく変化させてみれば、stick-to-it-ive（ねちっぽい）となる。

*TIME*にstick-to-it-ive-nessという突拍子もない英語を発見したから、こちこち（dry and hard）の和英辞書的な英語表現も、ふわーっと（nice and fluffy）転換できるはずだ。

粘着質という日本語自体が、あまりにもfrozen stiff（べっとり）だ。私はねちねち体質だが、凍てついたような頑迷固陋（a stick in the mud）な文筆家ではない。

neba-neba (beto-beto)

ねばねば（べとべと）　icky / sticky

「ねばねば」も、「べとべと」も、「ねちねち」も、いずれもが不快感を伴う。

しみじみとした話には、情緒がある。しかし、じめじめとした話題に変わると、湿っぽくなる。感傷的（sentimental）な話は、相手によっては、「ねばねば」「べとべと」（icky）と響くから、気をつけよう。

日本人にとり、糸引き納豆は、おいしい（yummy）味がするが、多くの外国人にとり、slimy（べたべた、ぬるぬる）と気味悪がられる。なめくじのようなslimyなcreepy-crawly（這いまわる昆虫）を見ると、“おえっ”（Yucky!）と奇声をあげる人が多い。

「べたべた」した気候や食物や人間はすべてstickyで言い表せる。子どもの発音ではickyだ。yucky, sticky, ickyと音感で覚えよう。オノマトペは、音の世界だから、目よりも耳で覚えてみよう。ただし、オノマトペは乱発してはいけない。

「ねばねば」（sticky）は食物には使えるが、人間の気質を表現するには無理がある。ねちねち（tenacious）に置き換えよう。ねちねちした（執念深い）人はvindictive（復讐心や悪意に満ちた）と表現しよう。

水の文化の日本では、オノマトペも水に支配され、じめじめする。『難訳辞典』を編みながら、ねっとりした（icky）いやな気持ちになる。これも日本人に一番多い、私のなかのA型気質ゆえか。A型はB型と違って、icky（ねばねば、べとべと）したところがある。

nosshi-nosshi

のっしのっし　lord it over (others)

最近、オノマトペが活字の世界で、のっしのっしと闊歩（walk with heavy strides）し始めた。「外国人をがつんといわせる英語表現」というふうに、本のタイトルにもオノマトペがいばって歩きまわっている。

傍若無人なふるまいを「闊歩する」という。これらの情景を、のっしのっしという擬態語でまとめてしまえば、漢字の世話にならなくてもいいはずなのに。それなのに国語辞典にはオノマトペは敬遠されてしまう。その理由は「３Fs」にある。

１、You can feel it. 辞典を引かなくても「感じ」取れる。Feel it!（感動しろ。）

２、It fails you. 流行語のように、現れては消える（It comes and goes.)。ころころ変わる（It flips and flops.)。儚い（It fleets. It farts.)。取るに足らず、裏切られることになる。

３、It fouls. 腐る。魚のように腐るは Fish go bad（foul). という。捕獲された魚は、生気がない。fishyとは、いかがわしい、うさんくさいもので、いやなにおいがする（stink)。

国語辞典が遠慮したくなる３Fsを背に、オノマトペがのっしのっしと（わがもの顔で）公道を闊歩し始めてきた。この擬態語（mimesis）としての「のっしのっし」を尾野秀一氏は、ネイティヴ向けに、こう見事に表現されている。

The action of a large, heavy-bodied object walking severely along with a firm, solid stepと。

「象がのっしのっしと密林から姿を現した」ならAn elephant emerged heavily from the thick forest.となる。足の運びはa heavy stepということだ。

聞き手がどう感じようと、話し手の主観が優先されるのが、オノマトペの醍醐味（beauty）であれば、定義はかえって邪魔になる。

これは古文より、現代文に至る日本語の特長なのだ。とざっくり言ってしまえば、すかーっとするのだが、じつはここに客観性の軽視という落とし穴（a pit fall）がある。

nobi-nobi

のびのび　relaxing

同時通訳の修業をしていた30歳代前半の頃を思い出した。ちょっとミスすると、首がすげ替えられるというtouch and goの状態で、通訳・翻訳担当者はいつもぴりぴりして（edgy）いた。その正反対のwithout worryは、日本語の「のびのび」であった。

のびのび（伸び伸び）は、職場でも背中を真っ直ぐに伸ばせる、relaxingでのんびりした状態なのだ。商社時代は、きびきびしていたが、背伸びをしながらも、のびのびと（in a relaxing manner）仕事をさせてもらったものだ。上司ものんびりした性格で、職場をのそのそと歩いていた。

「春の海終日のたりのたりかな」（与謝蕪村）といった、のんびりした情景であった。「梅が香にのつと日の出る山路かな」、この松尾芭蕉の俳句も、のほほんとした（unrestrained）状態で謳ったに違いない。

「のらくろや勿体なくも日の長さ」、戦後、戦争漫画が巷に溢れていたことを思い出す。毎日のなかで、のほほんとした漫画「のらくろ」の画風だけが清涼飲料水のようであった。

『日本語は悪魔の言語か？』（角川oneテーマ21新書）を書かれた小池清治氏は、俳句のキーワードは擬態語という考えの持ち主で、こんなユーモラスで悪魔的（devilish）な俳句を例にあげておられる。「にょっぽりと秋の空なる富士の山」（上島鬼貫）

氏は述べる。「おそらく、若き蠢動の魂はこの句から、富士の突出した偉容と鬼貫の篤き友情を感じ取り、充分慰撫されたことでありましょう。擬態語は表現者が目、耳、鼻、口、肌の五感で感じとった、視覚、聴覚、嗅覚、味覚、触覚の５つの感覚を表現するばかりでなく、心で感じ取った感動をも伝える、いわば、総合的表現、感性的で、情報量が極めて大きい言葉です。」（p115）

げに日本語はdevilish（悪魔的）な言語なのだ。それにしても、この「にょっぽり」の解釈に戸惑う。「にょっきりと」、「のっぽの」という描写に、ご本人自身の、のほほんとしてたくましい感動を気まま勝手に塗(まぶ)されているようだ。

AIとの言語戦争で、私が味方にしたい相手こそがこのオノマトペである、という私の底意(はら)がこれで理解願えたであろうか。

海底にのったりと眠っていた「ゴジラ」が、これまでのっそりと構えていたハリウッドから地球を救うヒーローとのお墨付きを得て、のっしのっしと立ち上がったような情景だ。

nohohon

のほほん　nonchalance

彼は詐欺行為がばれて有罪となっても、のほほんとしている。

（He was nonchalant, when he was found guilty of fraudulence.）

詐欺の研究に余念のない私だが、詐欺師（con artists）に共通する点は、このnonchalance（けろっ）だ。のほほんとしていて、傷つかないタイプの人が詐欺師に向いている。うその上手な人にとり、感情表現も「技」のうちだ。

people skillsに長(た)けている人（人間たらし）は、意外に薄情だ。ただ、social skillsを得意とするgame playersに多い。ゲーム・プレイヤーはどこかでポカをやる。黒川伊保子氏の文体は感情に溢れており、詐欺に向かない。彼女の名前「いほこ」に対するこだわり（彼女は「しばり」と表現する）が語っている。

「……人懐っこく、のほほんとしていて、乾いた感じになる。昔、農村にいた、留守中の隣家に上がり込んで、お茶なんかいれちゃって寛(くつろ)いで待っているおばあちゃんみたいに、ほっこりしたカジュアルさだ。」（p34）

ほのぼのとした情景の描写で、私の心も洗われる。ところが、あの「ほっこりした」というオノマトペはどういう意味か、辞書で調べたが見当たらない。しかし「ほっかり」はあった。「ほっかり」とは、①突然現われる様子。だしぬけに起こる様子。②ほんのりと明るい様子。やわらかいひさしがほのかにさす様子。「ほっこり」は、黒川女史の誤用では決してない。感性で勝負する人は、なんでもありだ。

オノマトペは、ロジックの世界ではない。言語学者や外国人にとり、定義がまったく通用しない魔界なのだ。だが、見えない名前という「しばり」がある。黒川女史は『陰陽師』の安倍晴明の「この世で一番短い呪とは……名だよ」というセリフをさらりと引用する。

そして、呪は、相手の思いや行為になんらかの縛りをかける術である。「しばり」か？　ならば、「じゅ」より「のろい」の方が、しばりが強いはずだ。

「ユリコは、マキコほど大胆なことはできないし、キリコほど毒舌家にもなれない。ユリコという名前の音が、やんわりと彼女を縛っているのである。」（p37）

このユリコが、やんわりと、私の一昔前の知人であった小池百合子氏とだぶった。政界に進出する前の彼女をふと思い出し、思わず頬がゆるんだ。呪（curse）を解きほどこうともがいている、政治家百合子の言動が、ほんわかと伝わってきたからだ。

私が知っている彼女は、政治を志す以前の、ういういしい（unsophisticated/unaffected）、いつも、のほほんとしていた百合子だった。政治に進出してからは、のほほんとして朗らかだった彼女はもういない。きらきらした彼女の眼はぎらぎらし始めた。チョウがガになろうとしている。大阪の女が、東京の女に完全変態した。

進学テストを終え、難関大学に入学した多くの日本の学生は、のほほん（blase）とキャンパス生活を送ろうとしてしまうから、始末が悪い。これからが、実社会で役立つ人格形成の時だというのに。尾野秀一の例文は冴えている。

It's too late to be sorry about passing your school days on such a blasé manner.（p244）

（学生時代をののほんと過ごしてしまって、後悔先に立たずだよ。）

例文のmyをyourに変えさせていただいた。

大学時代は、最後の楽園さ、とのほほんとしている人は、nonchalant（ノンシャラン）と表現される。詐欺師（con artists）の素質のひとつは、ばれても、けろっと（nonchalant）できることだといわれている。東京のメディア関係の人間に多い。マスメディアは、ノンシャラン人間を異常発生させる。

haah

はぁー　What?

モーゼは「他人を羨むな、他人の妻をも」（Moses said：Never be envious of others or their wives.）、そんな表現を使ったそうな（YouTubeで知った）。それに対して、私の第一印象は、「はぁ？」であった。Huh? では弱い。「ええ」ぐらいのニュアンス。「はぁ？」は驚きを交えた否定文だ。「なぜ」（Why?）と発する以前の驚きの発生だ。

キリスト教でいう「七つの罪」（seven cardinal sins）のうちのひとつに、Don't envy.がある。私が解(げ)せぬひとつである。嫉妬（jealousy）を否定するなら、わかる。しかし、I envy you. Every girl follows you around.（羨ましいね、きみは。みんなの女の子にもてもてで）という発言は、キリスト教では禁句だなんて。しかし、モーゼの発言が『出エジプト記』（*Exodus*）のなかで書かれて、しかも英語でenviousという言葉を耳にして、「はぁ？」（What?）と我が耳を疑った。I couldn't believe my ears. しかし、聞いたものは聞いた――この耳で。I heard what I heard.

hata-to (hirameku)

はたと（ひらめく）　(have) a flash

雷光がa flash of lightningなら、「はたと」は「ぴかっと」と置き換えることができる。アイディアが「はたと」ひらめくときは、I had a flash of an idea.（頭のなかに閃光が走った）と表現できる。

一昔前、「思いつく」は、hit upon an ideaしか思い浮かべられなかった。和英が万能と錯覚していたハイティーン（英語ではlate teen）の頃だ。動脈英語時代に進化したいまの私なら、hit uponの代わりに、haveとかgetに置き換える。I had a good idea.とか、I came up with a good idea. I just got an idea.をさらに縮めて、Just a thought.と動詞まで省いてしまう。茶目っ気を出して、Guess what! でも言ってみようかな。飲食店で、「おまかせします」を、Surprise me! と動脈英語風に超訳できるくらいの余裕ができたのだから。

pata-pata

ぱたぱた　flap

A bird begins to flap its wings. 鳥の羽ばたきはF語で表現できる。F語には、fireのように瞬発的なforce（勢い）がある。それにL語が加わると、勢いが落ちる。

中学生の頃から、オノマトペに対する潜在的な関心があったのか、同じクラスの秦(はた)君のために短文をつくった。「秦の畑で秦の旗がはたはたとはためいていた」と。英語は苦手だったが、国語力には自信があった。作文は大得意だった。いま、オノマトペの日本語を英語に結びつけようとしている。Hata's flag is fluttering at Hata's paddy field.

このときに気づいた。はたはた（ぱたぱた）とはためくとは、英語では一言flutterでいいのだ、と。オノマトペは、ひとつの動詞に音や情感まで溶け込ませたものなのだ。ぴちゃぴちゃは、splash. An old pond. A frog. Splash! これで、松尾芭蕉の「古池や」が見えてくる。いや、聴こえてくる。

犬や猫がぴちゃぴちゃとミルクを飲むなら、lap up milk。

ぴちゃぴちゃと音を立ててスープを飲んではいけません。

You mustn't slurp（eat）your soup like that.

雨のぱらぱらは、pitter-patter。英語の語感は、音から始まるべきだ。flapのぱたぱた、ひらひら音が聞こえたら、本の表紙カバー（英語ではbook jacketもしくはjacketという）の折り返し（袖）をflapと呼ぶことなど、ぴんとわかるようになる。

patto-shinai

ぱっとしない　not as it should

オノマトペは文法化を嫌う。そもそもオノマトペはルールを嫌う。大島真寿美氏は「どうもぱっとしなかったが……」というオノマトペを自然と使っているが、この「ぱっ」が英訳できないのだ。耳に入ったときは、聴覚的にわかるが、それを視覚的に解釈しようとした途端に思考が止まってしまう。

オノマトペと大阪弁の英訳は、まさに鬼門（a curse）であった。ぱっとしないというのは、靄(もや)がかかったように、視界がどんよりして、思考も明白でない状態のことだが、「きみの英語はぱっとしないな」という場合はYour English isn't improving as it should.になる。だから、苦しまぎれに、not as it shouldという、けったいな英文法を、どろなわ式に（at the eleventh hour）創出したのだ。

「松本先生、いまいち、あなたの文法理論はぱっとしませんね」を英訳すれば、Mr. Matsumoto, your grammar theory, I'm afraid, isn't anywhere near perfect as it should.となろう。

私の文法の味噌（the beauty of my grammar）は、音にある。だから、as it should で味つけするのだ。英文法という言葉にひっかかるならalgorismになる。アルゴリズムとは、高尚に響くが、ぶっちゃけた話（the bottom line is）、料理のレシピのことだ。味つけだけなら、どうにでもなる。

それで食えるってこと？　英訳すれば、Does it work? だ。おいしいオノマトペ、斬れるオノマトペも、すべてworkで表現でき、片づけられる。These are the onomatopoeia（the sound words）that work. おいしいオノマトペは鉄板の焼肉のように、じゅうじゅう（sizzle）と、おいしそうな音を立てる。春を告げるかっこうのように、くーくー（cuckoo）と啼く。五感がくすぐられるようだ。

そもそも、オノマトペ思考が実用英語習得にもきっと役立つと本気で考え始めた発端は、手元にある*The Economist*（Aug. 24-30, 2019）のカバーストーリー（"What companies are for?" 会社は何のために）の最初のパラグラフだ。

Across the West, capitalism is not working as well as it should.（p7）（西洋社会を見渡しても、資本主義はどこもぱっとしない。）

「いまいち」でもいいが、「ぱっ」との勢いが消えそうだ。「ぱっとしない」の裏（意味論的）には、もっと輝いてほしいという期待値が隠れている。そのため私はただちに、「ぱっとしない」と超訳したのだ。

だから、私の英文法理論がいまいちぱっとしないのと同様、資本主義の機能（はたらき）もぱっとしない（Capitalism is not working as well as it should.）という応用が効くのだ。オノマトペを動脈英語に結びつけると、とっさに斬れるビジネス英訳が口からほとばしり出るはずだ。

英語道を唱（とな）える私が動脈英文法を？　そう考えただけでぞくぞくする。世間の目が光っているか。It thrills me to think that I've got a lot of eyes on me.「目が光っている」をeyesとかshiningと直訳する、静止したままの古代英語（ancient English）は――かつての受験英語とも――絶滅する運命にある。

コーヒー・ブレイク

ハブ、モクテキ、カコブンシはgetで

最近、Netflixで米連続ドラマ*The Sinner*を見ていて、ふと感じた。be interested in ～が、新興宗教に入信する覚悟があるのか、という疑問文で使われていた。そうだ。日本人には、この「in」の「のめり込む」というシンボルが見えないのだ。inは見えるonと違って、見えなくなる状態なのだ。「ふたりは同じ穴のむじな」という場合なら、We're in this together.で十分なのだ。これが動脈英語。赤い血を求めるゾンビたちが、渇望している生きた英語だ。

MR. STEPUP塾の講師たちとともに、一流の進学塾が発表した、難関大学が過去に出題した例文の模範解答を徹底的に洗い直した。このbe interested in ～が「～に関心がある」と同じ意味に訳されている。まるで申し合わせをしているように、すべての有名塾の解答が同じような解答であったと知って、背筋が寒くなった（sent the chill down my spine）。56年間、受験英語にまったく変化はなかった。これがゾンビ英語（zombified English）の実態だ。

この解答では受験者は全員合格できる。しかし、実際には、使われない。それでもいいか、合格点さえ取れれば、使われなくとも……。これを静脈英語（venous English）と呼ぶ。例は山ほどある。故・伊藤和夫氏の名著『予備校の英語』から学んだ。昔なつかしいno so much ～ asとかno more ... thanという難解な構文やA is to B what C is to D.（AとBの関係はCとDの関係に等しい）といった数学の方程式まがいの構文や、I had scarely run out of the building when it exploded.（私が外へ飛び出したと思う間もなく、その建物は爆発した）といった、化石化された英文は、死んだ英語だと述べられている。

これこそ、酸素を失った受験業者がこだわる静脈英語ではないか。これまで60年間、お会いしたことのない、こんな無機質の英語が、まだ受験英語で勧められているとは。思わず膝を打った。伊藤和夫氏とは生前にお会いしたかった。ただし、You wouldn't approve of them, any more than I would.（そんな英文はお認めにならないでしょう。私と同じように）といった構文は、いまでもメディアでちょくちょく使っている。any more than ～のあとは、肯定文という文法のルールは、メディアでも守られている。

私の英語人生は、リスクを避ける静脈英語との血みどろな闘いであった。手強い相手だった。動脈英語（arterial Engish）とは、その反対に、リスキーだが血の通った英語のことだ。一例を挙げてみよう。*TIME*に出た企業の広告の次の斬れる英語だ。

Why does he get all the breaks?

この斬れば血の出るような英語表現を、いろいろな日本人に和訳させてみた。誰も答えられなかった。静脈英語（low-risk English）の英文法ルールでは訳せないのだ。動脈英語（risky English）に強い人は、思い切って、こう訳すだろう。

「どうして、彼だけが何をしても許されるのだろう」

こんな、子どもでもわかる口語表現が、日本の進学を目指す塾生たちには訳せないのだ。動脈英語が。訳せない理由は３つある。１．getが見えない。２．breakのシンボルが見えない。３．学校や塾ではだれも教えてくれない。

少し解説を加えてみよう。

１．日本語の「られる」「される」は「have—目的—過去分詞」という英文法では訳せないのだ。そのために、私は「される」イコール「get」という動脈英文法ルールを決めた。たとえば「髪を刈ってもらう」（have one's hair cut）をget a haircutと変えるというふうに。

２．breakは英和辞典によると、第一義が「こわす、破る」とネガティヴなイメージで訳されているので、第二義や第三義の「開く」というシンボルが見えないままだ。get a big breakとは、開運（大好転）なのだ。
3．文科省指導の学校英語（伊藤和夫氏のいう"箱庭"英語）に縛られている。つまり、"use it or lose it"（使わなければ失う）という普遍的言語習得ルールが、日本では通用しないという哀しい事実（しばり）から解放されない。
「使えるかどうか」（動脈英語）ではなく、「点がとれるかどうか」（静脈英語）が、評価基準になっている。記憶力尊重で、思考力が軽視されている。
これでは、"斬れば血の出る英語"（故・國弘正雄氏の表現）は学べない。斬れば血が出る英語（red-hot blood English）は、採点しやすい英語（cold-blue blood English）ではない。酸素の多い（赤い血の）動脈英語を阻むのが、大学の英語教育だ。
中高の先生そして進学塾の先生に、諸悪の根源は大学の入試英語にあるのでは、と言いたい。大学教育では、使用に耐えうる英語力を測定する術（すべ）がなく、大学生活に必要な英語力や思考力を育てようとする熱意や方向性が感じられない。大学の受験英語問題編成者に問題があるのは、自明の理である。このままではやばい。Something has to give.

は

bara-bara (ni-naru)

ばらばら（になる） fall apart

ばらばらな（disorganized）状態は、messy（ごったごた）と表現しよう。書き言葉と話し言葉がばらばらになる状態はtorn apartだ。「そんな状態になる」は、to fall apartと表現しよう。よく使われる。
「いま、なんとかしなければ、われわれの会社はばらばらになるかもね。」
（Our company might fall apart if nothing is done to turn it around now.）
意見がばらばらなときは、Don't speak with many different voices. と忠告をしよう。
いや、もっとすっきりした表現がある。「ばらばらにしゃべるな」はSpeak with one voice.

もっと耳にするのが、これ。One at a time, please.

bari-bari

ばりばり　up-and-coming

up-and-comingは、英語雑誌にもちょくちょく登場する、躍動感溢るる形容詞だ。英和辞典には、「頭角をあらわした、最近のしてきた、やり手の、進取的な」とある。これらをひっくるめてイメージするには、オノマトペに限る。それが、「ばりばり」だ。

「アツシの漫才コンビは、いまばりばりだ。」

Atsushi's manzai duo is up-and-coming.

gen'eki-bari-bari

（現役）ばりばり　going strong

現役のまま、ばりばりと活躍している（go strong）のが、ゴキブリ君たちだ。*Oh, Yuck!* に載っていたJoy Masoff氏の斬れる動脈英語（入試試験には絶対出ない）を紹介しよう。

Dinosaurs roared for about 130 million years before they disappeared. We humans have only been hanging around on earth for about 2 million years. But cockroaches are 350 million years old and still going strong.（*Oh, Yuck!* p30）

（恐竜は絶滅するまで約１億3000万年間、咆哮（ほうこう）していた。私たち人間は約200万年の間、地球上でぶらぶらしているだけだ。しかしゴキブリは３億5000万年で、まだばりばりである。）

私は武道家を自認しており、引退はないものと諦めている。だから、45歳でプロ野球生活から引退したイチローを羨むこともない。そもそも（Let's face it.）禅でいう諦め（acceptance）とは、そういうことだ。ゴキブリに勝てっこない。Masoff氏のさり気なく（気取らずに）書いた、次の英語は斬れすぎる。俳句のように無駄のない動脈英語だ。

“WHAT'CHA GOT? I'LL EAT ANYTHING!”（人間どものすべてをゴキブリ様が食いつくしてやる）という見出しのあと、こんな斬れば血の出るような、ゴキブリ（roach）を讃美する英文が続く。

Hard. Soft. Sweet. Sour. Alive. Dead. Doesn't really matter to a roach. They'll eat the sweat out of your sneakers, the grease on the stove. They'll eat the glue on your postage stamps and the wiring in your TV set. They will eat the fingernails of sleeping sailors aboard a ship. They even eat leftover bits of their own bodies!（*Oh, Yuck!* p29）

（固いもの、柔らかいもの、甘いもの、酸っぱいもの、生きているもの、死んでいるもの、ゴキブリたちには関係がない。スニーカーの汗、ストーブの油、切手の糊（のり）、テレビの線も食ってしまう。船上で眠っている水兵たちの爪までかじる。自分たちの身体の残り物まで、食べるのだ。）

ゴキブリたちは、紙でも、石鹸でも、塗料でも、なんでもがつがつ食う（chow down）のだ。食うものがなければ、断食をするまでのこと。たいしたことじゃない。No sweat! 断食が終われば共食い（dining on their friends）でも始めるか。人間どもやAIロボットがたばになって戦っても勝てる相手ではない。現役ばりばり。They're still going strong.

pan-pan

ぱんぱん　stuffed / packed like sardines

脚がぱんぱんに張ると、My legs are swollen. 肩が凝ってぱんぱんなら、stiff。（太って）頬がぱんぱんなら、swollen（puffed）。さて、「ぱんぱん」というオノマトペの効用をしばらく考えていた。105ページにも書いた、故・松下幸之助翁の外国人記者クラブでのスピーチがひどかった（a disaster）と酷評されたケースだ。「ここは天井が低い。外国の人たちは背が高い。充実感を感じますわな」というギャグがすべったスピーチだ。数人の大阪出身者がくすっと笑っただけで、英訳された後の会場はシーンとしていた（You could've heard a pin drop.）。

いまなら、ふたりの掛け合い漫才的な日英両言語に非があったと認めたい。もし幸之助氏が無理して漢字を使わず、オノマトペで「この会場はぱんぱんでんな」とでも言えば、笑いがとれただろう。

英語なら、This room looks so stuffed.（packed like sardinesでも可）と訳せたはずだ。stuffyなら、「おもくるしい」と否定になるが、stuffedなら、いわしの缶詰のようにびっしりと詰まっていて、「ぱんぱん」となる。

pih-chiku-pah-chiku
ぴーちくぱーちく　twitter

『新和英大辞典』はchirp/cheep/twitterと並び、例文にchatterを用いている。私なら、頻度数を考慮してtwitterを前列に座らせる。しかし、欧米の辞書編纂者なら、tweetを選ぶだろう。どちらもT語だ。chirpは、虫の鳴き声に用いるが、鳥や人間には、twitterやtweetを勧めたい。ぺちゃくちゃしゃべる音は、鳥のさえずりに近いのだ。IT時代になぜツイッターが流行(はや)るのかといえば、あのぴーちくぱーちくという他愛のない無責任感が、いまの時代にマッチしているからではないか。

T語を優先させるもうひとつの理由は、*The Economist*（Jul. 20, 2019）の次の見出しだ。"While you were tweeting" ぺちゃくちゃしゃべっている間に、政府は避難民対策を再検討している、という意味だ。

共和党職員がぺちゃくちゃしゃべっている。

「ひでーな、うちの親分は。黒人の女性職員を４人も本国へ返還させたんだから。」

「しかも、肌の色が茶色であるだけで……。」

「おれたち、トランプ支持者は、黙(だんま)りを決め込んでいるが、野党の民主党職員たちは、黙っていないだろうな。」

「トランプを弾劾(だんがい)せよと、やつらは息巻いている。」

「おれたちの党だって、苦しいところだ。去年は中南米から12万人もの避難民が、逃げ込んできたんだぜ。移民法を改正しなくっちゃ、この国はどうなる。」

「いくら厳しくやったって、エルサルバドル、ホンジュラス、グアテマラのやつらは逃げ込んでくるぜ。なんせ、本国では食えないやつらばかりだから。」

こういう「つぶやき」を「ぴーちくぱーちく」（tweeting）とい

うオノマトペに置き換えて見出しにしている。静脈英語で育った日本の英語学習者は、見出しの動脈英語がわからない。これじゃ、何年経っても、日本人は英語の雑誌が読めない。ちーちーぱっぱの英語をしゃべるより、オノマトペ英語が速読できるグローバル感覚を身につけてもらいたいものだ。

そのために、私は80歳になってから、YouTuberとして狂い咲くことにした。見出しの動脈英語がわかれば、本文を熟読する必要はない。日本語で *The Economist* を解説してみせるか。回春した男の雄叫(おたけ)びだ。

pihn-to-kuru

ぴーんとくる　Ring a bell?

Ring a bell? だけで通じる。鈴がりんと鳴る様子だ。

答えは、It does. でもよいが、Yah, I get it. でもよい。アイゲレッ㋣と「ト」をunvoiced（無声音）扱いすればよい。

I knew it.（ピンときた。）と置き換えることもできるが、これは「やっぱり」に近い。「ふっと思い出す」感覚ではなく、あくまで直感なのだ。思い当たるというのもintuitionの部類に入る。

How?

The way she looked nervous.（びくびくしていた様子で。）

Just a hunch.（ちょっとした山勘さ。）

pika-ichi

ぴかいち　the very best

an ace でも No. 1 でもいい。どの和英辞典にも登場する。

ここで私が話題にしたいのは、ぴかっという光にまつわる難訳語だ。ピカチュウと聞けば、ぴかっと光って、ネズミがちゅうちゅういうという可愛い状景が浮かぶ。

私の同時通訳の師匠、西山千氏は、この分野ではそれこそぴかいち、いや、だんとつ（断然トップ）であった。Sen was far and away the best. And I'm telling you, he was ahead of the pack. と賞讃して止まない。

天才のひらめきは a spark of genius（sparkはぴかっに近い）。

だんとつはオノマトペではないが、ぴかいちはオノマトペのなかで際立った芸術作品だ。同時通訳でぴかいちであった、もうひとりの名人、村松増美(むらまつますみ)氏（another shining star）は、関西の英語落語家として異彩を放っていた桂枝雀(かつらしじゃく)師匠に入門した。枝雀は自分のハゲをネタにした。関西芸人らしい。ぴかーっと、自分の頭を指さしたときは、観衆から馬鹿ウケした。

ハゲは他人からハゲ（badly）と言われるのを極度に嫌う。だから自らを笑いのネタにする（getting laughs to laugh at themselves）のだ。これをユダヤ人特有のお笑い哲学とすると、kansai-funny jokeもこの類(たぐい)だ。

He too was a pack leader.（村松親分もぴかいちだった。）

かつて生駒英語道場の二次会（いまは東京の紘道館で月例会後の直会(なおらい)として受け継がれている）で飲み始めると、ひとりの若はげの弟子が、「この魚はうまい、何ですか」と尋ねた。仲間は「はげや」と言う。そのとき私が「共食いやな」と言ったときは、全員、とくに女房、が腹をかかえて笑った。

タブーを破って、笑いに変えるには勇気がいる。あのぴかーっという枝雀の十八番(おはこ)を村松増美氏は受け継ぐつもりだった。不覚。ふたりのぴかいちの天才芸人は、いずれ光沢を失うことになる。

hikkakaru-na (sono-hanashi)

ひっかかるな（その話）。　That bothers me.

ちょっとひっかかる、というオノマトペ風の表現は、英訳に困る。私はそんなとき、英語のやまと言葉にシェイプシフトさせる。botherとかgetに。

What bothers me is ～（ちょっと気になるんだが）と。しょっちゅうbotherを使うと効果を失うので、getに変えてしまう。

What gets me most about her is（that）she hits everyone where it hurts.（彼女に関してちょっとひっかかるのは、周囲の人の痛いところを突く、話し口調だ。）

pittari

ぴったり　perfect

ぴったり呼吸の合うカップルはperfect couple。タイミングがぴったり合う、ならperfect timing。あの人にはぴったりの（理想的な）女性なら、perfect womanとなる。完全な犯罪としてぴったりの表現といえば、perfect crime。

ばれない、くずれない犯罪のことをperfectという。これぞまさに「ぴったり」の嵐といえば、perfect stormとなる。

学校英語では「理想的な」はidealと相場が決まっている。だから、日本人の訳では「おしどり夫婦」は、an ideal coupleとなる。そこには夫婦のあるべき姿という永続性が隠されている。英語国民にはこの視点が欠けていて、perfect coupleとなる。見た目は、そして、いまだけは、完璧（perfect＝発音はプーフェク㋣）、いまに限定される。仮面夫婦を私ならa plastic coupleと訳す。外面をばっちり決めた夫婦仲のことだ。

独立したい雛（ひな）と、独立させたい親鳥の心の準備がぴったり合うことを啐啄（そったく）同時というが、これも"perfect timing"（呼吸がぴったり合う）と訳せる。オノマトペは、ときには万能薬になる。仙人が常備薬として買い込む陀羅尼助（だらにすけ）という万能薬（perfect medicine for intestinal disorders）のようなもの。それが定義（definition）なのだ。理想的（ideal）には、結婚に至るまでのプロセスと、その後の「しあわせ」がにじみ出ている。

しかし、英語には、それがない。いまだけ、外見だけなのだ。perfect crimeは、「完全犯罪」のことで、現時点では絶対にばれない、見事な犯罪だということになる。やばい状態だが、外見は見事な嵐。これをperfect stormと呼び、日常でもよく使われる。あの夫婦は、「仲良く激しくけんかしている」という大阪人好みの情景を描くなら、a perfect stormとなる。口もきかない（giving each other the silent treatment）は、an icy stormとでも訳してみようか。どちらもbad marriageが招いたものと、東京人は解釈する。いっそのことperfectを「ぴったり」と決めよう。

Ooh, that's a perfect translation! ばっちり決まったのもいまだけ。Perfect timing! すぐに気が変わったりして……。

bibibi-to (kandou-suru)

びびびと（感動する） feel it

「びびっとくる」ならget the vibes.でよい。ハリウッドでのロマンスなら、これでよい。vibrationsという波動がgetできれば、恋愛は成立する。あっという間に（before you know it）霧消してもだ。しかし、びびびと「び」がひとつ増えると、かなり深く心奥に響いた状態になる。ここで、感動する（feel it）という動脈英語が登場する。

「感動する」を英訳せよ、と言われると、静脈英語で育った人たちははたと困る。はて、「感動する」とは自動詞じゃなかったか。で、目的語は？　と頭はうにのように、ぐちゃぐちゃになる。

ひ

かつて英文法学者であったノーム・チョムスキー（Noam Chomsky）も悲鳴を上げ、英文法から逃げた。（私の動脈英語文法に共鳴してくれている）西巻尚樹君によると、comeとgoを除き、ほとんどすべての動詞は自動詞と他動詞の両機能を持つという。うーんと唸る。それなら、Yes, I can emote.と表現することもできる。

emoteには、「演技する」以外に「感情を示す」という他動詞もある。少しぎこちない。自動詞だけでは、しっくりしないからだ。やはり、emote（emotionの逆成）よりも、描象名詞の方が据(す)わりがよい。feel emotionでは、同族目的用法的で、ごつごつしすぎる（too grammatical）。目的はitに任せちゃえばよい。だから、Feel it!（感動しろ）という表現が正当化、そして正統化されてしまうのだ。

アイルランドの自由奔放な小説家のトム・ウルフ（Tom Wolfe）の文章哲学は、「感動力」（the power to feel it）であった。絶景を見ても、ソファーの裸女を見ても、ペンを持つ人はすべからくfeel itのできる、びびび人間でなきゃ務(つと)まらないと、名編集者パーキンス（Max Perkins）氏に熱く語った（『難訳・和英「語感」辞典』参照）。

bi-bi-bi-to-kuru

びびびとくる（共鳴） get the vibes

NHK教育テレビ番組からの降板は、私の人生をぐらつかせたが、立ち直りは早かった。経済的困窮を迎えたが、ぎりぎりまでがんばった。またオノマトペに濁音が増えてきた。じくじくした気持ちをしみじみ語りたくなったからだ。40代の後半、産業能率短大からオファーがあり——NHKの威光か——ディベート開発のためのオフィスとともに、助教授の職を得た。出版の話にも花が咲いた。

そのときのひとりの編集者が、人生の転機には断食が必要ではないか、とぼそっとつぶやいた。断食という話に、びびっ（共鳴＝resonate）ときた。しかし、ぐぐっときた（He got me）のは、人生の転機（defining moment in my life）という言葉だ。

藤原紀香が初婚を迎えた、相手の男性は陣内というお笑い芸人。どうして、という記者団の質問に、びびびときたと答えた。島田紳助をびびらせたほどの美人だが、もとはといえば生粋の大阪人。気取らずオノマトペで答えたのだが、このびびびという非日常的なオノマトペは、メディアを通して、日本中にぶわーっと拡散された。

音楽英語では、jibe（調和する）という。NHK教育テレビでジュディー・アントン（Judy Anton）というジャズ・シンガーをインタビューしたときに、何気なくこの言葉を使うと、彼女は「その言葉を待っていたのよ」と、こぼれるような微笑で共鳴してくれた。We were in sync with each other.（ふたりの呼吸がぴったり合った。）米大使館仕込みの斬れる英語であった。

コーヒー・ブレイク

「びびび」とオノマトペ

中津川の緑に囲まれた小さな温泉旅館は、日本一のラジウム含有量を誇る、湯治場である。地熱が落雷を呼ぶ。正確にいえば落雷ではない。雷は天と地のまぐわい（性交）により生じる物理的現象なのだ。ぴかっと光り、ごろごろと鳴っても、それはセックスに近い響きがある。

この『難訳辞典』シリーズ執筆で３度目の宿泊になるが、必ず雨が降り、雷が鳴り、脳内に電気が走るゆえか、最も執筆スピードが高まる。ニコラ・テスラ（Nikola Tesla）はアインシュタイン（Albert Einstein ）が舌を巻いた天才だが、彼のトレードマークは、びびび（vibration）だ。そして、振動数（frequency）だ。重力も振動で片づける。

氏が発見した、マジック・ナンバーの３、６、９も空間の天地人、そして、横の過去、現在、未来を振動で結びつけた天才だ。雷はべつにごろごろ（rumble）といっているのではない。ぴかーっと始まり、ばりばり。びりびり。がりがりーっと破裂的な振動で、人々をびびらせる。

なぜ日本にオノマトペが多いのか。そのヒントは「水」にある。日本は天災（水害、風害、火害、農害、雷害等々）に見舞われ続けてきたお国柄だ。人間も"湿やかな激情"（『風土』の著者、和辻哲郎の鮮やかな表現）とならざるをえない。ギリシャのような乾いたところで生じた、からっとした定義（definition）は通用しない。そこに擬態語、擬声（音）語が地表から噴き出した。定義を好む、数学者や物理学者を翻弄させるのも、このオノマトペという妖怪だ。ゲゲゲの鬼太郎のような、濁音好みの妖怪たちを棲息させる、ぞくぞくさせる湿り気が、夜の静寂に暗躍する。最初に闇ありきだ。

日本の開闢はくらげ群を彷彿させる混沌（chaos）であった。エントロピーがゼロ（random）に近いくらげ（jellyfish）のようであった。音霊はこの頃から生じた――ごろごろ、がらがら、ばりばりと、轟音を立てながら。

私が提唱する動脈英語（血が交わる英語道）は響き（vibration）に過ぎない。縄文人が弥生人と遭遇したときに、殺し合ったであろうか。分裂ではなく、融合しあったはずだ。まさに響き合ったのだ。剣や言葉ではなく、銅鐸などにより、音の響きを交換し、まぐわいを楽しんだはずだ。日本の古神道は、この戦争なき、武器なき、縄文の心でvibrateし合ったのだ。

ふたりの間になにか「びび」ときたというとき、その振動（vibration）を描写するには、口語英語のvibesがぴったりだ。 そしてchemistryだ。Mysterious chemistry worked between us.

日本人が得意とするコミュニケーションは、化学であって、物理学――中国や砂漠国はこちらだが――ではない。そして言葉は、人間が開発したというより、神や自然の「はたらき」(forces)により、化学的に醸成されたものであった。どうだろう、この拙説。少しはびびびと響いただろうか。Get the vibes?

hyou-hyou
ひょうひょう　nonchalant

漢字の飄飄(ひょうひょう)には、風がどちらにもくっついている。つまり、ひょうひょうとは、風の吹く音(ひゅうひゅう＝whistleが近い)。空中で翻るさま、当てもなくさすらうさまだ。フーテンの寅さんのように身軽に動く人は「ひょうひょう」と表現できそうだ。いま、テレビ番組(メーテレ)で知った。俳優の中村雅俊(なかむらまさとし)の想い出を学友が語っている。
「すごく固いもので、中村が先生にぼかーんと殴られていたことを覚えています。」
「で、中村くんはどんな表情でしたか?」
「ひょうひょうとしていました。」
このひょうひょうは、ほめ言葉だ。これがけなし言葉になると、「けろっと」か「どこ吹く風と」「蛙の面(つら)にしょんべん(brazen-faced)」となる。和英辞書は、has an easy-going characterをはじめ、すべて苦しい訳ばかりだった。
一方、同じひょうひょうでも、「けろっ」は、けなし言葉に変わる。nonchalant(無頓着な、平然とした)と、大胆不敵さが加わる。前述したが、私の大学教授時代、「松本教授は、授業中平然とディベートを教えている」という怪文書が流されて、痛い目にあったことがある。この「平然と」が「悪びれることもなく」とか「どこ吹く風」と味つけされると、nonchalant(ノンシャラン)だ。こんないい例文が見つかった。
A Druid yearling nonchalantly crosses the road,ignoring the cars.
(ドルイド狼の一歳児が、車を無視して、ひょうひょうと道路を横切っている)(*The Wisdom of Wolves* Penguin, p15)
詐欺師の特長は、研究家によると、ばれても、「けろっと」できるノンシャランな気質だという。「どこ吹く風」のニュアンスは、

sing another songだ。Those con artists know how to sing another tune.（ああいう詐欺師は、つねにひょうひょうと演技ができる人たちなのよ。）

hyotto-shitara (～kamo)

ひょっとしたら（～かも） possible

まず、ありえないが、まったくないと言えばうそになる、というぐらいの「ぼかし」を表すなら、possibleだ。確率論的には、20%以下、いや2%以下でもポシブルなのだ。

「うーん、否定はできない。」Um, that's possible. ほぼ否定なのだ。その反対の、ほぼ肯定がprobableだ。確率は80%以上と相場が決まっている。こんな難訳英語がYouTube戦争で勝ち抜けることができるだろうか、と問われると、「さあー」としか答えられない。

この「さあー」は、Possible, but not probable. だ。英語は日本語と較べて、数学的なのだ。物理学的でもある。この左（no）のpossibleと右（yes）のprobableを足して2で割り、右寄りの「中間」があるとすれば、それがplausibleだ。

英和辞典的に、いや静的（static）に「もっとも」とか「うなずける」とか「まことしやかな」と文法的に訳せば、思考が混乱する。動脈英語は、もっと動的（dynamic）でrisk-taking（ロマンがある）なのだ。しかも、目にも残像として残るので、客観性があり、それだけより物理的だといえる。physical（物理的）？

――ひょっとしたら、私の日本語訳が間違っていたりして。

Possible ―― sort of.

hiri-hiri

ひりひり sting / smart / hurt

「日光浴で肌がひりひりする」はsting。My skin stings (hurts) from sunbathing. ひりひりした痛みはsmartかstingと、和英辞典で教えてくれる。

刺すように痛むひりひりはsting。煙が目にしみて、ひりひりするはsmart。stingも使える。My eyes smart from the smoke. The smoke stings my eyes.

はちに刺された痛みを思い出そう。私にとって、あのbee's stingの痛さは忘れられない。

オノマトペを苦手とする外国人にはhurtだけでよいような気がする。The smoke gets in my eyes and it hurts.だけでよい。「和」を大切にする日本企業の職場環境は、いつもひりひりしている。場（空気）が読めないといわれると、浮き上がってしまう。

You don't belong there, if you don't get the message.

個を大切にする海外のビジネススクールでMBAを取得した人が、日本社会で浮き上がるのは、この「空気」が読めなくなるからだといわれている。もし読めるようになると、空気という妖怪が悪夢になる。ひりひりが、ぴりぴりに変わる。

日本企業で、なぜMBA（Master of Business Administration 経営学修士）が浮かばれないのか。かつて、ハーバード大学にたびたび足を運び、社費留学制度が日本企業にプラスにならない旨の論文を発表したことがある。それをcultural reentry shock（文化的再帰国ショック）と一言でまとめた。

私の調査によると、海外で学んだ知識は日本の職場では活かされず、日本ではほぼ英語は活かされない。海外で身につけた箔は、日本という単一言語文化では、かえってマイナスになる、という絶望感が重なるばかりであった。

ワシントンの日本大使館から、かつての教え子が電話をかけてきた。ソニーの女性社員がアメリカ留学でMBAをとり、英語がペラペラになったが、帰国して元の古巣に戻ったところ、仕事がなかったということを知り、子どものように泣きじゃくった、という。「しっかり勉強してこいよ」と励まされて、出陣したのに、本社へ戻ったら英語が使える仕事はなかったというのだ。ソニーのような国際的企業でも村社会ですね、と大使館員は苦笑していた。

だから、遠藤功氏が『結論を言おう、日本人にMBAはいらない』（角川新書）というタブーに触れた本を出されたときに、「よくもまあ」（How dare you?）と驚き、その勇気にシャッポを脱いだ。わくわくしながら読んだが、内容は予想通りであった。日本という単一民族国家では、実用英語は不要になった。

「じゃ、MBAが帰国した日本で出世する方法はありますか。それとも不可能ですか」と永田清博士（エドモンド永田の名で知られている）に突っ込んだことがある。そのときの氏の答は示唆に富んだものだった。
「むずかしいな。あるとすれば、アメリカのビジネススクールで学んだことを日本では一切使わないこと。MBAが日本で勝ち残る方法はこれしかない。」
　まさに、言い得て妙だ。やはり経営コンサルタントのトム・ピーターズ（Tom Peters）のいう現場感覚（That's where the action is.）だ。エクセレント・カンパニー（excellent company）の条件のひとつは、現場（where the action is）感覚で溶け込むことだ。ひりひりした感覚（touchy-feeliness）を学ぶことだ。そこが職場とすれば、それはひりひり感から自然に身につける空気感覚（空気を読む力）だ。空気が読めない人は、はじかれる。
　上司の顔色を窺うだけでもtoo close for comfort（ひりひりがぴりぴりに近づきすぎる）のため失格。「空気を読め」も「忖度せよ」も英語では"Get the message"としか訳しようがない。やはり、touchy-feelinessしかない。「ひりひり」というオノマトペで縮めた遠藤氏の感覚は見事だ。
　マネージメントの成功は、artとcraftとscienceの３点セットだといわれている。アートは、創造性（精神性）、クラフトは経験（感覚的）、そしてサイエンスは「論理（理性）」だといわれているが、これまでのMBAは、再現性を旨とする経験理論に基づいたケース・スタディばかりだから、現場から遊離してしまう。「ずれる」とはout of touch with realityのことだ。現場とはoffice realityのことだから、ひりひり感という皮膚感覚から離れて存在しない。
　遠藤氏はMBAが日本で成功するには、目の前の仕事にぐいぐいと「のめり込め（sink in）」という。ばりばりとリーダーシップを発揮せよということだ。Lose yourself in action.が近いか。
　ぐいぐいもばりばりも、米語でいえばaggressivelyとなるが、日本の職場ではやばい（too risky）。体当たりするはせいぜいtake chancesか。
　遠藤氏はこの「ひりひり」感に「経営陣との対峙」を含めておられる。そこには、ぴりぴり感が加わる。日本人が避けたがるディベートも加わる。そして、社外のビジネスリーダーとの交渉にも、「ひりひり」の延長としての、ぴりぴりにも耐えうる力が必要だ。

piri-piri

ぴりぴり　touch-and-go

裏で「空気の読めないやつ」と悪口を言われていたと知ると、傷つくものだ。表の発言と、裏の発言が違うことを知って、もう首が飛ぶか、それともいびり出されるのか、と考え始めると、職場がぴりぴりし始める。この状態はtouch-and-goと表現される。

航空用語では、着地するとすぐに離陸せよと命令されるという。touch-and-go situationでは、ぴりぴりして落ち着かない。

職場でも、ぴりぴり（この場合の形容詞はedgyがいいだろう）した（水素ばかりで、いつ爆発するかもしれない）空気なら、酸素が必要だ。それがさわやかな（sporty）ディベートだ。社会のアンチテーゼとして存在する、さっぱりして、叱られ上手な人間とは、さわやかなディベーターのことだ。空気にも汚されず、あやまちを指摘されれば、潔く負けを認める。arguer（議論好き人）や、意地を張る、口論好き人間にさわやかさが加わると、debater（叱られ上手）になる。

空手家の塚本徳臣氏は、全日本で5回のチャンピオンに輝き、史上最年少で極真空手の世界王者になった格闘家だ。氏は言う。「私観を捨て、自分が生かされていることに感謝すると、自分と宇宙がつながり、エネルギーが流れてくる」と。

塚本氏が世界大会に出場する1週間ほど前に、アポなしで会いに行ったという、とんでもない男がいた。その男こそ、私が注目している八戸の小比類巻貴之選手だ。試合前にぴりぴりしている時期であったにもかかわらず、塚本は気持よく小比類巻を迎えてくれた、という（『あきらめない、迷わない、逃げない。』サンマーク出版）。この男にして、この男ありか。ふーん。Hmmm. プロはプロを知るか。It takes one to know one.「蛇の道は蛇」とも訳せる。

この本のくだりを読み返して私のペンが止まり、身体中の震えを覚えた。NONES CHANNELの番組Global Insideで自分の非力を認めてしまったからだ。月1回、4、5時間の収録に近づくと、数日前からぴりぴりし始める私だった。そんなときに、小比類巻君が来たら、大声で怒り、ただちに追い返していただろう。

英語道を口にしていた私の英語情報、人間のパワーの３大要素が不足していた。ぴりぴりしているとき（on the edge of a psychological breakdownから、10年間解放されたことがない）こそ、心の余裕が必要なのが、格闘家の道なのだ。私にはその覚悟があっただろうか。Pretend you're relaxed, when you're tense. と口ずさむほどの心のゆとりが。

ところが格闘家の試合前は、tenseやstressfulどころではない。edgyなのだ。edgeとは刃物の刃のこと。on edgeがぴりぴりする状態であることがわかるだろう。この形容詞がedgyだ。ぴりぴり、とげとげしい、怒りっぽいという感じだ。Tsukamoto was supposed to be edgy with anybody, including a gatecrasher like Kohiruimaki.

piri-piri-shita

ぴりぴりした　edgy

なぜedge（刃物の刃）なのか。その鋭利さ、切れ味がシャープであるから、ふち（端）の人たちがぴりぴりするのだ。香港人の抵抗が、いま現在（2019年10月８日）で３ヵ月も続いている。YouTubeで成り行きを追っている。"Hong Kong on edge"という表現を何度も目にした。2020年になっても、香港が北京からぎゅうぎゅうと締め上げられている。「ぎすぎす」の関係が台湾に転移しはじめた。

空気がぴりぴりしている（tense）会場は、an electric atmosphereと訳される。どういうわけか、電気が使われる。厳しいボスの下で働く社員はぴりぴりしている（on edge）といえば、edgyと表現できる。生意気な、とんがったやつは、すべてedgy guysだ。とんがったやつは必ずしもマイナスではない。流行の先端を走る（on the cutting edge）やつはシャープな人間に限られるからで、たのもしい。

ふたりの天才、トマス・エジソン（Thomas Edison）とニコラ・

テスラ（Nikola Tesla）のthe battle of currents（電流戦争）は、ぴりぴりしたものだ。直流（direct current）と交流（alternating current）の闘いでは交流のニコラ・テスラが勝った。天才といわれたアインシュタイン（Albert Einstein）が、「本当の天才はニコラ・テスラだ」と認めたという。古代ギリシャの三段論法の時代が終わり、スパイラル・ロジックの時代だと、狼煙（のろし）をあげた私の「六角ロジック」もニコラ・テスラのalternating principle（交流原則）に近いものだ（前著『難訳・ビジネス和英辞典』の参照を乞う）。

とにかく革命的な思想は、ぴりぴりした環境（electricity）から生まれるものだ。私が敬愛するニコラ・テスラなら、その心は、波動（vibration）と振動（frequency）さ、と、さらーっと（just like that）述べるだろう。彼のような天才の生き方にあやかれるかな。“I wonder if I can fit in.”オノマトペを振動英文法（vibrational grammar）に組み入れようとする私のがむしゃらな（dare-devil）発想は、ニコラ・テスラの生き様からもヒントを得たものだ。

コーヒー・ブレイク

「ぴりぴり」と「ひりひり」

「ひりひり」には求める必要があるが、「ぴりぴり」はできれば避けたいものだ。「ひりひり」とは、「切迫した緊張感や熱気が強く感じられる」様子。しかし「ぴりぴり」は「わずかな刺激にも激しく敏感に反応しそうに、神経が張りつめている」様子。両者は大きく違う。

日本人は、話し合いは好きだが、せいぜいひりひり止まりだ。だからブレーン・ストーミングやディスカッション止まりとなる。建前（たてまえ）だけの話し合いは、ホンネが聞けない。どうしてもディベートが必要になってくる。

ディベートは必ずしも学生同士が行うアカデミックディベートばかりではない。複数の人間が集まって、わいわいがやがやするのもディベートである――「前向きである」という前提がそこにさえあれば。

二宮尊徳（にのみやそんとく）という日本が誇る経済学者は、それを「芋こじ」と呼んだ。上杉鷹山（うえすぎようざん）も五人組というチームワークづくりの信奉者で、この「芋こじ」を勧めた。芋がごしごしこすり合うと、お互いの皮がむけていくように、全参加者が学び合うことができる。近江商人の「三方善し」(win-win-win) を上回る、日本式ディベートだ。

その原点は、神主たちの蹴鞠に近い。「けまり (kemari)」とは「古代以来、主に朝廷、公家の間で行われた遊戯。通常8人が革の沓をはいて、鹿革のまり (leather ball) を足の甲で蹴り上げ、地に落とさないように受け渡す」遊戯 (aristocrats' game) である。私がディベートを究論と訳すのは、こういう球技の「遊び」や「道」の思想から来ている。hurtingよりhealingだ。

西洋では、ディベートはボクシングやアメフトといった闘争競技と類推されるが、私が求めているのは究論道 (the Way of Debate) だ。そのhealing debateとも訳すことのあるkemari debateの精華は、恒例のICEE (お祭り型検定試験) で発揮される。「華」(wow factor) を競うことは、勝敗にこだわることではない。こだわらないことである。結果より過程 (プロセス) の効用を説く。

お祭りには「ひりひり」(stimulation/excitement) があっても、一触即発 (touch-and-go) といった「ぴりぴり」(touchiness/edginess) はない——あってはならない。

社内にぴりぴりさせる社員 (edgy employees) がいると、いらいらした職場の空気から、ぴりぴり感が生じる。Edginess gets born of frustration.

ビジネススクールの致命的欠陥は「現場」がないことだ。MBAの代名詞となった「ケース・スタディ」には、ひりひり感がないという。

単純化されたバーチャルな世界では、責任の重さや複雑な利害関係から生まれる緊張感や不安感、高揚感がないまぜになった「ひりひり感」を体験することなどできず、そこには達成感がない。

コンサルやインターンもこのひりひり感を生み出せない、ということが私のMBAたちとのコラボ体験でもわかる。分析が大好きで、口は達者だが、現場感覚に乏しく、抽象論ばかりで、まったくひりひり感がない。過去の実績に酔うばかりで、きらびやかな夢ばかりを追う幼児体質から抜け切らない、ナルシストたちの集団から、団結心（esprit de corps）は生まれない。ましてや「和」などは。

piriri-to (karai)

ぴりり（と辛い） hot and spicy

「ちやほや」を「甘やかす」というトーンで捉えると、「女子力で勝負できなくなり、人生の曲り角（over the hill）に直面した女医たち」への、「花の命は短いからこそ価値がある」という女医（フリーランス麻酔科医）の筒井冨美氏のコメントには、ぴりり（ぴりっ）と胸の痛みを感じる。Her comment hits female physicians over the hill where it hurts.

このwhere it hurtsが痛いところだ。それに辛さを加えると、hot and spicyとなる。しかも、「嘘で昼飯は食べられるが、夕食にはありつけない」というアラブの格言で味付けされている。さすが。峠を越した、おんなで勝負する女医に「ぐさーっ」と響いたはずだ。この「ぐさーっとくる」痛みは、where it really hurtsだ。

おんなで勝負といえば、この女医なら、私にこう反論するだろう。「私は、〈おんな〉とは言っていない。〈女子力〉と言っています」と。「でも、あなたもいつ問題発言（politically incorrect）で、やられるかも」とぴしっと忠告するかもしれない。しかし、このドクターXは「いえ、私は発言に失敗はしないので」と、ぴしゃりとしっぺ返し（snap back）をするかもしれない。

pin-pin

ぴんぴん full of life

赤ん坊が母親のお腹を蹴っている状態（alive and kicking）は、まさにぴんぴん。おとなのぴんぴんはbe full of lifeで十分だが、青年のようにはつらつとしている状態なら、going strongとか、still alive and kickingでもよい。in the best of healthというオーソドックスな表現も使えるが、私はあえてlifeとかaliveという言葉を使うことに躍動を感じる。

You sounded so alive on the phone the other day.（この前のきみの声ははつらつ〈lively〉としていたね。）声の「はり」（firmness）をぴんぴんに置き換えたのも、lifeのvitalityを意識してのことだ。はりのない英語は、はりのない人生に投影されたものだ（英語道の教訓）。

ベルクソン（Henri Bergson）のelan vital（エラン・ヴィタール＝生命の躍動）とは、私の好きな言葉である。このフランス語の哲学用語をオノマトペ風に訳せば、「ぴんぴん」になる。You sounded so full of life on the phone.でよい。もし、You sounded so full of yourself.と言えば、相手は烈火のように怒るだろう。「己惚れるのもいいかげんにしろ」と相手の耳に響くからだ。「力」には見えざるpower（strengthも含まれる）と証明（見せること）を必要とするforceの両義がある。

ベルクソンのエラン・ヴィタールとは、vital forceのことだから、第三者の眼に映るものでなくてはならない。力がみなぎっていると、自ずから、はつらつ（ぴんぴん）としていると人の目に映るものだ。

fuka-buka

ふかぶか（深々）　deeply

西山千氏は日本における同時通訳の草分け的存在だった。その師匠にぞっこん惚れ込んだ私は、氏の一番弟子であった。いつもべったりくっついていた。憧れのモーツァルト。美しい日本語とネイティヴ英語が彩なす見事な同時通訳は、多くの日本人を魅了した。ブースの中で師の技をたっぷり学ばせていただいた。

そんな師匠も無冠の帝王であった。氏の陰の努力と孤独を知る人はいない。バスのなかで、老婦人が「(アポロの月着陸の同時通訳をした）西山さんのおかげで、この歳になって月が見えました。長生きしていて良かった」としんしんと頭を下げられた、とNHKテレビの画面で話されたときは、私はじーんときた。

同時通訳は「縁の下の力持ち」（unsung heroes）なのだ。多くの視聴者も西山千氏のうるうるした表現をみて、じーんときたに違いない。しかし、すでに身内となった私は、どこか醒めている。あの「しんしん」とは、深深という漢字を、ひらがなに転換されたのではないか。ときどき、定義を嫌うオノマトペは、いたずらをする。

「先生、あのしんしんは、ふかぶかというのですよ」と、忠告させていただいた。しかし、負けず嫌いな師匠は、「松本さんは、関西の人だから、ふかぶかと言うんですよ」と譲らない。いまから考えても可愛いところがある。

NHKテレビで、師匠の美しい（美声の）日本語に感動されただけで、「しんしん」が「深深」の誤用だった、と気づいた人はひとりもいなかった。日本語より英語の方が得意だった、セン・ニシヤマは、『広辞苑』を引いて、必死に日本語を学ばれた（彼は日系米人の2世で、24歳のときに日本に帰化したのだ）。日本語も英語と同様に美しく、完璧であった——オノマトペを除いて。

busuh-to (o-kanmuri-johtai)

ぶすーっと（おかんむり状態） be in the doghouse

人は、すねると、「ぶすーっ」と無愛想になる。怒って、おかんむり状態になると、誰とも口をきかなくなる。これがin the doghouse。社交術にもよく使われる。the silent treatmentという社交ゲームがそれだ。My wife is giving me the silent treatment.（うちの女房は、ぼくと口をきいてくれないんだ。）

もし、彼女がふてくされて、面会謝絶という状態になると、She's in the doghouse, I'm afraid.という状態になりかねない。また、こんなふうにも使う。

Myanmar is in the doghouse now with the West for its army's ethnic cleansing of Muslim Rohingyas.

民主主義の女神といわれたアウンサンスーチーが、イスラム教徒ロヒンギャを虐待したことで民主主義の敵だと非難されて以来、ミャンマーがぶすーっとしたままだ。西洋諸国とも口をきかない状態だから、犬小屋に入ったまま息を潜め、おかんむり状態を続けている。

コーヒー・ブレイク

ぶっちぎり　epoch-making

世の中には、バケモノみたいな超天才がいるもの。その名は南極老人。『大逆転合格する人だけが知っている秘密の習慣』（学研プラス）を書いた柏村真至氏は、その南極老人は術を求めたが、道からは逃げなかったという。この本の、次のオノマトペが全国の受験生の心を震わせた。「ぶっちぎりの全国一位を取って、その道を証明したのです。」（p72）

なんだろう、この「ぶっちぎり」というのは。前人未到の道を歩き、私のいう「術は道を求め、道は術で証す」を受験道で実証された、驚くべきtrailblazer（パイオニア）だからだ。

氏を私と結びつけたものは「道」である。氏は「受験は情報戦だ」とざっくり喝破する。英語道とは「英語力＋情報力＋人間力」という３点セットであるべきだという私の考え方の共鳴者である。

氏と私は、お互いにびびびときた。Chemistry worked between us. だから、映画『美味しいごはん』の英語字幕を引き受けたのだ――南極老人の要請ならと。それにしても、「オノマトペ辞典」にも登場しない「ぶっちぎり」とは何か。大阪はオノマトペ王国――なんでもあり（Anything goes.）なのだ。

共著者の村田明彦、与那嶺隆之（三者とも私の同志となったカリスマ講師）も申し合わせたように「ぶっち」キラーとして、いま、協同で、受験世界でぶいぶいいわせている。オノマトペとは感覚の世界の現象だから、定義を必要としない。それならふっきれる。ふっとぶとなると、ふっきれる、ぶちきれる、というように、「ふ」の音霊が音の世界に入る。

「ぶ」から始まる日本語は鋭利な刃物のように、ぶすりと切れば血が出そうだ。「ぶすり」とは先の尖った物で、肉厚な物などを深く突き刺す音のこと。山口仲美氏によると、明治期の終りから広く使われ始めたらしい。

「百人一首」で私のおはこは、文屋康秀だった。「吹くからに……」という上の句。「ふっ」という読み手の声と同時に、私の手が風を切った。誰にも取られたことがない。だから「おはこ」。

「ふっ」は、口をすぼめて1回軽く息を吹く音。ろうそくやマッチを吹き消すときの呼気のこと。ふっふっふと笑うとき、吹き出すときの瞬発性が「ふ」。
「ぶ」と濁音になると、細い穴から風などが一気に激しく放出される音。放屁（ほうひ）（break wind）もそうだ。風を破る、か。ぶっと笑いたくなる。おかしくて堪えきれず、吹き出す笑い（burst out laughing）だから、上品な笑いとはいえない。
　南極老人は、決して途絶えることのない常識という壁をぶち破った――ぶっつりと。ぶっつりとは、縄やベルトなど太い物がちぎれる様子だから、まさにbreak open。刑務所の壁をぶち破り、脱走する（get away）ことはbreak outという。新型コロナウイルスのoutbreakも、ウイルスのぶっち切れた状態だ。
　柏村氏や謎の同老人を取り囲む仲間たちと志を同じくする私などは、こてこてのなにわ風の「つぶし」、いやprison breakersなのかもしれない。
　蛇足ながら、このハ行（ハヒフヘホ）は、解放感やスピードが加わると、ほっとさせる。これは英語のF語に近い。fから始まるfire、fan（扇）、fun、fart（屁）、forceは、ふっと現われて、ふっと消える一過性のものだ。それに力が加わると、ぐっと重くなる。break（破る）、bend（曲げる）、beg（乞う）には、声や音が加わるので、よりパワフルだ。
　bという濁音を、男性好みのブレイクスルー系と定義される黒川伊保子氏の次の言葉は、傾聴に値する。
「濁音四音（B, G, D, Z）はこの膨張＋放出に振動を加えた、膨張＋放出＋振動の発音構造になる。Gは喉をブレイクスルーするK音に喉壁の振動雑音を加えて出す音、Dは舌をブレイクスルーするT音に舌の振動雑音を加えて出す音。Bは唇をブレイクスルーさせて出すP音に唇の振動雑音を加えて出す音である。」（『怪獣の名はなぜガギグゲゴなのか』新潮選書、p134）
　どうりで、日本人の耳には英語のPとB（baoはパオの響き）、そしてDとT（道（どう）のdaoとtao）が同じように響くはずだ。
　道がパワーなら、術はフォースだろう。powerは静かだが、forceという物理的な力には、見えるように証明（prove）する義務が

ふ

ある。「思い」はパワーであるから、それを顕らかにするには、言葉というフォースがいる。このフォースが私のディベートの勧めとなり、筋の通らぬ俗論をぶった斬り始めた。

自説のつたなさをさて置いて、周囲の不条理を「ぶった切る」「八つ当たりする」という言動を英訳すればtake it out on othersとなろうか。死に物狂い（like mad）で過ごした浪人時代を人生の糧にされた南極老人だからこそ、自信をもって「恋愛を振り切って自信に変えよ」と開き直ることができるのだ。

本番主義（play for real）をぶっ通される氏だからこそ、「受験勉強が“道”でなく“術”に成り下がっている」と、ざっくり論難されるのだ。受験経験のない私など、ぐうの音も出ない（I lost speech）。

ひとつの道に賭けよという氏のロジックには冴えがある。筋金入りのロックファンを諭し、受験「道」に開眼させた氏のざっくり論法は、じつに目映い。熱狂的なロックファンは、ことごとく受験に失敗している、そのロジックは何か。ロックの底流には個や我に執着させるロジックがある。ロックは反社会、反権力、反体制のメッセージを発信するための破壊的な音楽で、人の集中力を狂わせるサブリミナル効果があるからだ、とlogical thread（論理の糸）をがっちりと繋げている。私があえて「ざっくり」というオノマトペを使いたくなった所以である。

butsu-butsu (iu)

ぶつぶつ（言う） grumble

愚痴や不平を言うこと、すべてgrumbleで通じる。お腹がぐーぐー鳴るのもgrumbleだ。雷も遠雷となるとgrumble（とどろき）になる。

「元気？」と問われて、「まあまあだ」とか「ぼちぼちやな」と答えるときは、I shouldn't grumble. 私はよく、（Maybe）I shouldn't complain.を使う。

ぶつぶつ言う不平屋（grumpy guy＝むずかるやつ）に出くわすと気分が悪くなる。grumblyはまだ可愛いが、grumpy（気むずかしい、むずかる）やつは可愛くない。いや、こういうむっつりしたネクラタイプに会えば、誰でもむっとする。They'll be miffed. miffedとは、「むっとさせる」という口語表現。入学試験には出ない。

mutter at 〜は同じ愚痴でも、もぐもぐとつぶやいている状態だが、complaintは、他者の耳に入る。苦情に近い。その真ん中にくるのがgrumble。 He's often heard grumbling about everything after work. 職場から離れると（after darkでもいい）、愚痴っぽくなる（grumpy）。

気むずかしい人は職場でもむずかるので、どこか外へ連れ出して、クレーム（正しい英語ではcomplaint）を聞いてやることにする。どこかムーディーな喫茶店で。いや、このムーディーという和製英語も困ったもので、with atomosphereと訳そう。

moody guysといえば、気分屋で、むっつりした、ねちねちと愚痴り始めるタイプの奴らだ。決して雰囲気のある人物ではない。気むずかしい人間は、よく愚痴る。grumble, gripeと、類似語にG語が多い。

ところが、いやなやつと別れると、あかすりマッサージを受け、さっぱりする。この「あか」をgrimeという。こんなふうに使う。I had my grime rubbed off my skin at a Korean-style akasuri parler last night.

bura-bura

ぶらぶら　bum around

hang aroundは、まだwander about aimlessly（うろちょろ）に近い。そして、未来に対する不安感を背負っている状態だが、bum aroundとなると、「うろうろ」から「ぶらぶら」に落ちぶれる。

濁音がつくと、やばくなる。怠(なま)け者になる。誰かの情にすがって生き続ける人は、bumとかmoochersと呼ばれる。金持ちにたかり、（何かを）ねだる人生を好む人はすべてmoochersだ。

buwah-to (hirogaru)

ぶわーっと（広がる）　go viral / blossom

難訳語中の難訳語に「ぶわーっ」というオノマトペがある。大阪人が好む表現だが、このオノマトペは全国的にウイルスのような広がり（go viral）を見せている。「にきびがぶわーっと広がる」は、Acne（pimples）blossomed. ぶわっと広がるを、咲く（blossom）と訳してみた。赤潮のように、水の華が開花する場合にもblossomが使われるが、「ぶわーっ」には瞬時性が加わるので、blossomを用いる。blossomは、パラシュートが開くときとか、女盛りや青春が全盛期を迎えるときにも使える。cherry blossomsのように。「ぶわーっ」とは、斬れのいいオノマトペだ。

Everyone blossoms early. But, believe me, I'm known as a late bloomer. Trust me, I'll blossom some day.（みんなは咲き急いでいる。でも、ぼくは、大器晩成型で知られている。きっと、いずれぶわーっと咲くから、信じてくれ。）

fuwa-fuwa

ふわふわ　fluffy

「ふわふわ」を『新和英大辞典』で調べると、例文はかなり多岐にわたっている。難訳だけを拾い上げ、核（core）となる英語の語感（the feel of English）を探ってみると、案の定、F語が多かった。

『難訳辞典』シリーズの特長は、「使えるかどうか」というプラグマティズムが原点にあるので、無駄と思える解説は切り捨てる。

「断捨離」をletting goと短く、俳句的にまとめるのも、オノマトペに魅せられた筆者の趣向のひとつだ。ふわふわはfuwa fuwaでもいいし、huwa huwaとローマ字表記してもいいが、ハ行をいっそF語と類似させてみるというのも、私流のプラグマティズムだ。

今井むつみ氏は、オノマトペは「意味のコアを見つけるのを助ける」うえに「言語の発達に役立つ」という、私と同じ立場に立っておられる。

ふわふわをF語でfluffyとまとめると、最近流行り出した「もふもふ」も、fluffyの中に収斂させることができる。F語も「ふわふわ」や「もふもふ」と同じく、長命になる。

「ふわふわ」というオノマトペの語感（the feel of language）を探ってみよう。

軽やかなさま　fluttering manner
ふわふわ浮く　float（lightly）
ふわふわ飛んでいるタンポポの綿毛　floating dandelion fluff
ふわふわした（柔らかなさま）　flossy, fluffy
ふわふわした布団　a soft fluffy mattress
ふわふわしたオムレツ　a fluffy omelette

『新和英大辞典』でF語を拾っていると、ふわふわした気持ち（the light-hearted feeling）になる。

ふわふわした手は、flabby handだ。商談に向かない多くの人の握手は、flabbyだ。

ふわふわと付和雷同する輩はblind followingのことだ。followersでも、いずれleadersになってみせるという意地がなければ大成しない。きっとぼたん雪のように、ふわりふわりと地上に落ちて消えうせるだろう。

You'll fade out like snowflakes come feathering down.

feather down（ふわりふわりと降る）は、いかにも詩的な表現ではないか。

このpoeticな表現にも、オノマトペが隠されている。そのうちにオノマトペが雨後の筍のように、もぞもぞと地上に這い出して、ふわふわと舞い上がるだろう。

More and more onomatopoeia will mushroom after a rain and flutter up in the air.

筍ではなく、オノマトペがキャピキャピした女性（flaky girls）のように、うきうきしながら狂い舞いしかねない。

funbaru

ふんばる　Hang tough.

2019年、甲子園球場で、沖尚応援団に交じって、「がんばれ（頑張れ）」「ふんばれ（踏ん張れ）」と声援を送った。なぜ両言語のリズムが強力だったのか。「が」は「あ」に、「ふ」は「う」に繋がり、前者は、「攻め」、後者は「守り」となっている。「勝つんだぞ」と「負けるなよ」とのコラボで力強く響く。

黒川伊保子氏は述べる。「母音のａは明るく、oは暗い、iは強く、uは弱い。mやｎは女性市場に向き、濁音は男性市場に向く……などの「セオリー」は、ネーミングやコピーライティングの現場では、昔から言われてきたことだ」（p71）と。

「i」が強く、「u」が弱いのはよくわかる。私は「u」は「上」へ昇り、「う」は「下へ」沈むと観察している。マッサージを受けるときに、「うわむきに」は上、「うつむきに」は下。と正反対の方向に向かうのだ。「う」は同じように、「わ」のaと違った「つ」のuの違いになって表れる。

「う」音は裏、浦（うら）。暗（くら）い。うっとうしい、うるさい、うざいと、トーンはやはり、暗い。しかし、底からふんばって這い上がる、浮き上がるパワーは、周囲の励みになる。

「うーん」とふんばる音は、英語では同じくoomphとなる。腹から出る音だ。Hang in there.（がんばれ）より、Hang tough.（ふんばれ）の方が力強い。

bun-bun

ぶんぶん　hum

humと、お腹から声を出してみよう。頭ががんがん鳴るときもMy head hums.という。ハチ、こま、機械がぶんぶんと音を立てるときも、鼻歌を歌う（hum to oneself）ときも、すべて、hummingだ。

このhumは、活気を与える、景気をつける（make things hum）というときにも使える。電源からくる低い唸り（ハム）もhum。

相手の言葉に疑いや不同意のときに発するフーンもhum。日本語のブンブンやブーンは、英語ではhumがよく使われる。英語のB語のbooingは、ブーイング（野次）で、ハチのブンブンはbuzzが用いられる。

humに戻り、次の短文を音読してみよう。音とともに語感を摑んだら、すぐにでも使いこなせるはずだ。Female mosquitoes hum by beating their wings up to 1,000 times a second.

英語の発音記号の［ʌ］に注目しよう。hum［hʌ́m］, buz［bʌ́z］, com［kʌ́m］は腹から出る自然音だ。のどから出る日本人の「あ」

ではない。comeは日本人が発音するカムではなく、コムと胸の内部から出る。

pun-pun-niou

ぷんぷんにおう　It smells. / smell strongly (of)

においに関するオノマトペはきわめて少ない。72ページで調べたついでに、官能小説『美人派遣社員』を再読したが、この世界では味覚と嗅覚に関するオノマトペは皆無に近い。

「ぷんぷん」に関しては、山口仲美氏が「……転じて、何かの気配が漂う様子として比喩的にも用いられる」と述べている。

この個所を読んだ私は、「さすが」と思った。彼女はさらに類義語を解説する。

ぷんぷんが、においがあたりに立ちこめて鼻をつく様子なのに対して「ぷん」は一瞬におう様子、「ぷーん」はにおいが徐々に広がり漂う様子、「つんつん」は酢のように、刺激的ににおう様子。これはネイティヴやAIロボット翻訳者を悩ませる。英訳すれば、外国人も大いに助けになるだろう。

その点、尾野秀一編（レズリー・エマソン協力）による『日英擬音・擬態語活用辞典』は圧巻だ。かゆいところに手が届く英訳を紹介しよう。

Pun-pun describes a strong, often overpowering smell, while Tsun describes a strong biting or stinging sensation felt in the nose upon eating something purgent.（p17）

（「ぷんぷん」は、においが続く、強烈すぎる場合が多い。一方「つん」は、何か刺激物を食べて、鼻をさされたような感じである。）さらに、このふたつには、「良い」とか「悪い」とか「すばらしい」といった形容詞をつけないと、香りやにおいの種類を適切に表し得ない、と。

香り（scent）とにおい（smell）を使い分けて解説されているから、なんともニクイ。尾野氏は、さらに述べる。

……こういった香りの表現の少ない日本語に対し、英語では香りの表現を10のことばによってかなり細かく区別している。

1. aroma　うまそうな香り（コーヒーなど）
2. flavor　口のなかに入れたときの感覚（果物など）
3. perfume　化粧品等の香り
4. smell　嫌悪させるにおい（毒草はsmell）
5. fragrance　風に乗って吹かれてくるような心地よい香り
6. scent　動物の遺臭。ニュースの手掛かりとか
7. odor　臭気。bad smellを指すことが多い。
8. bouquet　ワインやブランデーの香り
9. redolence　気持ちのよい混合された香り、食品雑貨店など
10. stink（stench）　有害でいやなにおい、犯罪のにおいなど

この男はあやしい、ぷんぷんにおう。このぷんぷんは、嗅覚を刺激するから、不快感を伴う。その話、ちょっとやばいといえば、犯罪のにおいがする。その場合、やはりS語が探偵になりすまして、登場する。こいつ、犯人かな。It stinks. ぷんぷんにおう。

浮気した男は、帰宅するときはにおいを消す。そして、いつになく女房サービスが濃厚になる。そんなとき、女の直感は、嘘かまことかを嗅ぎ分ける嗅覚（the sense of scent）が異常に働く。It stinks.（今夜の夫にはにおいがない。シャワーを浴びてきたのか、無臭。うーん、におう。）このにおいはsmellやstinkを超えた生物界のscentに近い。においのないにおい。あやしい。密偵に頼んで夫の素行調査でも……。妻に浮気心が浮上し始めるのも、この頃からだ。

どこかに、お金の余った浮気っぽい（flirtacious）男はいないか、と悪魔（the devil）にささやきかける。余ったお金は腐敗したものだから、臭気を発する。そんな金持ちを表現する斬れる英語表現がある。a stinking rich man（腐るほどのお金持ち）だ。そんな男の方でも嗅覚はすぐれている。オレに近づく女、ぷんぷんにおうぜ。Every woman who gets close to me stinks. Why? She just stinks. 説明はいらねえだろう、というときに、justを使う。

コーヒー・ブレイク

ぷんぷん（におう）とオノマトペ

目や耳や皮膚から感じるオノマトペは多彩だが、どうも鼻で感じるオノマトペ表現が乏しく、この『難訳辞典』の編集期間中、嗅覚英語にはずっと悩まされてきた。その点、『新和英大辞典』にはシャッポを脱いだ。

ぷんぷんにおう（ぷんぷんする）「smell strongly〈of〉; give off a strong」「smell（fragrance, scent）; give out」「piquant（pungent）smell」「［悪臭が］stink（reek）《of fish》」。

ごくろうさまと言いたくなる。

たしかに、硫黄（いおう）のにおいはthe strong smell of sulfur、香水はa scent of perfume、「ぷんぷん怒る」はfume（with rage）、huff and puff。とくにこの辞書の圧巻といえる例文がこれ。「何をそんなにぷんぷんしているの？」What's eating you? What are you so miffed about?

私はおいしい例文にこだわる。What's eating you?（何をそんなにぷりぷりしているの）という英文は、オノマトペ風に訳さないと、通じない。かつて*TIME*が男優ディカプリオ（Leonardo DiCaprio）を取材したときに、見出しが、What's eating him.とWhat's he eating?を併記していた。この浮かぬ顔のディカプリオは、いったい何を食っているのか、という「つかみ」（catch）だった。におい（匂い、臭い）ほど多岐に使われる名詞は少ない。

いきなり「どうもにおう」を通訳しろ、とせかされても困る。It smells.かIt stinks.（何かあやしい）。S語が増える。It sucks.（さいてえ）

しかし、香水のにおい（香り）は、scentが無難。『リーダーズ英和辞典』はa cold scent かすかな（古い）臭跡、get the scent of victory 勝利を予感する、lose the scent 手掛かりを失う、とサービス精神を感じさせる。そうだ、昆虫もcommunicate by scent. 水中の鮫もget the scent of blood.（血のにおいをかぐ）というように、嗅覚は生物界に共通するのだろう。

ところで、このぷーんは、擬情語ではないかと、ふと勘ぐってしまうことがある。こんなまぎらわしい英文があった。......the next morning I woke up, and he had a bouquet of my favorite flowers in every room.（*Sex and the City*, p131）

このbouquetは、花束だが、（ワインなどの独特な）香り、芳香、芳気を意味することもある。私は文体のブーケにこだわる。ブーケのなかには（演技、文芸作品などの）香気、気品があり、臭感を超えている。

人は誰しも作者の臭跡を気にするものだ。「文章は人なり」というときの「人」とは、書いた人の臭気のことではないか。『難訳辞典』を編むときに、最もペンの気を遣うのはaroma（芳香）だ。ギリシャ語のarōmaとはspiceのことだ。原料のぶどうに由来するワインの香りのことだ。嗅覚が弱く、しばらく嗅覚をほとんど失っていた文筆家の私にとり、アロマはいまも私にとり死角だ。こんな英文に嫉妬を感じてしまう。

"Look. Grass. Trees. Breathe in the aroma of freshly mown grass."（*Sex and the City* p97）

（「見なさい。草や木々を。刈りたての芝生のアロマを吸い込みなさい。」）

この文体からぷーんとアロマがにおってきたように、私もにおいのオノマトペを求めて、かぎ回ったものだ。I have sniffed and snooped around in searching of literary aroma. くんくんかぎ回る犬のような私だった。少しでも臭跡を残すために、like a dog nosing around on the groundという英文でも加えてみようか。

peko-peko (suru)

ぺこぺこ（する）　play up to ～

「へこへこ」は、弱々しく、頼みやすい様を表す擬態語だが、よく見えない。むしろ擬情語に近い。卑屈な（servile, subservient, slavishとS語に含められる）といった情景だが、ぺこぺこは、視界に入る。ぺこぺこと、こび（bow and scrape）ている情景が、よりクリアに映る。叩頭（こうとう）（kowtow）は、活字の世界でもよく使われる（kowtowing to one's bossのように）。

「客にぺこぺこしすぎるよ、きみィ」は、Stop bobbing your head

to your customers too much. bobはちょこんとお辞儀する、といったしぐさだから、少し軽すぎる。お勧めは、やはりkowtow to ～だ。漢字の叩頭（頭を地につけて拝礼すること）をイメージすれば、ああ、上司の顔色を窺って、ぺこぺことしている（playing sycophant）のだなと、イメージでき、覚えやすく、使いやすくなる。

sycophantとは、おべっかがうまい、追従屋、中傷者のこと。古代ギリシャ人が使った、いやなやつのことだ。見出しには、一般的ですぐにも使える、play up to ～を選んだ。Politicians play up to the people and the media.（政治家は、国民やメディアにぺこぺこする。）The media play up to their sponsors. Sponsors play up to their customers.（メディアは、スポンサーにペコペコし、スポンサーは、顧客にこびる。）

And I'm playing up to you, my readers.（そしてぼくは、あなたがた読者にぺこぺこしている。）

コーヒー・ブレイク

べたーとする（get attached）が許されるのはナニワ文化

べたべたは、水のシンボルを源流としたオノマトペだ。

ナニワ英語道をさらに進め、英語教育ルネサンスをナニワの地で再興するために、東京から戦略的撤退した。理由は簡単だ。東京の人間関係はさらーっとしすぎて、同志の結束が難しいからだ。時間の虜になっているマスコミ人の奴隷になってしまう。時間の奴隷になった人たちの刹那的なゲームに巻き込まれ、あっという間に、志を失いがちになると思ったからだ。コロナにより、大阪に足止めされたことも、幸いだった。

50年前に、大阪で英語界のドンとの異名でぶいぶいいわせ（throwing one's weight around）ていた私にとり、あのウェットな大阪（田舎の中の大都会）は、attachment culture（べたべたした文化圏）であったという、懐しい想い出がある。アルクの50周年記念で乾杯の音頭を依頼され、私は、ウェットとドライというカタカナ英語をあえて使い、「革命はウェットな大阪からだ」と高らかに謳い上げた。

大都会といえば、New York。NYといえば、人間関係はドライだ。小説*Sex and the City*にこんな箇所があった。

"Relationships in New York are about detachment," she said. "But how do you get attached when you decide you want to?"（p3）

（「ニューヨークの人間関係はドライよ」と彼女は言った。「でも、やろうと決めたとき、ウェットな方法はあるの？」）

アルクからの電話で、ICEEのスポンサー快諾の報せを受け、「よし、このウェットなナニワ英語道でいこう（This is it!）」と決意を固めた。このドライな東京でも英語道のわかる人がいるのか。マスコミよりクチコミで勝負してきた私は、ドライ（detachment）より、ウェット（attachment）な方法で人間関係を広げ、英語術の英検に対し、英語道の道検（ICEE）を進めてきた。33周年を迎えるICEE（Inter-Cultural English Exchange）は、世界初のお祭り型の英語による異種格闘技オーラル・コンテスト（口頭検定試験）として、国の内外から脚光を浴び続けている。

革命は、やはりさらさら（detachment）より、べたべた（attachment）の方が向きそうだ。この『難訳辞典』を書き続けている私のビジネスは、relationship businessだ。あるときは、ドライ（術）なdebate、あるときは、ウェット（道）なharageiと使い分けることができる。これが藤本義一のいうナニワの二枚腰（二枚舌ではない）なのだ。

純金をおとりにした「まがい商法」は、大都会でしか成功しない詐欺行為、つまり虚業の虚だ。それに対し、大阪は実業で勝負に出る。虚から実をもぎとるという二枚腰商法だ。「ほんまに倍になるんやったら、その金を買うカネを、まず貸してくれへんか。倍になったら、その借金をあんたに返済して、残った儲け分は山分けしたらええがな」という危機管理だ。riskでなくcrisis managementだから、ifでなくwhenで対応する。この発想は東京では通用しない。

だから電話で詐欺まがいのセールトークが始まると、私はこんな奇襲戦法で応じることがある。たしか、純金に近い、よだれの出るような（tempting）オファーだった。「すばらしい話ですね。ちょうどタイミングがいい。私はあなたのような人と組みたかった。NHK教育テレビがかつてやっていた英語オンリーの番組を民間でやろうという話が持ち上がっているんです。日本のメディアがアメリカのCNNを追い越すのです。いい話でしょう。この企画のサポーターのひとりとして、私に出資していただけませんか。そうすれば、もっといい条件で、あなたの話にのらせていただきます」。私も声をはずませる。相手の声が急に低くなる。「それってIPO（Initial Public Offering）のことですね……」とつぶやき、電話を切った。30秒で、まがい商法のセールスマンを撃退できた。二枚舌はdouble-tongue。二枚腰（joint strength）たしかにこのNEXUS（結びつき）を用いた関節技は柔道家の私が得意技とするところだ。

Outcon cons.（詐欺師には詐欺術で撃退せよ。）これは、私が勧める「つばめ返し」の術だ。50年も東京に住んでいると、人の善意（good intentions）が信じられなくなり、結局すってんてん（down and out）になったことが何度もある。

beta-beta

べたべた　go along to get along / sticky

よく耳に、そして目にもする動脈英語なので、しっかり覚えておこう。5、6回音読すれば、すぐにでも使える。さて分析してみよう。get alongとは「仲良くする」、つまり「和」（a sense of togetherness）のことだ。これは自然発生（spontaneous generation）的なものだ。しかし、そのために自分の意思を殺してまでも、お付き合いのために同調することをgo alongという。「右向け右」というme-too-ismのことだ。

Everyone here goes along to get along. That's the name of the game here at this office.（みんなべたべたしている。ここじゃ、それが常識なんだ。）

大人の恋はべたつきやすい。stick to ～が形容詞になると、-yがつく。stickyとかclammy（冷たさが加わる）と、ガムのようにべたつくことをgummy（gooeyとも）という。

「彼女にべた惚れしている」は、I'm stuck on her.「われわれは腐れ縁だ」はWe're stuck. 粘着テープはadhesive tape。納豆のべたべたはslimyがお勧め。新鮮なイカの刺身もslimyだ。

男でも女でも、いやにべたべたする態度はslimy。めったに使ってはならないslimyとは、泥のように（どろどろ）、ぬるぬる、ねばねばとしていて、きもすぎる。stickyにしても、slimyにしても、S語だから、性的な「いやらしさ」と「いかがわしさ」がべとついてくるので、生理的に受け付けられない。

べたべたな関係になると、お互いが「間」のもてない関係になる。にかわ（膠）とはglueのこと。stuck like glueとは、にかわのように接着されると困るものだ。相手が男であれ、女であれ。べたつく梅雨の季節は、べたべた（sticky）して、うっとうしい。

男同士が「こいつは悪友でしてね」と、第三者に笑いながら紹介するときは、We're stuck.（腐れ縁でしてね）でよい。誰に対してもべたつきたがる人は、sticky personとして、人は距離を置こうとする。気味わるさが加わると、slimyという形容詞になる。納豆とか、イカの刺身などはslimyで、なめくじに近づく。このオノマトペは「ぬるぬる」になる。このslimyが「きもい」となるとcreepyになる。

She gives me the creeps.は、なめくじのような嫌われ女にまでランク・ダウンする。S語は、slug（なめくじ）やsnail（かたつむり）のように、するするslowly（sluggishly）歩く。こつこつ（slowly but surely）勉強する秀才型はS語が好きだ。先輩の歩んだ道をぞろぞろ前進しようとする。これをstring along（数珠つなぎに繋がっていく。納豆のように）と表現する。私の好きな相手は、濡れ甘納豆のような（しっぽりとしながら、間が保てる）、水商売っぽい話ができる「翳り」のある女性。

読者の反応。しらーっ。Speechless。

しーんなら、Silence. 欧米人は、沈黙を言葉で埋めようとする。シェイクスピア（William Shakespeare）は「完」で止める。The rest is silence. と。

その引用、くどい。Too sticky.

beta-beta-shinai-koto

べたべたしないこと　Give yourselves space.

「べたべたしない」を「間を置く」と転換すれば、難語訳の悩みから解放される。白洲次郎は、夫婦が長続きするコツは、別々に暮らすことだ、という名言を吐いた。

樹木希林という、きりきりした女性の生き方が、いかんとも奇怪だ。彼女の最後の出演作『命みじかし恋せよ乙女』を観た。嘆息をつきながら、見直した（give a second look）。彼女の凄絶な女優人生にも鬼気迫るものを感じたが、彼女の夫（内田）との長すぎる別居生活（奇怪に映った）もすさまじい。「き」という音霊は、どこかきもい。いま超人気のマンガ『鬼滅の刃』などは「き」そのものだ。鬼気迫る。斬られそうなぞくぞく感が私の肌にこびりつく。

「夫は私にべたべたしない」He's not on me. と言えば、夫の方でもShe's not on me. と言ったはずだ。人は問う。Are you cool to each other? と。私はふたりに代わってこう答える。No. That's not it. We're in it together. と。itは、芸能人生とすれば、ふたりはどこかで結ばれていた――人目にはそう映らなくても――のだろう。onは離れるが、inは離れない。『曽根崎心中』は、inの世界。情（in）の大阪の世界。東京は知（on）で技を競う世界。

Big guys get the kind of space they deserve. 腹芸のできる大物はすべて「間」を活かしている。相手の腹にこそっと「in」しながら、狙いにべたーっとonして、求心力を競い合う“芸”を「腹芸」という。英訳すれば、the harageiのことだ。この世界では、言葉は軽い。重いのは沈黙（silence）だ。inという見えない幽界だ。

hebereke (ni-you)

へべれけ（に酔う）　get dead drunk

ギリシャ・ロジックにchoice of lesser evilという、日本人が苦手とするトレード・オフ（どちらかを切り捨てる）がある。どちらも悪であれば、より悪の少ない方を選ぶという考え方だ。

ディベートが、私の問題意識を危険なレベルまで高めてくれる。色（女）に弱いやつか、酒（男）に弱いやつか、どちらの方がタチが悪いか、とふと考え込んでしまう。どちらが危険なレベルにまで理性を失う（go nuts＝はめを外す）か、そしてその悪しき結果（英語ではconsequences）は、という問いだ。

結論を言おう。ビジネス相手として選ぶならと限定すれば、酒にだらしのない男は、やばい。私は陽明学者の横井小楠が大好きだ。たぶん坂本龍馬ぐらい。それも彼が酒に弱くなければの話だ。酒は、人の信頼と政治生命を一瞬にして奪ってしまう。

麻薬で酔いつぶれることをスラングでget stonedというが、これも酒と同じく、get blind deadの類で、犯罪的だ。酒が楽しめる人、social drinkersなら歓迎する。Why? Because they drink responsibly.（なぜ？　彼らの飲酒には責任というけじめがあるからだ。）

pera-pera

ぺらぺら　fluently

苦労しなくても、英語が口から流れるように（fluently）しゃべれたらいいのになぁ、という溜息はポジティヴだ。「だが、ネイティヴの英語が聞きとれないと不安」という人が多い。そんな人に、ネイティヴが期待しているのがこれ。Listen more fluently.（すらすら聞きとれるようになりなさい。）

流暢に聞くという日本語はヘンだが、文法的には正しい。むしろListen quickly.の方が耳ざわりがよい。日本人が苦手なのは、スピーキングよりリスニングなのだが、文科省は、発信能力が低いことを憂い続けている。早くインプットの重要さ（英語道のすすめ）に気付いてほしいのだが。

流暢に聞けないのは、語彙だけではなく、内容の問題だろう。多読・多聴経験に乏しく、話の中身についていけないだけだ。英語情報に自信があれば、自然に話せるようになる。

最近、中学生あたりから――海外経験に恵まれているゆえか――英語ぺらぺら族が増えてきた。オーラル英語のICEEの参加者数も増え、青年ICEE（ICEE YOUTH）が注目を浴び出している。英語がぺらぺらな――中身がないのに――若者たちは軽薄だと決めつける大人たちの偏見も消えつつあると、瀬倉祥子（ICEE運営委員会チーフ）はいう。故・國弘正雄氏は、若者の流暢な英語をチーチーパッパイングリッシュだと、軽視されていた。そんな時代もあった。

だからといって、中身に見合った英語力といえばハードルが高すぎる。その溝を埋めるのがICEE創始者の私の社会的使命ではないかと自認している。その目的はただひとつ。これからの日本人が、国際舞台でぺらぺら英語が発揮できるようなお膳立てをすることだ。そのぺらぺら英語の定義とはspeak English effortlessly（自然に）のことだ。ただ英語をぺらぺらしゃべるなら、baby talk、そうtalkingに過ぎない。中身とはspeakingのことなのだ。

hera-hera-warau

へらへら笑う　snicker

一般的によく使われるのが、giggleやsnickerだ。どちらも自分の本心や恥ずかしさを隠すためのsilly smileといえる。

Stop giving me that silly（foolish）smile of yours.とか、Wipe it off your face.とセンテンスで覚えよう。勧めたいのがsnicker。なぜか。S語のなかには、sneer（嘲笑）のように、裏に反抗心が隠されており、どこかにいやみ（spite, secrecy）が含まれている。腹黒さがsinister smile（悪意のある笑い）を誘う。

boin-boin

ぼいんぼいん　(big) boobs

オノマトペの世界に入れば、この「おっぱい」の語感を巡る猥談（わいだん）は避けられない。猥（みだ）りがましいことは、「乱れ」のことである。言葉も思考も乱れた猥談は、必ずしもエッチな話（dirtyとかfilthyなstory）ばかりではない。Lで始まる言語でなく、Rで始まる前言語（prelanguage）でしか言い表せない。

だらだら話をする――あっちこっちに広がりながら――ことをrambleという。ごろごろ低く響く声で言うことをrumbleという。怒号を込めたばか騒ぎはrantという。すべてR語だ。獣がうーという唸り声は、grrr。りんりんりん（ring, ring, ring）と鳴くすずむしも、すべてR語だ。

自然界は、R語がいっぱい。そこでおっぱいに戻ろう。ぱいのaiは二重母音（diphthong）のことだ。ぼいん（母音）が重なっている。この「ぼいんとぼいん」の音霊が、乳首や乳房や「おちち」という「ち」（恥）音を中性化（neutralize）してくれる。そこには「笑い」という触媒（a catalytic agent）が要る。しかし、この大阪圏のつっこみ笑いを苦手とする東京人は、「おっぱい」まで卑猥語（下品）と決めつけようとする。

マツコ・デラックスのお笑いTV番組でも「おっぱい」を使わず、お胸（おむね）という、大阪人からするとけったいな日本語を使っていた。Omune? It sucks. おっぱいがおむね？　しらー。いや、おえー、Yuck! 笑いが消えた。アメリカの17歳の女子高生の、My boobs feel uneven.（私のおっぱい、左右ちぐはぐなの）という発言が、*Seventeens*のカバーで取り上げられた（146ページ）。おっぱいの人間的な温（ぬく）もりや、母性愛は、やはりこの二重母音を使った、ぼいんぼいんのおっぱいに限る ── ぼいんぼいん（big boobs）を神聖化した縄文時代から今日に至るまで。

poka

ぽか　an honest mistake

うっかりミスは、悪気のないへまのこと。an honest mistakeに近い。このhonestが自然に使えると、かなり英語のプロ。プロは、語気が気になる。

この「ぽ」の響きにこだわる瞬発力がある。ぽかっと殴られても、痛みはすぐに消える。しかし、ぼかぼかに殴られると、しばらくは立ち上がれない。だが、「ぽか」も許されるのだ。

大阪の女性は、言葉遣いはソフトで、情がある。「嫌いになったら、ほかしてくれてもええよ。」こんなセリフは関東では耳にしない。「ほかす」とは、ゴミ箱にポイと捨てるような感じだ。

つきあっている相手も、粗大ゴミ。「ぽい」と捨てられても、「ぽかん」としている。東京人は、なぐさめようとする。女は「ほっといて」と言う。東京人は「じゃ」と、ぷいと（just like that）その場を去り、あとはけろっ。──just like that. 未練はない。また次が来るから。

「ぽい捨て」の訳は、『ジーニアス和英辞典』がベスト。吸い殻をぽいと捨てるは、toss away a cigarette butt。stop littering（ぽい捨てはやめましょう）。

ちょっと小咄を。日本人は、日常会話に「ですが」とか「と言われるんですけれども」という、べとついた表現を好む。だからbutが日本人の英語では乱用される。そんなとき、アメリカ人はButts（butsのこと）are for the ashtrays.（吸い殻のバットは、灰皿に）と言う。こういうだじゃれは同時通訳できない。もちろんAIロボットもお手上げ。どちらも、ぽかをする。Both make honest mistakes.

とんでもない「ぽか」なら、He dropped the ball.を勧める。仲間の選手たちのみならず、チーム、そしてファンにも迷惑をかけることになる。周囲に大迷惑をかけるミスは、ひとりの選手がボールを取り損ねたぽかほど深刻なのだ。

hoka-hoka

ほかほか　nice and hot

TOEIC満点を90回以上も達成した、友人の菊池君（イングリッシュモンスターという異名を持つ）という英語鉄人がいる。毎週*TIME*を隅から隅まで読むが、知らない単語はほとんどない、というから、まさにモンスターだ。この謎の人物とちょくちょく出くわし、英語論議を交わすのが愉しみでもある。

ふたりの道友がほのぼのとした雰囲気（a warm, friendly atmosphere）で交わす、ほのぼのとした（heart-warming）英語苦労話も、傷だらけの英語人生を歩んできた野人にとり、一服の清涼剤になる。その英語怪獣の頭を痛めた難訳語が「ほかほか」（のごはん）であった。

ほかほかの焼き芋なら、a piping hot baked sweet potato（『新和英大辞典』）となろう。ほかほか弁当はsteaming hot（熱々の）bento。家庭的な、ほのぼのとした温もり（homemade warmth）が必要だ。少なくともnice and warmとするか、私ならfresh out of（the）kitchenと超訳する。

まだ、熱さが伝わらないって？　では、niceを加えて、nice and hotとしよう。

湯之島ラジウム鉱泉保養所（中津川）に投宿する。以前から気になっていた日本屈指のラジウム泉で、ローソク温泉として知る人ぞ知る、霊気溢るる湯治場だ。執筆者向きの観光旅館ではなく、あくまで湯治場であり、全国から湯治者がこのこぢんまりした保養所をこっそりと訪れる。

ここの売りは「ほかほか」（nice and hot）である。ラジウム（ラドン）含有量が日本一といわれる。この湯に10分も入って、「ほかほか」が「ぽかぽか」に変わると、汗がぽたりぽたりと流れ出す。ほかほかの方が身体の芯まで温まるようだ。

からすの行水やシャワーで慣れっこの都会人の都会風呂も悪くはない。温度を上げれば、ぽかぽかするだろう。汗も流れるだろう。しかし、ほかほか感は、身体の内部からじわーっと感じるものだ。

だからこそ、ちゃぷんと湯船につかるのではなく、どっぷりと身体を沈め、じっくりと寛（くつろ）いでいると、いつの間にか、ほのぼの感がじわじわと押し寄せてくるはずだ。ほんのり感の醸成を工夫された家庭の風呂となれば、誰しもがほっかりした家族気分（feel at home）に浸ることができる。

コーヒー・ブレイク

日本語の「は」音は、F抜きのはら（腹）音

新型コロナウイルスのせいで東京へ帰れなくなった。「しょせんオレはフーテンの寅か。ふっふっふっ」と自嘲的な含み笑いがこみ上げてくる。この風の男、また翻意し、いまは奈良県（北生駒）にいる。毘沙門天の下で寝泊りしながら、本辞書を編み続けるか。空龍より風龍に改名しようかなと、ICEEの火の女、瀬倉祥子に言うと、「先生は定住ができない風の男ですよ」と突き放す。そうか。またあの中津川のローソク温泉へ戻るか。

迎えのバスに乗る前の１時間は、恵那駅近くの「あまから屋」で五平餅を食う。そのときに飲んだ地酒が「七笑（ななわらい）」。歌舞伎の「時平（しへい）の七笑」は私好みの演目だ。菅原道真を、讒言（ざんげん）（defame/slander）により九州の太宰府に追放させた藤原時平は、笑いが止まらない。笑いの音霊は、すべて「は」行で分析できる。

ハハハ（やっと競争相手を左遷させた。勝ったぞー。）

ヒヒヒ（中傷が効いたか。ここの違いよ。）

フフフ（誰にも気づかれずに。外国語《漢語》よりもひらがな

だ。カタカナ漢語で口説けるのか。)

へへへ(どうだ、オレより賢いやつの裏をかくのは、オレさまの悪知恵だ。)

ホホホ(これで、藤原家そして皇室は安泰だ。)

そこへ、くっくっくっという音霊を加えた。

たしか、笑いが涙に変わっていく、微妙な心の変化が私は感じられた。「は」行から「か」行の「く」に変わる。

強敵を騙し討ちにして勝っても、どこか空しい。いや怨霊(おんりょう)が恐ろしい。笑いが泣きに変わる、心の様変わり。私もよく心変わりする。「七笑」を飲みながら、我が身をも笑い飛ばしたくなる。

ハハハ　これでAIロボットをやっつけた。ha, ha, ha.

ヒヒヒ　『難訳辞典』という奇襲作戦が効いた。he, he, he.

フフフ　これが、英語道の勝利だ。もう静脈英語は動脈英語に勝てない。chuckle (hee-hee).

へへへ　海外経験なしで米大使館の同時通訳試験にパスしてNHKテレビのレギュラー番組に躍り出たんだぜ。heh-heh-heh.

ホホホ　インターネットの時代で、この私は王者に返り咲く。How am I doing?(オーホホ。)

ククク　(急にのどがつまる。)「は」行が消え、「う」音に戻る。静脈英語との死闘が、海外経験が皆無に近いこのオレをここまで育ててくれた。こんなオレを。日本の英語の教育者たちのお世話になった、このオレのmade-in Japan English(国産英語)、発音ができない英語の先生たち、そんな人たちのお世話になったのに、恩知らずのこのオレ……Choking.(くっくっくっ)、Weeping.(うーうーうー。)

英語でLaugh till you cry.という表現をよく耳にするが、この発想を逆転させ、Cry till you laugh.とtough loveを強調することもできる。人生は泣き笑いの連続だ。そして英語道の人生も。

poka-poka

ぽかぽか　nice and warm

阿久悠の「舟唄」の「お酒はぬるめの燗(かん)がいい」の翻訳に苦労したことがある。燗(heated *sake*)をhot、ぬるめをlukewarmと訳するのではなく、nice and warm（ほどよい熱さ）と訳した。難訳に取り組む人たちにも、ほのぼのした（heart-warming）心の余裕（leeway）が要る。「ほかほか」にもう少し熱を加えると、「ぽかぽか」になる。春のうらら（a glorious day in spring）に熱を加えたら、初夏に近づく。

bokeh

ぼけーっ　space out / spacy

薬や音楽などでうっとり（夢ごこちに）させるといえば、スラングのspacyが思いつく。薬づけ老人（overmedicated senior citizens）の呆（ぼ）けはsenility。

I'm not a senile old man yet.（オレはまだぼけ老人じゃない。）

漫才の「ぼけ」はplaying the fool。「つっこみ」のプロ（sidekicksと呼ばれる相棒。だがplay Devilに近い）からみれば、「ぼけ」はplay Godに映る。悪魔からすれば、許せない——いや、おおいに許せる——同胞なのだ。

ここでいう「ぼけ」の神様とは、いくらいじられても、平然と笑いで返す天然ぼけ（natural-high）か、paced-out（ドあほ）が演じることができる、奇特な（laudable）存在のことだ。

このオノマトペ難訳がマスターできれば、AIロボット翻訳者を恐れることもなく、部下に持つことができる。

Am I daydreaming?（オレって、ぼけてるのかな。）

No. You're not daydreaming. You're spaced over.（いや、あなたは白昼夢を見てるんじゃなくて、いかれているだけなのよ。）

うっとり（夢ごこちに）させる愛や音楽などはspacyがぴったりだ。宇宙は広大としている。その宇宙感覚がspacyなのだ。「あなたの議論は宙に浮いている」という場合にはspacyが使えない。cosmicがふさわしい。

宇宙はいくらでもある。この銀河系（galaxy）も、そもそもビッグ・バンなんてブラック・ホールが産んだものだと話し出すと、止まらなくなる。Your theory is too cosmic. You're losing me.（きみの話はあまりにも広がり過ぎて、見えなくなる。）

しかし、宇宙に関しては、未知が多すぎて、仮説ばかりだと信じている人にとり、突っ込んだ人が痴呆状態（senile/spacy）に映る。You're spaced out. と返された。この「ぼけー」は、老人ぼけと同じく、恍惚状態を指すから、医学的にはsenileがよさそうだ。私も自虐的に使うこともある。

I'm a senile old man. And this senility is growing worse these days — almost spaced out, I should say.（ぼくはもう認知症。このボケも最近ひどくなってきてね、もう恍惚状態ってところかな。）

自らを「ぼけ老人」と認定している人は、まだぼけていない。難訳シリーズは続けられる。

私の好きなケビン・スペーシー（Kevin Spacey）がNetflixオリジナルの映画（*House of Cards*）から突然消えた。セクハラ問題が発覚したらしい。魔がさしたのだろう（The devil did it.）。残念。あのSpacy（ぼけ）という名前が気になっていた。名前負け――名前に負けたのだろうか。I suspect he lived up to his name, Spacy. He must've been spaced out, mooning over a devil woman.

hokeh-to-shita

ほけーっとした　natural high

「ぼけーっ」ならわかる。老人の痴呆症（いまは認知症）のことだな、と。ぼけ老人は、senile old man。漫才でいうぼけ（the dumb）は、つっこみ（the witty）でいじられる。「ほけ」は惚と呆の漢字が当てられる。お笑いの世界で天下人となったビートたけしにとり、「惚(ほ)け」が命取りになる。「晩節を穢(けが)す」（aging disgracefully）という意味を知らない若者には、オノマトペが有効だ。「ほら、あのおじさん。若い娘に夢中になって、ほけーっとしているだろう……」「うんうん、あるある、わかる、わかる。ビートたけしは大変よねえ」と会話が始まる。

老いらくの恋を英語ではMay-December Romanceというが、美しくて、醜いもの。しかし90歳になって、かくしゃく（hale and hearty）としている映画監督のクリント・イーストウッド（Clint Eastwood）は88歳のときに、超若い女性と再婚して、世間を「おー」（Wow!）と言わせた。これは「美」の部類になる。

bokeh (to-shita-koi)

ぼけーっ（とした恋）　crush

「恋の病」というのは一時的なもので、はしかのようなものだ、と人はいう。これがcrushの正体だ。「惚れ込む」ことと「愛する」こととは別のものだ。「私は本当にあの人に恋をしているのか、ただぼけーっとしているだけの一時的現象なのか」（Am I in love or is it just a crush?）と問うのは、当用日記に書きとどめるだけにしてほしい。

ひとりの少女に惚れ、ぼけーっとする状態は infatuation with a girlで、日常会話用語では、mooning over a girlという。しかし、これは恋愛（be in love with a girl）ではない。in loveのinはなかに入って、外からは見えない状態だから、簡単にはさめない。雲の上を歩くような（be on a natural high）状態で、すべてがばら色（Everything feels new and exciting）に見える。

Am I falling out of love with him?（あの人との恋がさめつつあるのかしら。）

Yes. But don't worry. Your crush will soon be out.（そうだね、でも心配は要らない。一時的な恋の病なんかすぐ消えるさ。）

It's just a crush. というのも、斬れる動脈英語だ。

bochi-bochi

ぼちぼち。　Business as usual.

代わり映えがしない、いつもの調子。ビジネスといえば、大阪の商人が使うぼちぼちが近い。それほどBusiness as usual.はアメリカでもイギリスでも使われる。「自転車操業ですわ」も奇をてらって、Just dog-paddling.というよりも、Life goes on.か、Business as usual.と無難な（誰にでもわかる）口語表現が好ましい。松下幸之助の口ぐせが、「ぼちぼちや」だった。

pokkuri

ぽっくり　go quickly

「早く（あの世へ）逝きたい」か「早くお迎えが来てほしい」と言う老人が増えてきている。英訳すれば、I just wanna go quickly. でよい。dieよりgoの方がオノマトペっぽい。

長寿はいいが、健康長寿はないものか、とつくづく考える近頃だ。しゃかりきになって（like mad）英語道の普及に取り組んできた頃があった。Live with honor, die with dignity. と周囲にはっぱをかけてきた私だが、ちょっぴり滅入り始めた。やはり齢か。いや50年ぶりに大阪に戻り、再び英語道革命という狼煙を上げるぞ、といきりたっている（worked up）。ぽっくりはいかない。まだお迎えはいらない。（I won't go quickly. I'm not ready, yet.）

hokkori

ほっこり　heart-warming

「強盗に、なんでこんなにホッコリするんだろう！　最高！　ロケもセットも美術も衣装も！　もちろん撮影も！　ダニー・グローヴァーの役やりたい、てか、レッドフォード引退させていいの、みんな!!　光石研（俳優）。」

フェイスブックでよく見かける、このつぶやき調のコメントが、私の目を惹いた。映画『さらば愛しきアウトロー』（*The Old Man & the Gun*）を見て、ほろり、そしてきゅんとさせられた。パンフに載せられたコメントだから、美文でもなければ醜文でもない。そこにはまったく気負いのない「思い」だけがあった。

16回の脱獄と銀行強盗を繰り返し、誰一人傷つけなかった74歳の紳士フォレスト・タッカーのほぼ真実の物語。こんな映画が、ロバート・レッドフォード（Robert Redford）の俳優引退作になるとは。その印象が「ほっこり」。

そんなオノマトペがあったのか。オノマトペ辞書にもない。しかし、編集者の目をくぐり抜けて、活字になった。なんでもありなんだな。メディアは活字文化を解体しようとしているのか。いやすでに、他のメディアに空気伝染している。

*JAPAN MISOPRESS*にも登場している舞台『オミソ』について岩瀬晶子（脚本家で俳優）が、このようにほっこりさせる発言をしている。「早く家に帰って、家族とみそ汁を飲みたくなる。そんなほっこりする作品です」と。

この英語ぺらぺらな脚本家の言葉は、オミソにインスピレーションを感じたのか、言葉に躍動感がある。みそが生命溢れる食物と定義されたのだ。映画『美味しいごはん』の字幕担当をした私は、これで、おいしい（delicious）をpowerに変える決意を固めた。power musubiなら「活力（＝エネルギー）を与えるおむすび」になるからだ。おいしくする技術なら、人工添加物で十分だ。だがempowerさせる医食道となると、やはり原産地から育てあげたraw riceを使ったパワー・ムスビだ。

ミソのソムリエとして岩瀬さんと対談をされた藤木智子氏の魅力に、オノマトペが含まれると感じた。ご両人とも「さばさばとして、堂々と潔く、かっこいい女性」（対談裏話）であることが証明されていた。

「ほっこり」とはいったい何だ。ほのぼの、ほかほか、ほくほく、満足感と温もりが感じられ、にっこりしたくなる。これらをごちゃ混ぜに、いやしっかりと結べば、ほっこりと相成る。オノマトペは、自然に醸成された非言語的言語なのだ。

hotto-suru

ほっとする　breathe easy / a relief

ほっとするとは安心感のことで、安堵の溜息が出る。これがa sense of relief.

I find relief from... と直訳すると、聞き手はまだほっとしない。英訳が美しすぎる。

しかし、書き言葉としては上出来だ。英文日記にも書ける。

Bumping into him on the street gave me a sigh of relief.（道ばたで、彼に会ってほっとした。）sighは溜息のことだから、嬉しさのあまり、脱力感からほっとしたことになる。

会えただけで天にも昇る思いになるなら、That's a sight for sore eyes.（ただれ目に保養となる光景）がお勧めだ。ぎこちない日本語だが、この英語は絵になる。会ってほっとする以上に、有頂天にさせるほどの喜びだから、ちょっと仰々しすぎるかな。

やはり「ほっとする」は、breathe easyとした方が呼吸がらくになって、心が安らぎそうだ。緊張すれば、呼吸が乱れるものだから、breathe easierとすると、少しは呼吸が整い、ラクになる。

ついでにもうひとつ難訳語を紹介しよう。ナポレオン・ヒルが成功の法則のなかで、大物になる性格の法則にpleasing personalityを挙げた。人を楽しませる性格？　ネアカ？　いろいろ考えたが、ここに「呼吸」を加えた。

緊張感をほぐし、周囲をほっとさせるタイプの人間とすれば、ほっとさせるキャラはpleasing characterではないだろうか。「横にいてほっとするタイプ」の口語表現はa nice person to have aroundのことだから、呼吸を合わせるのがうまい人となる。成功する人物の器が、ここで呼吸と結びつく。

オノマトペは便利だ。つきあっていてわくわくする人（one who excites you）とは何時間同席しても、決して呼吸は乱れない。

botsu-botsu (bochi-bochi)

ぼつぼつ（ぼちぼち）。　It's time.

テレビのレギュラー番組に出ているタレントにとり、最も恐ろしい「肩叩き」（解雇通知）は、It's time.（もうそろそろ）という表現だ。「先生もお忙しいでしょうから」という言葉の裏は、「お引き取りください」であった。英訳するとIt's time. これで通じる。

通じない人には、It's time you left.（NHKを去っていただく潮時です）と、ずけーっと（straight）言った方がよい。It's about time. でも、「......high time that...... 過去形 」という高級な構文でもよいが、映画で耳にするのは、イッツタイム。

「ぼちぼち、Bさんからも一言を……」なら、It's time Mr. B said a few words. でよい。英文法も馬鹿にならない。音読も馬鹿にならない。口唇（こうしん）に英文法を覚えさせると、とっさのときに応用が効く。

I suggest she say a few words. を何回も口ずさんでおくと、sayのあとに無意識的にsを省くことができる。不要なto sayとか、sheのあとにshouldをつけるべきかどうかという迷いはふっきれる。

NHK demanded I leave. のエピソードに戻るが、「先生もお忙しい方ですから（これ以上引き止めるわけには）」という、古文調の枕詞も要らない。ドナルド・トランプなら、Mr. Matsumoto. You're fired. ですむものを。もうあれから40年。Forty years later on. あの痛みは、いまでもひりひりと身に沁みる。That hurts.

hodo-hodo

ほどほど　go easy on

「お客さん、ビールもほどほどに」

Sir, go easy on beer.

「ほどほど」とか「そこそこ」というあいまいな表現が、日本では好まれる。YESとNOの区別をはっきりさせないのが日本人の知恵だが、通訳者は泣かされる。

70歳からイギリス英語を学び直すために、*The Economist*を隅から隅まで読み始めた。格調が高い。しかし、あいまいゲームや陰翳の美学に関しては、イギリス人の方がアメリカ人よりはるかに上だ。

ほ

手元の*The Economist*（Mar. 7-13, 2020）のカバー「コロナウイルスと世界経済につける薬」（私訳）にこんな粋な表現を発見した。

China is also ordering banks to go easy on delinquent borrowers.（中国は銀行に対し、滞納者にはほどほどに接することを命令した。）これが命令なのか。目こぼしをせよ、とでも言いたげだ。西洋の政府では、許されないことだと認めている。中国よ、ごくろうさま（辛苦了　シンクーラ）。

沖縄"遊学"が大好きな私は、琉球のテーゲーイズム（たいがい主義）に関心がある。中国の偵察船が領海侵入しても、知事が「彼らは調査しているだけだから、刺激しないように」と述べ、このテーゲー発言に対し、メインのメディアは、だんまりを決め込んでいる。Okinawa goes easy on law breakers.（オキナワは法律違反者に対しても、ほどほどに対応する。）

沖縄のある床屋さんは、「ていげい」以外に「なあなあ」という表現を使っていた。「ほどほどに制裁のたづなを緩める」と、「徹底的に取り締まる」との中間の道はないものだろうか。ふと、イギリス風のほどほどイズムに戻ってしまう。

Can a balance be struck?

コーヒー・ブレイク

イギリス英語の「ほどほど」感覚

ほどほど（go easy on）の延長として、イギリス英語をオノマトペの世界に巻き込むことにした。70歳から一念発起し、米語の*TIME*から離れ、英語の*The Economist*にのめり込んでいる。毎週（4、5時間）、*The Economist*のカバー・ツー・カバー速読を続け、それも半年近く続いてくると、もうイギリス英語にずぶずぶという感じだ。

イギリス英語が難訳オノマトペ企画に役立つかどうかと問えば、YESとしか答えられない。ただし、「ほどほど」感覚が『オノマトペ辞典』にも活かせるという範囲に絞って、という但し書きが要る。この「ただし」という慎重さがイギリス風なのだ。

Unless British understatement underwhelms our readers.（イギリス人の控え目な表現で読者をげっそりとさせないことがあればの話だが。unが３度使われている）。この奥歯にものが挟まったような表現が、英国英語なのだ。どうも速読ができないような仕組みになっている。

英国詩人のアラン・ブース（Alan Booth）が私の英文速読精度を耳にして、「１分間に400語？　日本人はすばらしい。我々イギリス人は、40語を解読するにも、嚙みしめて読む」と言ったそうだ。速読（fast reading）を好むアメリカ人や速読の必要性を説く私を、表面的には褒めながら、かなり小馬鹿にしたような、皮肉たっぷりな（sarcastic）コメントだった。関東風の「いじめ」ではなく、関西風の「いじり」であった。

私のカウンターパンチも控え目にunderstateしてみると、そのイギリス人の詩人の気持ちはよーくわかる。Understandable.（わかる、わかる。）このように、unを巧みに使うのが、イギリス風のいやみ（sarcasm）なのだ。アメリカ人は、アメリカ合衆国を、Disunited States of Americaとdisを平然と用いる。イギリス紳士なら、アメリカの民主主義をunderdemocratizedと、やんわりとなじるだろう。心中では、アメリカのことをa nation of criminalsだと小馬鹿、いや大馬鹿にしていてもだ。

じゃ民主主義そのものは、と問えば、undervalued（正当に評価されていない）とunderstateするだろう。「アメリカをunderdogと見ているのか」とムキになっても、We are not topdog either.（我々イギリス人も、トップドッグではない。お互いさま）とやんわりと返されるだろう。そこまで感情を顕わにすることもない。It's best to keep it unsaid.（言わぬが花）という日本的発想を理解するのも、イギリスの礼節なのだ。Keep it unsaid.という英文法を好むのもイギリス人だ。

アメリカ人が、How does that grab you?（それで納得したかい）となれなれしい口語表現で質問をすると、That left me totally ungrabbed.（いや、"非"納得のままだ）と、返す刀でアメリカ人英語と、アメリカ人の下品な英文法に一矢を報いた。これがイギリス英語なのだと、あるイギリス人のユーモリストが私に教えてくれた。大阪時代に耳にしたアメリカ英語を否定しているのではない。関西風にいじっているイギリス人のユーモアだ。

最初は、イギリス人の英語がわからなかった。I didn't（couldn't）understand British humour.いや、イギリス人なら、こう私の英語を直すだろう。I was not able（unable）to take the British sense of humour.と。unableという英語がニクい。日本人がこんなユーモアを使うことはまずない。Japanese are not likely to use that sort of humor. これもunlikelyを使えば、もっと優雅な表現になる。この英語は*The Economist*の記事のなかでは、これでもかこれでもかといわれるくらい、使われる。

私はアメリカ英語を捨てているのではない、unlearnしているのだ。unlearnとは、（学んだことを）忘れようとする、捨てがたい癖を捨て去る、積極的な行為だ。英語の先生方も、いつでもunlearnし、unteachすることができる、心の余裕が必要だ。

英語道の鉄則によれば、英語を教える人は、学ぶ人以上に、迅速にunlearnし、unteachすべきだ。英語を学ぶとは、自らが新陳代謝（metabolism）を繰り返すことだ。英語を学ぶより教えることに酔い始めた人に対して、私はこう警告する。"You're awfully unmetabolized."と。

「松本先生は」と突っ込みを入れる生徒がいるだろうか。I'd say, "Don't underestimate me." I'd（I would）と仮定法でやわらげているが、アメリカ人なら、unの合成語を外し、もっとダイレクトに反撃するだろう。You don't know me.（オレをなめんじゃない）と。こんな英語で過去50年間、慣れてきた。アメリカ英語が身についてしまった。American English has become second nature to me.

私のアメリカ英語に影響を受けた日本人の間では、かなり顔が広い（well connected）つもりだが、イギリス人やヨーロッパ系の人の間では、私はtotally unknownで、まだまだunder-connectedだ。東京時代の50年は、人、モノ、カネで苦労した。understaffed, underpaid, underconnected。いや、あっという間にdisconnectedされた。連続性は活かされず、東京はNew Yorkのようにdiscontinuity（断絶）のお国柄かなと、と何度も考えた。

50年ぶりに、大阪の教育機関に戻った。overstaffed, overconnectedの世界、ここでは私はoverrated（過大評価、東京ではunderrated）かoverappreciated（東京ではunderappreciated）されて竜宮城に戻ったような気分で、るんるんしている（riding high）。のっている。I'm on the roll.とR語を使ってみよう。

新型コロナウイルスが広がる1年ぐらい前から、メディア（NONES CHANNEL）から身を引くかと考え始めた。東京のメディアは日本語だけでいい、英語がまったく必要のない世界だった。だから、松本道弘は最近ぱっとしない（uninspiring）と言われたものだ。あの「ぱっとしない」というオノマトペはどう英訳すればいいのかと悶々としながら、このオノマトペ辞典の企画にかかわってきた。1年ぐらい経った。

ごく最近、イギリス的発想に切り換えてみては、と考え、*The Economist*からunimpressiveという粋な形容詞を拝借した。impressiveは目立つ、ちやほやされている状態だが、70代になると、そんな「冴え」（impressiveness）をたとえ望んでいても、否定したくなる。だから"un"という"案"（pun unintended）が浮かんだ（しゃれているわけではない）。その後、数カ月経って、初めて「これだ」と気付いたのだ。

It wasn't <u>until</u> a few months ago when I was leafling through every Economist magazine cover-to-cover, that I said to myself under my breath, "This is it."

under my breathだから、息を殺して、「これだ」と自分に言い聞かせたことになる。このunderは「の下に」よりも、限定という意味合いになる。I'm able to read English faster and better under coronavirus outbreak.

イギリス人はI suggest you cut out "faster."（「速く」は省いた方がいい）と苦言を呈されれば、むっとくるが、その気持ちをぐっとこらえて（with a stiff upper lip)、イギリス調の英語で、いけずな京都人好みの口調で、こんなふうにやんわりと返すだろう。That left me totally unamused.と。イギリス人は難儀な人たちどすな。

ほ

hona-sainara

ほな、さいなら　cherrio, chin-chin

「どや」「ぼちぼちや」「ほな、さいなら」「あんたがた、阿呆や」「うちかて阿呆や、ほな、さいなら」――かつて、テレビコマーシャルでバカうけした、大阪弁のリズムは、きわめてオノマトペっぽい。この「ほな」という「間合い」が英訳できるか悩んでいたが、イギリス英語で見つかった。Bonsoir old thing, cherrio, chin-chin.（昔のしきたりは、おしまい、ほな、さいなら。）*The Economist*（Jan. 11, 2020, p47）の写真の解説がぴりりとfitしている。fit? いや、wittily spicyとでも訳してみようか。

ウィンザー家の大改革（shake-up. restructuring）が始まった。ヘンリー王子（Prince Henry）と妻のメーガン・マークル（Meghan Markle）は財布を別にする（financially independent）つもり。仰々しくはない。さらっと（just like that）やりたいのだ。だから使われた英語も、オノマトペの豊かな大阪弁の「のり」ではないか。「ほな、さいなら」cherrio, chin-chin. 馬車で出かけるのではなく、ちんちん電車でぷいと（free at last）消えるといった情景だ。

受験英語で苦しんできた学生諸君よ、これからは音から動脈英語（red English）を学びたまえ――静脈英語（blue English）から離れて――。

ほな、さいなら。チェリオー、チン、チン。ただし一言。極右に占拠され、日本が鎖国を覚悟する気になれば、静脈英語（textbookish English）に戻り、動脈英語を排除すればいいだけのこと。そのとき、英語第二公用語論を唱えている私は、売国奴になる。中国語が第一公用語になった場合の話だ。Forget about it.

hono-bono

ほのぼの　heart-warming

夫婦、親子の関係がほのぼのした関係になるには、ピリピリした（pricky/prickly）P語をなくすることだ。P語はそもそも男性用語だ。堅いもので突き刺すというイメージはスラングで「いやなやつ（男）」という意味になる。

The Two Popes（邦題『２人のローマ教皇』）という映画を観た。ベネディクトとベルゴリオの両法皇の関係が最初はぴりぴりしていたが、のちに譲り合って、とげがとれたときの「ほのぼの」が、映画の字幕ではheart warmingとなっていた。

法皇はPope。しかしpapa（お父さん）とも呼ばれて、国父として親しまれている。ポパイ（Popeye）も、強いpapaというイメージだが、これも父親系の文化の産物だ。すずむしの雄は、左右２枚の翅をこすりあわせたときにハート（♡）形になる。歌手は雄なのに、ほのぼのと（heart-warming）した響きを周囲に与える。

なぜP音がH音に変わったのか。言語的に日本人と琉球人が系図的に共通していると主張された伊波普猷（いはふゆう）は、『古琉球』（岩波文庫）の中で、こう述べる。「日本語に於いてはハヒフヘホの古音はパピプペポ（P）なる破裂的両唇音であったのが、七世紀（推古天皇）以前からファフィフフェフォ（F）なる摩擦的両唇音に変じ、十五・六世紀（室町期の末）の頃からハヒフヘホなる喉音に変りはじめたとは今日学者間の定論になっている。」（p38）

PがFになり、H音で終わる。すずむしはそのことを知っていたのか、いや、すずむしの歌が天然の道とすれば、りんりんりんというL語で始まる音霊を人間がring, ring, ringと自然音のRで表意し、ほのぼの感を与えたのは、人為の道ではなかったか。天道から人道へ。二宮尊徳から影響を受けたことを一言、付記しておきたい。

映画*The Old Man & the Gun*（『さらば愛しきアウトロー』）を観た。この物語がmostly trueで、ロバート・レッドフォードの最後の作品というふたつの理由のためだ。引退の花道か。

なぜ84歳のロバート・レッドフォードが、16回の脱獄と銀行強盗を繰り返し、誰ひとり傷つけなかった74歳の紳士フォレスト・タッカーに惚れ込んだのか、「私はmaking livingに関心がなく、living（生きていること）そのものに興味がある」というセリフにぐっときたはずだ。This got him.と訳したい。ぐっとくる、じーんとくるという難訳オノマトペは、とりあえず（for now）giveかgetで置き換えることだ。これが松本道弘の動脈英文法だ。

いま、この項を執筆中の私は、74歳のタッカーと、84歳のロバート・レッドフォードのはざま（79歳）にいる。ふたりの生き方が気になる。80で「狂う」と周囲に公言している。しかし狂い方がわからない。これまでの私は「英語道」というしばりから逃げたことがなかった。このまま一直線に（full steam ahead）突っ込んでみるという選択肢もある。この映画のパンフでは「ポケットに銃を、唇に微笑（ほほえ）みを、人生に愛を」と、さらーっとくくられていた。

人生のメッセージをざっくり語ってほしかったが、それがない。銃と英語と結びつけるところまで引き込まれることはない。Netflixで「さわり」だけを見て考えた。一言でまとめると、「ほのぼの」（heart-warming）とさせる名映画だった。

しわくちゃの（wrinkled）顔のカップルに、悪魔をも苦笑いさせかねない、悪ふざけをちりばめている。やっぱり、あのフィナーレ作品は、ロバート・レッドフォードにふさわしい、というのが大ざっぱな世評。やはり「ほのぼの（heart-warming）」だ。

boro-boro

ぼろぼろ　down and out

塾生のひとりが、適齢期の女性を物色し始め、友人に「誰か大阪にいい女がいないか」と話しかけた。その関西出身の男はこう答えた。「やめとき、ぼろぼろになるで。」Down and out? 真っ青になった、という。

大阪人の言葉はオノマトペだらけだから、どうしても話はオーバーになる。
『ナニワ金融道』の青木雄二氏（故人）もずけずけ言うのが好きだ。「ローンで幸せを買うやて？　やめとき、30年後は身も心もボロボロやで！」
「30年たてば、どんなマンションだってボロボロやろ。万が一そのマンションを壊すことになれば、自分に与えられる土地の権利なんぞ微々たるもの、話にならん。資産価値なんてあってないようなもんや。」（p196）
　建物や衣服などのぼろぼろは、ragged, battered, tattered。
　辞書のぼろぼろは、worn-out（靴も同じ）。
　心身のぼろぼろは、go（fall）to pieces。
　野党議員が大阪弁で首相に嚙みついた。「自民党ぼろぼろやないの」と。このぼろぼろは、LDP has fallen apart. か Your party is down and out. のいずれか。私は後者を勧める。
　この『難訳辞典』で私もぼろぼろになるが、音（ね）を上げたわけではない。“I'm down but not out yet.”
　青木雄二の「資本主義そのものにガタがきてるやんか」というセリフを英訳すると、こうなる。Look, capitalism itself is almost done（finished.）「あんたがた、もうしまいやで」なら、Capitalists, your days are numbered. 大阪弁は短くて、パンチが効く。
　東京の動物園のトラの柵には、「気をつけてください。柵に近寄らないように」という札が立てられる。大阪では「嚙みます」だけでいい。

howah
ほわー　disarming (smile)

「ほ」の言霊は、誰しもが自然に使うわりに、英訳できないので、霊妙だ。敗北を恐れない男として知られている東進ハイスクールの看板講師、安河内哲也氏は、ICEE参加者のなかでも特異な存在だ。好敵手（ライバル）を恐れず、侮らず、気負わない（沖尚の名城政次郎理事長による名言）を地で行く男だ。
　ICEEという異種格闘技コンテストとは、私が開発したオーラル英語を遊び心（playful spirit）で競い合うお祭り（縄文）型検定試験で、２度もチャンピオンの地位を占めている。勝つことも敗れることも恐れない、世にも不思議な人物だ。

氏の人気の秘訣はどこにあるのか。「あの、ほわーとした感じがいい。」ある女性講師の発言でピンときた。「ほわー」と乳児を包み込む（embrace）ような、母性的な優しさを感じさせるのだろう。

私はどんな日本語でも、まず英語に訳さざるを得なくなる性癖がある。多分、米大使館の西山千師匠と出会った30歳前後の頃から、身につけたものだ。あの「ほわー」が訳せない。そこで氏のスマイルを、disarming smileと訳した。近寄った人を武装解除させる微笑みのことだ。

安河内氏は、客寄せパンダではない。可愛いラッコ（a lovely sea otter）でもない。彼は「ぼくを倒して下さい」と呼びかける。香港のデモ隊が鑑とするブルース・リー（Bruce Lee）の言葉（Be water!）を彷彿させる。そういえば、私と誕生日を同じくする安河内君は、魚座だ。ジャッキー・チェン（Jackie Chan）のように変わり身が速い。

pon (to-hajikeru)

ぽん（とはじける）　go pop

The bubble bursts.より、Pop goes the bubble.の方が躍動感がある。pop（ぽんとはじける音）には、意外性と勢い（force）の響きがある。

「ぼくと結婚してくれないか。」Will you marry me?

「赤ちゃんはどこから産まれるの？」Where do babies come from?

などの予期できない質問をすることをpopping the questionという。

人を口説くにも、「間」が要ることを小説*Sex and the City*が教えてくれる。

切り出し（popping the question）は、どのように始まるか。

「あのう」　Errrrr.

（What?）

「これまで」 Have you ever……
（Yes!）
「したいと思ったことは……他の女性とセックスを……」
（スマイルで隠しているが気づき始めている）
「ぼくと」 With me, of course.
（もちろん、ぼくと）
「３人で」 You know, a threesome.
「きみの友達も一緒に」We could maybe get one of your friends.
（どうして私が。しかも彼女がどうしてその気になると思うの？）

このようにthreesomeに持ち込むという戦略を支えるためのtactics（戦術）は、まさに間の、いや魔の誘導尋問だ。そこにはNYでしか通用しない危機管理がある。この種のセックスへの勧誘は、variant（変則的）だがdeviant（邪悪）ではないという、危機回避のための知恵がお互いにある。これがNY。意外な質問をして、「あのう」Errrrrr、と言って、相手から関心を惹くために間をとるのも戦術のひとつ（a tactic）であったのだ。

日本では、「三人寄れば文殊(もんじゅ)の知恵」というが、英語話者のなかには、Two's company. Three's a crowd.という諺がある。３人の場合は、ひとりが邪魔者になるという理屈（logic）も、ここNYでは通じない。３人ならふたりの罪悪感を和(やわ)らげることができるというのだ。このwin, win, winを「三方良し(さんぽうよ)」と訳していいものだろうか。これなら同性愛のふたりが結婚した方がてっとり早い（efficient）となりそうだ。やれやれ（Good grief!）、これからも同性愛カップルが増え続けそうだ。

同性愛者たち（gay people）は、「愛とは自然体でなきゃ」（It has to be spontaneous.）と主張するだろう。Are you interested in the threesome?（３人で性交しないか）という誘いで、リスクを感じる前に、homosexualityに走るのもロジカルではある。呼吸が合わなかったら（a bad vibe）、まずNoで身を守ることだ。

ところで、余談ながら、典型的な動脈英語（受験英語）としていまでも通用する「be interested in」イコール「～に関心がある」という悪(あ)しきパターンから、一刻も早く卒業していただきたい。「３

人で性交ですか。少しは興味がありますね」とぼかす場合でも、Yesはいけない。せいぜい、I have an interest in that.でとどめておくべきだろう。正解は、Noだ。本気で乱交に加わる気持ちがあるならinを使ってもいい。

たとえ、口説きに向く大阪弁で「おもろいやん。It's sport.」と口説かれても、Noと、いや、あかん（NO）と返事をすべきだ。それでも通じないときは「あかんもんはあかんのや」（No means no.）でかまそう。

pon-pon

ぽんぽん　the tummy / tumtum

大人のお腹はstomachだから腹痛はstomachache。ところが、赤ちゃんのお腹はtummyだから、tummy acheになる。You're getting a tummy ache.（ぽんぽんが痛くなるよ。）

窪薗晴夫（くぼそのはるお）氏は、赤ちゃん言葉が多いのが日本語の特徴であると述べる。「『赤ちゃん言葉』は別名『幼児語』『育児語』とも言われるもので英語ではmotherese（mother-ese）、すなわち『母親語』という。」（『オノマトペの謎――ピカチュウからモフモフまで』〈岩波書店〉p122）

この個所を読んで、関西とくに大阪の方面にmothereseが多いように感じた。大阪では、満腹すると「もうおなか大きい」と言うが、それを聞いた東京人は「妊娠？」とけげんな顔をする。大阪人なら、「そんな意味、ないない。」（大阪人は繰り返すのが好き）「ぽんぽんが大きなっただけや、ほらおなかぽんぽんや」と笑い飛ばす。

拳銃を「ぽんぽん」鳴らすのはbang, bang。花火のときもbang。蒸気船の「ぽんぽん」は、chug（along）。列車でもchug。鼓（つづみ）や手を打つ「ぽん」は、clap one's hands、plop。シャンパンを抜く「ぽん」はpop open。「バブルがぽんとはじける」はPop goes the bubble。「肩をぽんと叩く」はtap ～ on the shoulder。「ぽんぽん言う」は、speak one's mind。

大阪人同士の会話は、いくらぽんぽん言い合ってもけんかにならない。「そうぽんぽん言うなや」はPull punches.（通常、pull no

punchesが使われるが、大阪は遠慮が通じない異国だ。）
いじめ、いじりに強い大阪人は、無抵抗で引き下がる。「ごめん、ごめん」「かんにん、かんにん。」

mah-daijoubu

まあ、大丈夫　probable

在日の外国人は、オノマトペに悩まされる。いっそのことネイティヴ向けに、オノマトペ講座を開講したらどうかね、と発案したとしよう。大阪人なら、「おもろいな」と答える。
「おもろいな」は「まあ、大丈夫」と同義で、80％以上、いや90％以上の確率でYesだ。だからProbable.だ。

masshigura

まっしぐら　full steam ahead

「一本線」は美しい言葉とされている。だが一途な生き方は、欧米では必ずしも評価されない。ひとつのことに凝り固まった考えの人は、a person with one-track mindと変人扱いされることもある。
なぜ日本人が一筋の生き方に憧れるのか、そこには「道」という伝統的な価値観があるからだ。この道一筋（single-minded devotion）。んーん。響きがよい。美学を感じる。その響きに魅かれて、私は英語の道を求めた。like a moth drawn to a flame。（Moths flutter around lampsのように。）誘蛾灯（lamp）に引き寄せられ舞う（flutter）ガのように。
もう極道の域に近い。「道」というmoral compass（道徳的羅針盤）のしばり（fetters）を息苦しいと感じながらも、それが羅針盤となり、人の道を踏み外さずに今日まで来られた。
この道一筋とは、full steam aheadのことだ。full steamは《口語》全力で、全速力でという意味だが、そこには集中すべきゴールがある。求道者にとり、何年かかっても「道を究める」ことがゴールであっても、かまわないではないか。これはeffective。
「全速力で」とスピードに力点を置くならat full speed（tilt）となる。これらはefficient（効率的）。スピードとは別に、力まかせに（しゃかりきになって）進む（突っ込む）ときは、plunge ahead to-

ward one's goals in life。

seek the truth（道を求める）というゴールでもいいが、やや大風呂敷。いっそin pursuit of the meaning of lifeとした方が、よりvisual（視覚的）ではないか。

天寿を全うする（live out one's life）という意味を加えるなら、"志"（higher purpose, higher principle）を貫くとした方が、よりvisualだ。「天寿」より「志」の方がよりaudial（聴覚的）でもある。

micchiri (to)

みっちり（と） hard / intensely

みっちり勉強しろ、はStudy hard.

みっちりゴールを練る、はWork on your goal wholeheartedly. その反対に、いい加減な気持ちでやるときは、halfheartedly。

みっちりには、集中の熱さがある。だから、intenselyが使える。

吉田松陰の人生は、短かったがみっちり詰まっていた。（Yoshida Shoin lived a short but intense life.）

まさに、a flickering candle light（一隅を照らすろうそくの火）といえよう。吉田松陰の生きざまは、一隅で終わらなかった。氏の生きざまは多くの人の心に炎を点した。

私も吉田松陰の本は、陽明学の思想とともにみっちり（burning midnight oil）読ませてもらった。

mukatto-suru

むかっとする be put off

動脈英語では子どもでもわかる英単語の方が格が高くなる。「かりかりくる」はbe pissed off。「むかっ」がbe put off。「むっ」の段階ではbe miffed。こんな動脈英語は、英語の映画ではしょっちゅう耳にする。まがい商法を撃退するには、虚の逆セールス・トークにより、相手をけむに巻く方法がある。見えすいた言い訳（put off）にはむかっとする（be put off）ことがある。その英訳に苦労した。hit sb back where it hurtsと、とっさに訳したが、小説*Sex and the City*を読んで、offを使ってみるのも一案だと感じた。

“All it means is that a man has a romanticized view of you, and as soon as you become real and stop playing into his fantasy, he gets turned off. That's what makes romantics dangerous. Stay away.”（p7）
「つまり、男はあなたをロマンチックに見ていて、あなたが現実的になり、彼の幻想と戯れることをやめるやいなや、むっとします。こうしてロマンが危険なものとなるのです。巻き込まれてはなりません。」

ぼくはロマンチストですよ（I'm a romantic.）と言う人にはナルシストが多い。相手にも同じような幻想を抱かせるからだ。やばくなる（too close for comfort）ことがある。だから、ナルシストには巻き込まれるな、Stay away.となる。この文の流れを、私は積極的に用いた。「むっとさせる」を、I turned him off deliberately.と。deliberatelyとは「意識的に」という意味だ。

注目するのは、動脈英語が好む、このoffの副詞的用法だ。「相手にされなかった」はI got turned off. しかし、日常会話で、「意識された」とか「蚊帳（かや）の外に置かれたような気分になった」という場合は、ネイティヴならI was a little put off（by that.）という微妙な表現を用いるだろう。

オノマトペでは「むっとする」「むかっとする」の一歩手前といったところ。お祝いの会場に招かれた客が、一言挨拶させてもらえると期待していたところ、素通りされると、むっとしたり、しばらくむくれたりということがある（私にもあった）。こんなとき、I was slightend and felt a litte put off（by that.）と知人につぶやき、うっぷんを晴らしたくなるものだ。

muka-muka

むかむか　It sucks.

むかつく、むかむか——すべていやな感じがする。オノマトペがむかつくといえば、Onomatopoeia sucks.でよい。なぜ「むかつく」がsuck（吸う）なのか。ひる（leeches）は、吸血虫（bloodsuckers）とも呼ばれる。人の血を吸う（suck）からだ。蚊（mosquitoes）は、寝入りばなにぶーん（zzz......）と飛んできて、人がすやすや（zzz）と寝息を立てているときに素早く血を吸うから、むかむかする（lousy）。この、むかむか感がsuck（吸う）と結びついた。

平和のため、戦争反対、米軍基地反対といえば、必ず（とくに沖縄では）票が集まる。そんなときに、親米派はこう叫ぶ。Peace sucks, Anti-war sucks, Anti-base sucks. と。Sayoku suck. といえば、サヨクは、「右翼はむかつく」（Uyoku suck.）と反論する。私は、どちらもむかつく。Ultrarights suck. Ultralefts suck.

muka-muka-suru

むかむかする　disgusting

むかつく（やつ）とは、disgustingな人間のことだ。もともと、disgustとは、ラテン語のgustare（to taste）から来ている。ひとつは、腐敗する死体が放つ凶悪なにおいだ。肚の底で感じる嫌悪感（visceral revulsion）だ。もうひとつのdisgustingは、道徳的な憎悪（abhorrence）だ。近親相姦や、crucifixion（はりつけの刑）のexcruciating painがそれ。Jesus died on the cross.

宗教家でなくても、フォアグラの真実を知って、吐き気を催す人は多い。がちょうの肝臓を大きくさせる薬剤もどきの食べ物を無理やりに食わせる（forced feeding）のは、どう考えてもmorally repugnant（道徳的に見てもむかむかさせる）ではないか。

そう、これがdisgusting。ビッグ・ワードではない。今日からでも使える。「あいつはむかつくやつだ」という場合、She's disgusting. というより、She is DISGUSTING. と感情を込めて大声で言ってみよう。SheをHeに変えてもよい。She sucks. よりも、もっとどぎつい。

muzu-muzu (suru)

むずむず（する）　get an itch / feel itchy

むずがゆい（itchy）状態は、抽象名詞ではitchinessとなる。日常会話で軽く使うときは、getが入る。I'm getting an itch to go for broke.（玉砕したくてむずむずしている。）

もちろん、「うずうず」でもいいが、「むずむず」を使うと、もっともやもや感が加わる。

Give me a call, if you get an itch.（むずむずしたら、電話くれ。）

めったに生じないからif。whenは誰しもが感じる自然感情なので、get an urgeがお勧めだ。「むずむず」が「うずうず」に発展すると、衝動が抑えられないので、急を要する（urgent）からだ。

「むずむず」は、しらみ（lice）に噛まれる（吸うやつもいる）感じだ。

「かゆい、かゆい、かゆい」は、itchy, itchy, itchy。じっとできない、動きたくてむずむずするときに、I'm itching to leave home.（家を出たくてうずうずする）という。フランスのナポレオン皇帝は、疥癬（かいせん）に悩まされ、いつもぼりぼりかきまくっていた。ニックネームがNapoleon the Itchy（かゆがり皇帝）であったという。ぼりぼりかく（scratching all over）姿はみっともない（poor form）。

もっとくだける。If you get an itch to ask her out, feel free to call me. I'll see（to it that）you get to see her.（彼女とデートしたくてうずうずしたら、遠慮なくぼくに電話をしてくれ。あいつに会えるように取り計らってやる。）get an itchはこんなふうに、私なら使う。

このむずむずは、まだ健全だが、lousyはしらみ（lice）の形容詞だから、もっとみじめだ。feel itchyからfeel lousyに変わる。lousyとはしらみがいっぱい（louse-filled）の意味だから、厄介ないそうろう（食客）に囲まれている感覚だ。この種の食客（crabs：かにじゃなく、creepersのこと）には、頭をかゆくさせる（head lice）、身体中のどこにでも巣くうボディーしらみ（body lice）、パンツ内にだけ生息する陰部専門しらみ（underpants lice）がいる。

どいつもこいつも、オレの身体を棲家（すみか）（home）にして、部屋代も払わず、のうのう（smugly）としている。どうも好きになれない。These guys really suck. itchyやlousyを超えて、気持ちをサイテー（suckが適訳）にさせる。

この『難訳・和英オノマトペ辞典』を書き終えるまで、このむずむず感（itchyness）から解放されることはない。Itchy, itchy, itchy. と悲鳴をあげながら書いている。Writing career sucks. 文筆家もいやだねー。

muchi-muchi

むちむち　seductively chubby / erotically chubby

「む」という音が妖しげだ。色気「むんむん」というように。男は女のむっちりした素肌に触れると、もやもや、むらむら（aroused）し、近づきすぎて、ぴしゃっと拒絶されると、むっとするか、むかむか（pissed off）する。

マ行は本来「まろやか」（mom, milk）なのだが、裏にある、ぐいぐいと引っ張られる「う」という母音が曲者だ。男は「むちむち女」に弱いが、女は必ずしも、いやめったに、むきむきの（筋肉）マンにむらむらする（get it on）することはない。むちむちは、直訳すれば、chubby（丸ぽちゃの、いいおっぱい）とかplump（ふっくら）だが、それでは色気がない。seductivelyとわさび味を加えた。

「む」の音霊は、村で、群がる。田を分けず（名古屋のターケーは田を分ける愚考をなじったもの）、田んぼの周りに集まる。楠葉にあるMR. STEPUP（進学）塾にたむろしている、この村の「核」に群がる人には、「村」や「田」か、島（シマもムラと同じ）と名のつく強者が多い。偶然とは思えない。私の参謀兼愛人は、松川村の音楽隊すずむし（う音で編成されている）群団だ。夏と秋だけのすずしい時期に限定されているが。

すずむしの一生は、１年間それっきり。しかし、いや、しかも数ヵ月だけ。その一生のうちの短い時間に命を懸けている。ようし、おれもサムライだ。『難訳辞典』の編纂に挑み続けるぞー。真っ赤な闘志が、むくむく膨らみ（well up）、ふつふつと煮えたぎってくる（boiling）。

mucchiri

むっちり　plump

むちむちは、むっちりから来ている。どの和英辞典でもplump

が使われている。*cf.* plump thighs（むっちりした太もも）。

たしかに、よく耳にする。「ふっくら」（ぽっちゃりした）には、「ふくよかさ」と「ほほえましさ」があるが、「いやらしさ」や「笑い」がない。「ママはぼいんぼいんだね」と言えば、周囲の笑顔が目に浮かぶ。むちむちには初々（ういうい）しさがある。お色気が満ちて、いまにもはち切れそうである。しかし、まだ現れていない。夜明け前だ。

「む」の「むすっ」とか「むっつり（すけべ）」は、むくむく浮き上がる性的欲情を必死に閉じ込めようとしている。しかし、むくむく湧き上がり、むしゃくしゃしはじめると、ちょっとした発言でも「むっ」とする。

むちむちは、弾力に富んで、張りがある様子だが、plumpだけで表現するには無理がある。richlyいやslightly provocative（挑発的）という感情を込めたら、どうだろう。反論されそうだな。でも言いたい。むずむずする、いまの私の心境はI feel stymied.だ。stymieとはゴルフ用語で、のっぴきならない状態を表す。

黒川伊保子氏の体験イメージの解説が気になる。

「ゆるく満たされた息は、おっぱいのような豊満なまろやかさを感じさせ、母性のクオリアになる。このまろやかさのイメージは、甘さにもつながる。……唇のふっくらした柔らかさと、ゆるく満たした息の甘さ、あいまいさ。このクオリアの響き合いは、女性一般のイメージ『女らしさ』になる」（p127）

しかし、mは、男（man）のことである。むっつりしながらも、むずむずしている男性が、なぜむちむちというM音の響きに、微笑で反応するのか。ま、いいか。

言霊学でいえば「ま」は、巡り囲む霊になる。周囲（まわり）を、マリのように丸く、囲んでいくのだ。真実で心を固めることを「誠」といい、学問で知識を固めることを「学ぶ」といい、愛情で包み育てた女の子は「愛娘（まなむすめ）」。そのように愛された子どもたちは、親に「絡みつく」、いや「まつわり付く」ものだ。「ま」には「束ねる心」が宿っている。

「女らしさ」のなかには、衣服などで身にまとう、という動作までが含まれているようだ。食事を給する意味での「まかない」は、

cater（for 〜）とかprovide（supply）with mealsという。provision（糧食）は本来、女性の仕事なのかもしれない。男女の夜の営みは、まぐわい。まかないとまぐわいは、「ま（間・魔）」の音霊で結びついている。

munya-munya

むにゃむにゃ　hem and haw

東京と那覇は同じ。そのこころは。肝腎な話になると、「むにゃむにゃ」と言葉を濁すという逃げ＝evasivenessにある。大阪出身の、いらちな（ants in my pants）私は、いらいら（irritating me）したり、ときにはかりかり（pissing me off）もする。

いま、むしゃくしゃした（fretful）気持ちで、この原稿を沖縄県の那覇で書いているが、いまだにあの「なんくるないさ」（Can't be helped.）というオノマトペ風の言葉の正体がよく摑めない。「尖閣問題？　なんとかなるさ」（It will go away soon.）というぼかし（fudge）なのだろうか。

本来は、工夫すればなんとかなる（can figure it out）が原意なのだが、琉球王朝時代から、本島では危機感が稀薄なのか、それとも感じないふりをしているのか、不明だ。琉球にはifというロジックがない。whenでしか考えられない。本格的に攻めてくるとしたら、とifで問うと、そのときは「話し合い」をすればいいとwhenで返される。

ところが、中国船が領海侵犯をして、「あれはパトロールをしているんだから、中国船を刺激しないように」と沖縄の玉城（たまき）知事が中国におもねた、うやむや発言をしても、本土のメディアは一切知らんぷり。Who cares.「なんくるないさ」で済むのか、と『八重山日報』は怒る。

石垣島の徳松信男（とくまつのぶお）（常葉学園元教授）は、石垣島では「のんがさなる」（なんとかなる）といっても、危機管理のためには積極的な行動をとり、逃げない、という。石垣島の人たちは、みんながまったり（mild and bland）、そしてはんなりしている（non-committal）わけではない。

宮古島のタクシー運転手は、同じ「なんくるないさ」でも、われわれの島人はまず行動をとる。たとえ身に危険が及んでも「なんくるないさ」(恐れることはない)と開き直る、と語った。宮古島の荒くれたちは、決してむにゃむにゃと言葉を濁さない。They never hem and haw.

政治家は、どこでもばらばら(divided)で、答弁はgrunts and groansばかりだが、民衆はもっとしゃん(very together)としている。「しゃきっとしろ」は、Get your act together!

(o-iro-ke) mun-mun

(お色気)むんむん　it

お色気が「むんむん」が、itとは、お釈迦さまでも、ご存じあるめえ、と江戸弁で語りたくなるが、itとは「空気」や「のれん」であることを、文豪の谷崎潤一郎が大阪で学んだ。

itは「色気」に化ける。男の器にも化ける。生物学的なフェロモンにも化ける。

隠されたままのitは、露出されてはならない。週刊誌のおかげで、どんな美人でもすぐに素っ裸になり、色気(it)を失い始めた。裸体に対して皆が鈍感になってしまえば、折角のitも幽玄(sexiness)を失う。嘆かわしい。

谷崎潤一郎は『陰翳礼讃』で、こう述べる。「日本語に色気と云う言葉がある。これはちょっと西洋語に訳しようがない。近頃エリナ・グリンに依って発明されたイットと云う言葉がアメリカから渡って来たけれども、色気とは甚だ意味が違う。」(p110)

「色気とは、eroticismと違う。――ほのかな、弱々しいニュアンス以上に出て、積極的になればなるほど『色気』がないとされたのである。」(p111)

つまり、色気とは見せようとしないのに見えてしまう磁気、という、いわば薫(かおり=fragrance)ではないか。

エロチシズムとは、見せようとすればするほど、その魅力(charm)が相殺されてしまう匂いではないか。そこで、私の独断と偏見を混えた見解を示そう。むんむん(色気)はitのことだ、と超訳してみよう。itは見せるものではない。ぼかすものでもない。幽かに、そして微かに、にじませるものだ。におわせるのも、にじませるのも同意だ。日本文化をあやなす「にじみ」の本質を英語に超訳すれば、itに他ならない。

meh-meh

めーめー　baa

羊はめーめーでなくbaaだ。英語の発音はベーベーだ。発音してみろ。その発音はBaaad.（許せない）と言うと、生徒一同がきゃーっと笑う。「いま、先生はきみらとディベートの授業をしているから、ドリーちゃんの話題に戻そう。*TIME*を開いてみよう。羊のクローンはいいが、人間のクローンは許されるかな。」

Baaad.と、ひとりの生徒が奇声を上げる。クラス中が笑いの渦に巻き込まれる。盛り上がるまで、じーっと待つ。

「じゃ、いまから人間のクローン化についてディベートしよう。まずグループに分かれて、ブレーン・ストーミング、そしてディスカッションにまで問題意識を高めよう。ディベート開始は、20分後だ。きびきびしろ（On the ball.）」わいわいがやがやが続く。

私のオノマトペだらけの英語の授業は、いつも笑いに包まれていた。毎回、90分のディベートクラスは、文化祭のようだ。名古屋外国語大学教授時代の私のニックネームは「はりきりミッチー（先生）」だったそうだ。あの頃が懐かしい。たとえ、日本の大学へは戻らないと公言してしまったあとだとしてもだ。

この種のheuristic debate（自己発見的究論）は、いまも東京の紘道館で、そして大阪のMR. STEPUP塾でも受け継がれている。ICEE（お祭り型の英語による異文化格闘技大会）も、いつもうきうき、わくわく、はらはらの連続だから、英語道のエンジンである〈遊び〉の一環である。年1回の浅草祭りでも、ICEEはいまもワッショイスピリットを失っていない。ワッショイ、ワッショーイ、さー、英語祭だー。

オノマトペイックなICEE「祭り」は今年（2020年）で33周年を迎える。衰えを知らない。いまもfestive mood（るんるん気分）の私は、80歳を超えても“遊び人間”（homo ludence）のままだ。三密（social distancing）で、禁じられた遊びと認定されようとも、オンラインでやる。ええじゃないか、ええじゃないかと。

meki-meki

めきめき　improve remarkably

めきめきとは、目立った（visible）進歩のことだ。勧められる副詞は、remarkably。もっと手っ取り早くfastかrapidlyでもいい。「きみの英語はめきめき上達してきたね」という場合は、Your English is improving remarkably. でよい（making a remarkable progressでもよいが、書き言葉に近づいてしまう）。

体力などが回復するときは、improveの代わりにrecoverを用いよう。「論理的思考がめきめき伸びてきたね」ならYour logic is improving sharply. 論理的思考（logical thinking）も、私の好みでいえば、logicと短くしたい。「めきめき」と同じく「ぐんぐん」「うなぎ登り」という場合でも。rise sharplyで決めておこう。

日常会話ならrisingだけで十分。“Oh, you're rising fast.” “Yes. But I hope I'm not going to fall fast.” こんな気の利いた会話も、単語数を減らすことにより可能になる。動脈英語の基本は、短文だ。質だ。それをeconomyという。「きみ、英語を断捨離せよ」とはEconomise your English. でよい。

静脈英語を好む人は、ボキャビル派（英語力とは単語力のことだ、という流派）で、スケールメリット（economy of scale）を好む。単語数が１万より２万、２万より３万と、単語のナンバー・ゲーム（numbers game）の虜(とりこ)になりがちだ。英語道はボキャビルよりシンビル（symbol building）を目指す。

meso-meso-shita

めそめそした　wimpy

めそめそ泣くはsob。その泣きが長引けばweep。「めそめそする」は、感傷的で、涙もろいのでsentimentalという形容詞が当てはまる。このwaterのW語は、井戸（well）のように地下から、汲めども汲めども湧き出て（well up）くるエモーションを意味するから、どうしてもW語にこだわりたい。

「嘆きの壁」（wailing wall）の前でイスラエル人が哭(な)き続ける（wail）のも、感情が井戸水のように尽きないのだろう。Their emotions must've welled up.

ところがWにHがつき、whimpyとなると、信念はふっとび、ただ単に女々しい（sissy）しぐさになる。だがくーんと哀れっぽく鼻を鳴らすのも、whineとWから始まる。ぐずり（むずかり）なく相手を止めるには、Stop whining! に限る。

哀れっぽい声で泣き言をいう人は、すべて女々しい（wimpishな）whimps（泣き虫）かwhinersたちだ。W語でひとくくりすれば、すぐに覚えられて、すぐに使える。「オノマトペなんかもういい。受験勉強に役立つ英語を学びたいよぉー。うぇーん。」Stop whining. Kids.

涙（tears）を使えば、shed tears。shed a tearと単数“a”を使うと、涙がほろりとこぼれる、という情景が浮かぶ。tearsでなく、a tearと変えるだけで、訳がこんなにころりと変わるのだ。

meccha

めっちゃ　way

大阪弁は標準語をどろどろにする。滅茶苦茶（目茶苦茶）がめちゃめちゃになり、めっちゃになる。『日本国語大辞典』もそこまではつきあえない。ぽいとほかされる。それでも大阪人は「あかん、あかん」とは言わず、「かまへんかまへん」と大阪弁を全国各地でたれ流す。「名古屋まで大阪弁をがーっと広げたら、東京までびゃーっと一直線やで」と。

もう言葉はぼろぼろになっている。それでも人格がばらばらに破壊されていないのが不思議。

この大阪弁のめっちゃぶりが『隠れ大阪人の見つけ方』（祥伝社）で摘発されている。

道を教えるときなど、「ガーッ」とか「シュッ」とやたらに擬音を多用する。しかもカタカナを使っているから、やまと言葉もぐちゃぐちゃ。そう、言葉に関しては、大阪は無法地帯だ。例文をここに示そう。

「この道をガーッて行って、ひとつ目の角をシュッと右に曲がって、細い道を左に、キュッと曲がったらおます！」

ここまでオノマトペが使えたら、もう生粋（きっすい）の大阪人。そのゴールを大阪弁では「どんつき」という。道の突き当たりのことだ。はよ、走らんと、べべ（べべたでも、べったでも可）になるで、と怒られる。「べべとはビリのことや、あほやな。」あんた大阪弁うまいな、めっちゃかっこええで。Way cool. 生粋の大阪人と1ヵ月一緒に暮らしたら、身も心もことばもぼろぼろになる。

meccha (kakko-ii)
めっちゃ（かっこいい） way (cool)

「いいね」というフェイスブックの発信はcool。かっこいい、しぶいがcoolという時代は去った。クールというK音は、空気に逆らうかっこよさがある。いいね（cool）を連発する人は、ださい（uncool）という時代に変わってきた。

テレビ連続ドラマ『ドクターX』の「かっこよさ」は、群れを嫌い、権威を嫌う、一匹狼の女外科医に代表されようとしている。「私失敗しないので」というセリフは、滅茶苦茶、いや、めっちゃかっこええ（Way cool!）。

「昔は白いごはんがめっちゃきらいやった」は、漢字という樹木がどろどろに融けて、シリコン化している。だから、それはオノマトペにまで昇格化した。「めっちゃきらい」では、滅茶苦茶という四字熟語は、完全に風化している。感情だけをぶわーっと伝え、しかも言いたいことを大勢の前で、ぴゃーっと広げるのが大阪文化なのだ。

政治力でがつんといわせる東京文化と違って、大阪文化は定義のできないオノマトペで、じわーっと迫り、どかんと勝負に出る。「センセ、これごっついですわ」と。何がbigなのか、どうbigなのかわからない。言葉の定義など、どうでもいい。勢いだけを伝えている。伝わらなかったら、しゃーないやん。Who cares!

だから、大阪はめっちゃおもろい。この「おもろい」はinterestingでもamusingでもfunnyでもない。Way bigだ。

「おもろい」も、「面白い」が風化して、オノマトペに化石化（siliconize）されてしまっている。幹のなかがからっぽになった縄文杉（2000年以上の樹齢の屋久杉）の大木のようだ。

んーん、めっちゃおもろい。“Mmm, it’s way edutaining.”

educationは、大阪人が得意とする娯楽教育のこと。このヨコ社会の大阪文化を、タテの権力で取り締まることなどそもそもムリ。文科省にとり大阪はもう、黄泉（よみ）の世界。コロナが明けて帰京する前に、みそぎ祓い（ablution）でもするか。

mou-akan

もうあかん。　I give up.

大阪人はbig wordsを使わずに、感情をストレートに表す。I give up.（The jig is up.もよく耳にする）でいいか。giveとgetがオノマトペと相性がいいのだ。「もうあかん」に近い、関西風のオノマトペには「こんなんむりや」がある。大阪女優の藤原紀香は、同じ芸能界の陣内というお笑い芸人と、びびびと響き合って、電撃結婚をした。しかし、お互いは超多忙、このままでは、つぶれる。「こんなんムリや、あかん」We're done.と紀香女史がgive up. その寸前の心情を英訳すれば、Something's gonna give.

外国では小学生でもわかる、giveとgetを用いた口語表現だが、日本の大学生のほとんどが聞きとれない。使えなくても、採点は容易な受験英語（静脈英語）がいっこうに変わらないからだ。この状態がいつまでも続くことはない。Something is gonna give.

この現状を変えなくっちゃと、うずうずしている、いまの私だ。（I'm dying to change all this.）

オノマトペから学ぶ動脈英語。きっと気に入るよ。（You're gonna love this.）

mogo-mogo (kikoeru)

もごもご（聞こえる）　sound like noise

「すらすら英語が話せる」はspeak English fluently。では、「すらすら聴く」はどうなる。listen fluently。数年前に耳にしたときは、なるほどと思った。You're speaking too quickly.といえば、You must listen quickly.という会話も耳にした。「速く聴け」か？　速聴（fast listening）という造語を流行（はや）らせたのも私だ。オノマトペの進出の速さに負けてなるものか、とがんばっている。

YouTubeでこんなオノマトペが出現した。「もごもご聴こえる英語がすらすら聴こえる」とは。もごもごとかたことをしゃべる

（hem and haw）ならわかる。listenからhearに移っているから厄介なのだ。hear sluggishly? そんな英語も日本語もない。listenは「こちらから」聞くもの。hearは「あちらから」聞こえてくるもの。「もごもご」とは、耳に入る音がちんぷんかんぷんという状態だ。だから、音を騒音とすることにした。inaudibleでもいいが、これなら、hearing（聴力）の問題だ。雑音（sound）にしよう。虫の鳴き声を多くの外国人は右脳でnoiseとして処理しているから、noise。

ところで、聞こえない騒音はあるだろうか。それが日本語に多い擬情語だ。「情」や「態」のオノマトペには一苦労する。早口で話された英語が聞きとれず、もんもんとする（agonizing）。英語は好きなのだが、受験英語で音やにおいのない静脈英語にどっぷりつかっている受験生にとり、もごもごとしか聞きとれないことは、じれったい。しかし進学用の英語を捨てるわけにはいかないといったdilemmaに悩まされる。このジレンマは、じれったい。

この悶々とした、の「も」の音霊にひっかかる。あるオノマトペに関心のある水商売の女性に、男の「もやもや」の意味がわかるか、と尋ねると、「女性はもぞもぞと濁します」と答えた。お色気むんむんの中年女性が口ごもっていた。もぞもぞ？　ぴんとこない。虫（creepy-crawlies）がもぞもぞ動くなら、わかる。満員電車で痴漢がもぞもぞと手足を動かすしぐさも、もぞもぞ。こちらはgroping。痴漢はgropers。這う虫と同じだ。ピリオド。（私は芸能レポーターではない……。）

mozo-mozo

もぞもぞ　wriggly / squirm

うじ虫（maggots）の「もぞもぞ」とする不気味さを形容するのはむずかしい。slitheryかslimy（ぬるぬる）か、wriggly（のらりくらり）といった微妙な動きを形容しようとすると、私も身体中がもぞもぞする。自分が仲間ともぞもぞ（slithering）とのたうち回っている、ハエ（fly）のmaggot（うじ虫(むし)）のような気になる。それじゃ、私が浮かばれない（I deserve better.）。チョウになって翔び立つ前の毛虫（caterpillar）の「行」を続けている、と自己暗示しているみたいだ。
どちらも、もぞもぞと身体をくねらせている。turnだけでも間に合いそうだ。Even a worm turns.（一寸の虫にも五分の魂がある）というではないか。いまの私の心境だ。
もぞもぞを形容詞にするとsquirmy。小さな虫が這いまわる（squirm/creep）と、むずむずする（feel itchy）。口を出したくてむずむずするのも、腕がむずむずするのもitchingで表せる。
ふと考える。「もぞもぞ」動きまわるのは、虫の勝手でしょう。日本人は、刺身のおどり（live fish）が好きだが、西洋人は、おしなべてnot used to food that squirms。こんなときに、squirm（もぞもぞ）が使われる。
*The Economist*は、中国人はあざらし、虎、犬のペニスのようなゲテモノを料理するときに、米のリキュールを混ぜて、客をいい気分にさせる、という。韓国では、生きたタコをぶったぎり（chopped up）にして、そのまま食べさせる高級料理（san-nakji）があるという。日本人は驚かない。こういう、のたうち回る（squirmy）動物は、西洋人が苦手とするところ。Yucky!（おえーっ）と言う。日本人はYummy!（おいしい、うまうま）と言う。

mozo-mozo-suru

もぞもぞする　creep / crawl

Ants are creeping around in my pants.
（アリがズボンのなかでもぞもぞ這いまわっている。）
creepとよく似た英語にcrawl（むずむずする、のろのろとする）がある。ふたつあわせてcreepy-crawlyは、這い回る虫のこと。ぞっとするほどいやな虫（動物）だが、「きもい」（creepy crawly）展があると知ると、会いたさ見たさで、怖さを忘れ、急にむずむずして、私の足がもぞもぞと、展覧会場に向かって動き出す。
「きもい」という形容詞には、どうも「気味の悪さ」がべとついてくる。
Caterpillars are packed with potassium, calcium and magnesium.
（毛虫にはカリウムやカルシウムやマグネシウムがぎっしり詰まっている。）

packedにはpacked like sardines（すし詰め）のように、「ぎっしり」というオノマトペが込められている。コンゴでは、果物よりも、昆虫を売る方が儲かる。（Selling insects is more lucrative than selling fruits in Congo.）

mote-mote

もてもて　hot

「もてる」の静脈英語は、popular。これでは「知られている」「人気のある」だから、静止状態だ。これをもっと動脈的に記せば、hotになる。「彼女はもてる」は、She's hot.かEverybody loves her.となる。

色と感情はマッチする。どちらも響く。私の波動英文法（vibrational grammar）の基本は、vibrationだ。動詞（verb）ではなく、「響き」だ。She placed a red hot kiss on the cold blue lips of Big John.（彼女はビッグ・ジョンの冷たく青い唇に赤く熱いキスをした。）学生時代によく口ずさんだ曲"Big Bad John"だ。音読の代わりにポピュラーソングから、英語の響きを学んだ。（I got the good vibes of English.）

redとblueの対比は、アメリカ人好みの"色霊"（color spirit）だ。共和党対民主党、そして私が最近開発した動脈英語（red-hot blood English）と静脈英語（cold-blue blood English）も、赤と青に色分けした。ネイティヴもredとblueで通じると同意してくれた。世界初の試みであるICEE（動脈英語検定試験）は今年で33年目となるが、もてもて（hot）の状態から、教育界に影響力が広がりつつあるので、super-big（超もて）と言える。Yes, I'm getting good vibes.

も

コーヒー・ブレイク

itは「もやもや」させる犯人

本書は「もやもや」感から産まれた。産まれるのは、幼児（baby）のことだ。早く見たいが、見るのが恐ろしい。見たいのか、見たくないのか、といった思考のifではなく、産まれてくる「時」whenに至るまでの、やきもきした感情なのだ。

この「もやもや」感というのは、早く会いたいという期待と「五体満足かな」という不安が入り混じった複雑な心情のことだ。この名状しがたい思いを欧米人は、itで表す——いや、itに逃げる。オノマトペを苦手とする、彼らの魔よけなのかもしれない。

産まれた子どもに、いつまでも人格を与えず、it呼ばわりし続けた母親は、まさに鬼子母神だ。*A Child Called It*（邦題『"It"と呼ばれた子』）は、*It*（スティーブン・キング Stephen King）に匹敵するスリラー小説の類（たぐい）になる。

私にとり、この『難訳・和英オノマトペ辞典』はまさにitだ。妖怪なのかもしれない。先は地獄か天国か。そんなことは考えず、このまま手探りで階段を登り続けるより他はない。

「もんもん」というより「もやもや」だろう。とにかく周囲が暗闇に包まれたままなのだから。しかし、この暗闇を通り抜けなければ、明るいところで、AI（人工知能）と闘うことはできない。もやもやとしながらも、がんばらなくてはならない。I must huff and puff.

「マザーグース」（*Mother Goose*）のhuff and puffを「ふうふう」の訳とした。「擬」のあとにくるのは、「音」か「態」か、それとも「情」か。悶々と悩み続けたあと、a light at the end of the tunnel（トンネルの先の光明）を見て、「そうだったのか」（Now I know.）と悟りができるかもしれない。この「悟り」を英訳すればaha-moment（ひらめいた瞬間）となる。そのとき、AIに負けない、This is it.と悟ったとたん、きっと、ふっふっふっと小声で笑いたくなるだろう。

歌舞伎の「時平の七笑」（224ページ）は、私がオノマトペの研究者たちに勧める演目だ。尾野氏の解説が、そして英訳が冴えている。

もし、この「ふっふっ」を「にやにや」と笑いを変えてみれば、こんなふうになろうか。When I asked him "How did you make such a killing?" he just grinned from ear to ear. つまり「ふっふっ」も「にやにや」も、英単語の中に定義されている。make a killingは「がっぽりと儲ける」の意。

ふっふっ（擬音語） 声を立てないで笑う——小声で笑う 「どうやってぼろもうけしたの？」と聞いても、ふっふっと彼は笑うだけであった。	Futt-futt（sound onomatopoeia） To laugh under one's breath; to chuckle When I asked him, "How did you manage to make such a packet?" he just chuckled to himself.

そう、外国語、とくに英語の強さは定義（definition）の美であり、オノマトペが主食のように感じる日本語は、定義というD語を忌み嫌った、オノマトペイックな古池なのだ。

私に挑むAIの翻訳者には、日本語のオノマトペが、底なし沼（bottomless swamp）に映るのかもしれない。やったぜ。（Yes! Got'em.）神は笑わないが、悪魔は嗤（わら）う。ひっひっひっと。私はふっふっふっと。

moya-moya (shita-kimochi)

もやもや（した気持ち）　pent-up feeling

「じめじめ」が私の日本人的気性と定義したものの、まだすっきりせず、もやもやしたままだ。『風土』の著者である和辻哲郎なら、「待ちたまえ、きみィ。日本人気質は『水』だけじゃない。火もあるんだよ。日本人は『湿やかな激情』だとぼくが言っただろう」とちゃちゃを入れてくるだろう。He might butt in. 動脈英語のbutt inとは、（人の話に）口をはさむこと。静脈英語ではinterrupt。

この「もやもや」とは何だろうか。ふと眼下の恵那峡（えなきょう）に眼を落とし、視野を広げてみた。霧でもやもや（foggy）していた。和英にはfoggy以外に、misty, hazy, murkyがあった。これらの形容詞の裏には、熱気が潜んでいるはずだ。『新和英大辞典』の例文には、浴室がぬーっと登場している。

The bathroom was filled［hazy］with steam.

蒸気とは熱。ここは温泉地。「もやもや」を一言で形容する方法はないか。頭がもやもやしてきた。私は狂い始めているのか。もやもや病の患者か。

moyamoya diseaseとは、医学用語で、脳底部に異常血管網（もやもや像）を呈する疾患のことを指す。疾患？　やはり、私はビョーキ。そうかぁ、それですっきりした。The fog has cleared away.

もやもやした気持ちとは、閉じ込められて、うっせきしていた（pent-up）気持ちのことだった。抑圧された（bottled-up）気持ちではなかった。

moya-moya-byou

もやもや病　moya moya disease

『家庭医学大事典』（小学館）に「もやもや病（ウィリス動脈輪閉塞症）」が登場し、脳・脊髄（せきずい）・神経の「病気」と記され、Cerebro-vascular Moyamoya Diseaseという英訳もあり、ほっとした。オノマトペは医学とは切り離せない。同事典は「日本人に多い原因不明の脳血管の病変で、もやもやとした異常な血管網が脳血管撮影に映る」と述べる。

厚生労働省は、難病（特定疾患）扱いにしている。難病はすべて難訳だ。オノマトペが役に立つ。「イタイイタイ病」はan ouch-ouch disease。「いらいら病」もira-ira diseaseでいいはずだ。irritation diseaseと直訳しても通じない。He's irritated. とかHe's edgy. と「病」を外した方がいい。

「オレオレ詐欺」は、an "it's me" scam。フリーランス女医の筒井冨美氏の『女医問題ぶった斬り！』を読んでいると、「もやもや病」から「むかむか病」に転移している。ぶった斬られた「ゆるふわ」（flabby-fluffy）女医たちがちと哀れだが……。快著（すがすがしい＝refreshingly＝soothy暴露本）であることに変わりはない。

mori-mori (kuu)

もりもり（食う）　eat hungrily

もりもり（と）とは、口中にものを含んで噛むさま。堅いもの、量の多いものなどをどんどん食べ進むこと。青虫や毛虫の食欲がもりもりだ。

使いづらい人は、形容詞のhungryを副詞として使ったらどうだろう。こんなふうに。The caterpillars eat hungrily and grow very quickly.（毛虫はもりもり食べ、みるみるうちに育つ。）

このようにひとまずオノマトペ風に訳し、もとの英文をすいすいと音読すれば、英語の語感がぐんぐん（みるみるうちに）膨れ上がり、いつの間にかばりばりと英語でコミュニケーションができるようになる。

こういうオノマトペが、日本語でも英語でもすいすいと使えるようになるには、学者自身が擬態（metamorphosis）することだ。毛虫の域を経なければ、チョウになれない。

ところてん式に高校から大学（関西学院大学）に進学できた私は、心の底に、どこかじくじたるもの（feeling of guilt）を感じていた。進学塾での数年間の禁欲生活は、人生における完全変態（complete metamorphosis）の期間である。その時期を逃した私は、口では人生のロマンは完全変態だ、と偉そうに言ってきたが、内心は、「オレってまだ不完全変態のままじゃないか」と、うじうじしていた。

だから最近急に、楠葉にある進学塾で浪人学生に交じって、速読の集中インプット（ときには生徒に交じって音読アウトプット）の指導をし始めた。*The Economist*をもりもり食い始めた。ときには蛹（さなぎ）になることも楽しいものだ。It's fun to become a pupa once in a while.

yada-yada

やだやだ　ugh

不愉快なときは、腹の底から声が出る。言葉にならない“腹音”（私の造語）だから、発音記号は［uː］［uːx］［uːh］となる。うっ、わっ、は嫌気、恐怖の声。ぶつぶつという不安の声のときにも使える。It's too hot, ugh!（暑いなぁ、もう！）すべてuが入るから、咳の音（ごほん）のときも使える。

I can't stop thinking about her......, ugh!（彼女のことが忘れられない。やだやだ。）

あんな女に未練はないが、なぜか涙が流れてならぬ。（「人生劇場」）

男ってやつは、いやだね！　Ugh!

yappari

やっぱり　I knew it. / second thoughts

図書館のとなりにあるバーミヤンで注文をすませ、「あのぅ、ヨミウリの英字新聞はありませんか」と聞くと、「あいにく、日刊の英字紙は廃刊になりまして、すみません」とうやうやしく断られた。せっかく楽しみにしていたサービスがひとつ消えた。

「やっぱり」と思った。そして頭のなかをよぎったのはI knew it.であった。そのitとは、原因のことだ。すでに『毎日新聞』の英語版（*The Daily Mainichi*）が消え、『朝日イヴニング・ニュース』（*Asahi Evening News*）もなくなり、いずれは『英文読売』（*The Daily Yomiuri*）もと思っていたから、I knew it.でよいのだ。（現在、読売新聞社は*The Japan News*を発行している）

itは時代の流れだ。新聞など紙のメディアそのものは衰退していく。itにこだわらなければ、Uh, huh.（抑揚は尻上がり）でよい。「先生（の血液型）はA型？　やっぱり」は、Uh, huh.「おやじがB型で、おふくろがABでしてね、だからA型だ」と言えば、「どうもA型らしくないと思った。やっぱり」という人がいる。

この「やっぱり」はThat explains.とか、That figures.となる。べつにitはなくてもいい。

やっぱりそうなったか、は I knew it.「先生はやっぱりA型。」Oh, you're type A blood. I knew it.という人は、信頼できない。B型でしたといっても、「やっぱり（I know it）」と逃げられるタイプだからだ。こういうあと知恵（あと出しじゃんけん）の上手なsecond guessersは信用されない。ただし、より筋の通った人の意見を聞いて、「やっぱり（考え直します）」I'll have second thoughts.という潔い人の「やっぱり」はon second thoughtだ。

アメリカの移民人口は13％だが、ベンチャービジネスを始める人は、27.5％が移民者だといわれている。By their nature, migrants have more get-up-and-go.（*The Economist*, Oct.12, 2019, p65）

移民者の方が、よりど根性（get-up-and-go）が備わっているということだろう。この記事によると、もうひとつの理由は、いろいろな意見を受け入れるdiverse thinkers（多様思考者）ということだ。ディベートとは、cognitive diverstity（認知多様性）を認め合うゲーム思考だからだ。「やっぱり」とか「ちゃうちゃう」と、ほがらかなディベートが許される。大阪の方が東京より進取の気性（きしょう）に富んでいるからだ。ちゃらんぽらんも多いが。

yanwari
やんわり　unthreatening

日本語は陰翳（いんえい）が多い。露骨な表現を避ける。オブラートに包んだ表現を好むのは、中国人の得意とするところ。日本人は意思をにじませるが、中国人はそれをぼかすのが得意だ。一帯一路（one belt one road, yi dai yi lu）という言葉がそれだ。

英語に訳せばカドが立つ。one land and seaを目指すとなれば、世界制覇そのものではないか。One Belt, One Roadと英訳するより、Belt and Road Initiative（BRI）とした方が、響きがいいではないか、と発想転換を試みた。そのほうが英語国民の耳（on the English speakers' ear）にやんわりと（unthreatening）響くからだ。「やんわり」と訳せないだろうか。イギリス人好みのun-という接頭語を使えば、すんなり（effortlessly）訳せる。initiative（発議、考え方）を使えば、脅し（intimidations）をやわらげる。におい（suggestiveness）を消す。ぼかしだ。だが英国の*The Economist*は、シェイクスピアの引用から、やんわりと（unthreateningly）攻撃する。ユーモアを用いて（somewhat tongue in cheek）。

この記事の見出しがWhat's in a name?（なぜ名前にこだわるの。）名は体を表すって本当かい？　ロミオ（中国）という家系の面子（メンツ）（New Silk Road）を捨てなさいな、とジュリエットに迫る。中国人の「ぼかし」の言語テクニックは、じつに「いい加減」（sloppy）なんだから。お互いにwin-winでいこう。harmonyの精神で、といっても本音はzero-sum（オールオアナッシング）なんだから。手厳しい。

８ページにわたる、中国大特集“Return to centre”（中華思想への復帰）も、Return to sender. と掛け合わせたものだ。きれいごとの恋文は、差出人に送り返せという、あくの強い（unfriendly）メッセージだ。８ページにわたる大特集の見出し（Return to centre）のユーモアにニヤッと笑えれば、本文は速読できる。

単語を追えば、速読はできない。英語のシンボルを学べば、かなりスピードアップができる。見出しの意味（とくに笑いのセンス）で中身をイメージし、類推すれば、本文を読む前から速読モードに切り替えることができる。

yuru-fuwa (jyoi)

ゆるふわ（女医）　fluffy (soft-working female physicians)

ゆるふわの女医という奇妙なオノマトペが、登場した。人気医療ドラマ『白い巨塔』を見て育った筒井冨美氏（『女医問題ぶった斬り！　女性減点入試の真犯人』の著者）は、「『女は使えない』と言われぬよう、がんばろう」という覚悟で入学・就職したバリキャリ系の女医のひとりだった。

あれから、うん十年、いまでは女子力で闘えない――いや、闘おうとしない――子持ち女医。テレビの超人気連続ドラマの『ドクターX』の有力な忍者スタッフ。彼女は「ゆるふわ女医」をこう定義する。「医師免許取得後は、スキルを磨くよりも男性医師との婚活に励み、結婚出産後は昼間のローリスクな仕事を短時間だけ、当直、手術、救急、地方勤務は一切いたしませんといった新人類（a new breed）だ。」（p78）

組織にぶら下がって、「男の３分の１」レベルの仕事しか担わない「ゆるふわ」が増加傾向にあるという。初期研修は婚活期間ではないか、と疑問視され、女医のヒヨコ（卒後１～２年目）のうち、３分の１は生涯独身、３分の１は結婚するも離婚、３分の１は結婚生活をまっとうできる、とも。

女性医師の生涯未婚率はほぼ36％（2012年の調査）というから、女医の多くが出産後、ゆるふわ女医（soft-working female physicians）に堕ち、あるいはそのまま専業主婦に甘んじてしまう。もう歌を忘れたカナリア。

しかし、子持ち女医フリーランスの筒井富美氏は、hardに働き続けるtoughなworker beeだ。ここまで背景知識がないと「ゆるふわ」が訳せないから、通訳（とくに同時通訳者の仕事）はつらい（tough)。いや、きつーい（hard）のだ。

ばりばり働く人はhard workersだから、その反対は、私の造語で恐縮だがsoft workersになる。soft workersはsmart workersではない。効率的に（てきぱきと＝efficiently）働くキャリアウーマンではなく、ぬるま湯につかって、ゆるやかに（soft）ふわーっ（fluffy）としているといった情景だ。「情」景だから、擬“情”語となる。「ゆ」と「ふ」で情景が描写できるのだから、日本人のオノマトペ感覚はシャープだ。AIロボット翻訳者を寄せつけない、日本の非関税障壁、そして最後の砦となりそうだ。

ririshii (rin-to-shita)

りりしい（凜（りん）とした） awe-inspiring

連用形「りんと」は、意義が多岐にわたるため、副詞化（風化）してしまった。「りんと」とは、1、寒気がきびしいさま、また、寒気や尊敬の念によって気分が引き締まっているさま　2、人の態度や姿などがきりっとしているさま。さらに、3、厳密さ　4、「澄み切った」という情景が加わる。最高のホメ言葉ではないか。

バイオリンのスズキメソッドで知られている鈴木鎮一（すずきしんいち）氏を一言で表現すれば、「凜（りん）」に尽きるのでは、と弟子仲間をはじめ衆目の一致を見た。きりりと引き締まった音楽人生を歩まれていた。青眼（ガイジン）の賢妻の目からみても鈴木鎮一は頑固一徹（uncompromising）でありながら、いつも飄々（ひょうひょう）としていたというから、凜のなかには、「寒々しさ」と「厳しさ」と飄々（aloof）とした面が含まれそうだ。

岩窟に身を隠したいと、だだをこねた晩年の宮本武蔵の風姿とだぶってくる。amazingどころではない。この世の人物ではないのだ。恐怖（fear）でなく、畏怖（いふ）（awe）を感じさせる凜々（りり）しさはawe-inspiringと訳すより他がない。

rin-to-shita (taido)

凛とした（態度） Victorian (values)

「凛」とは、態度・気持などが引き締まって、きちんとしているさま。また勇ましいさま。「りりしい姿」等は、最大級のほめことばだ。

「りん」には、人の守り修めるべき倫（みち）がある。倫理（ethics）や秩序は美しくvirtuous。しかし、「吝」（けち）という意味もある。悋（りん）には、ちょっぴりと嫉妬の味わいもある。花びらの全体も、車の輪と同じく、輪（りん）と表現される。夜間の墓地に、ふわーっと姿を見せる燐（りん）は、青白く不気味な炎だ。

これらの「りん」の輪郭を英語で表すのは骨が折れる。イギリス人ならvirtuous（高潔）、とくにVictorian virtueか、Spartan（スパルタ風に質素な）を想起するだろう。ええ？　スパルタ式？　と一部の読者はお感じになるだろうが、日本人の感じる「剛勇の」とは少し異なって、質実剛健（とくに、質素な）という、わび、さび（decency）に近い意味で使われることが多い。

ヴィクトリア朝の価値観（back to basics/self-help/personal responsibility）は、アメリカのアーミッシュの人たち（the Amish）にも受け継がれている。

日本の武士道の原点にも、修験道にまで遡ればこの種の厳しさがあった。新渡戸稲造の妻はクエイカー（Quaker）教徒であったから、氏も厳粛なメノナイト教（strict Mennonite sect）のストイシズムを学んだはずだ。

最近のイギリスは、青い労働党、赤い保守党、どちらも懐古主義に戻りつつあるようだ。お互いにりりしく、凛として生きようよ、と控えめだが、妥協のない（uncompromising）市民資本主義（civic capitalism）を見直し始めた。日本でも修験道を見直そうとしている。

rin-rin-rin (suzumushi)

りんりんりん（すずむし） ring, ring, ring

すずむしや、まつむしの、りんりんりんを英訳せよ、と問うと、生徒たちは必ず迷う。この「り」がLかRのいずれかが区別できないからだ。さもありなん。(I'm not surprised.)「りん」は深ーいのだ。『精選版 日本国語大辞典』で「りんりん」を引くと、溜息が出る。

粼粼（水が透き通って川底の石の見えるさま）
凜凜（寒さなどが身にしみるさま。勇ましいさま。りりしいさま等）
磷磷（玉、石、金属などが美しく輝くさま）
轔轔（車が走ってきしんだ音をたてたり地面を轟かしたりするさま）
鱗鱗（波や雲などが魚のうろこのように相連なるさま。また、鱗のように鮮やかで美しいさま）

それから「りんりん」（金属が互いに触れ合う音や、鈴、ベルなどの鳴る音を表す語。油が沸騰して釜や鉄瓶などの鳴る音を表す語。すずむし、まつむしなどの鳴く音を表す語）、やっとひらがなのオノマトペが登場する。

しかし、まだRかLか戸惑う。私は生徒に言う。Rは自然の音、Lは人為の音だ、と。

からすは、caw, caw, cawと泣く（鳴く、哭く？）。しかし、のどから大声でアーアーアーと発声しても、からすの声に近づくはずだ。

羊や山羊（やぎ）のめーめーめーは、英語国民ならbaa baa baaと書く。めーめーかべーべーか、子音を外して、母音だけで、大声でエーエーエーと叫べば、羊の声に近づくはずだ。

さらに、日本の右翼はright-wing、左翼はleft-wingで、RとLだけの違いだ。Rはround（ぐるっと巡る）、return、revive、revengeと元へ戻るが、Lはlinear（直線的）にleave（去る）から、軽い（light）とヴィジュアルな解説ができる。

LとRの音の解説については、専門家の黒川伊保子氏に一歩譲りたい。氏は、Rは重く、Lは軽やかで、女性市場では「麗」のごとく、「Rはキレイな音」と言われている。ribbonのRは「美」だが、logicのLの「論」は男性市場に属する、とは、男の私には勝てないニクイ観察だ。

logicの語源のlogosはインド・ヨーロッパ祖語まで遡ると、英語はlogになり、そのLが理のクオリア（qualia＝感覚質）につながるとは。

黒川氏は、大和田洋一郎氏の発言に注目されている。「インド・ヨーロッパ祖語のRの基語（rg）は、英語のrain, ruleの語源基語であり、この音韻はそれぞれ漢字の零、令に共通している。単品では見慣れない漢字だが、零は静かに降る雨の意。転じて『落ちる、落ちぶれること』（零落）の意味がある」（p132）と。ふーむ。Mmm. He's a man to watch.（気になる御仁だ。）

閑話休題。いま、令和の時代。いやしくも言霊研究家として、末席を穢す私は、どうもこの令（零）という音の響きにこだわる。英語道のランキングでも「行」を重ね、七段に達した頃、母を亡くし、自らの英語道ランクを零段と位置づけた。

ゼロは、「般若心経」でいえば不増不減。増えも減りもしない。ゼロにゼロを掛けても、割ってもゼロ。rainのごとく地面に落ちる。この落下には、否定的意味合いはない。重力に惹きつけられたに過ぎない。Rはすべてを自然（原点）に戻そうとするnatural force（自然の力）なのだ。ゼロベース。それがいまの日本だ。

ゼロとは、サンスクリット語で、スーニャ、つまり、永遠のことだ。始めも終りもないゼロ磁場（zero magnetic field）のことだ。ビッグ・バン（Big Bang）が最初というのは仮説に過ぎない。令和の時代を、ゼロ（零）に置こうとするのは、私の恣意（自分勝手な考え＝wishful thinking）によるものに非ず、世の欲するところではなかろうか。ま、Just a thought of mine. といくか。

run-run

るんるん　euphoric / high

るんるんした気分とは、happy（euphoric）moodのことで、どちらもhighの状態を表すが、幸福度はeuphoric（ユウフォリック）の方が高い。外国ではin seventh heavenとか、アメリカ英語のcloud nine（天にも昇る心地）がよく使われる。

さてeuphoriaに戻るか。これは、単なるhappinessではなく、根拠のない過度の幸福感を意味する。心理的医学用語で多幸症と呼ぶことがある。しあわせすぎて、ビョーキ。だから麻薬による陶酔

（感）と同類として扱われるようになった。

ギリシャ語のeuphoros（我慢しやすい）は、eu-（良好）や-phor（我慢する、耐える）+ia（状態）。病的な幸福感とでも訳そうか。日本語のオノマトペでいえば、うきうき（high）より高い。るんるんというところか。

『オックスフォード新英英辞典』は、euphorosをborne well, healthy, from eu 'well' + pherein 'to bear'とし、英英辞典による解説の方がぐっとくる。17世紀のユーフォリアは薬の力を借りた多幸症であった。悪ノリもeuphoricなのだ。highの状態に変わりはない。

ところで、よく耳にするnatural highという英語は、天然ぼけに近い状態ではないだろうか。まったく、生まれつき苦労がないのか、いつもけたけたと（foolishly）笑っている、病的に健康すぎる人がたまにいる。その人は超幸福な人か、異常なのかわからない。

waah

わあー　Ooh.

わ「あー」と、「あ」の音霊がメインになるのが、日本語の特徴だが、英語の母音は、のどよりずっと奥の横隔膜（diaphragm）から強く音声を吐き出すのが良しとされるので、「う」の音霊が多い。日本語の言霊は「う」から始まる縄文語が基本というのが私の持論だ。「あー」が肯定のシンボルとすると、「お」はそれに歯止めをかける母音といえそうだ。

飛び立つ鳥やチョウを見て、「ああー（美しい）」と感動しても、巨象を目の前にするなら、「おおー」と畏怖が加わる。畏れは否定に繋がる。

日本語の「あお」とは緑（yes）と青（no）――お互いに対立する原色――が融合しあっている、摩訶不思議な言葉だ。青も深くなり、群青色（midnight blue）になると、死に誘われる。greenは「生」に近く、blueは「死」に接近する。英語のwaは、wから始まる。「w」から始まる。日本人はunitedをユナイテッドとカタカナ発音するが、正確にいえば、「ゆうないてっど」となる。「う」音が入り、強音になるから、呼吸が深くなる。

この「わ」が謎だ。「春はあけぼの」（Spring is dawn.）は訳せない。「浅草は雷門」、これも英訳ができない。英語とは主語がないと作文ができないから、英文法とは難儀なものだ。チョムスキーが日本語の世界に入り、主語不明な古文の世界に迷入すれば、半年で発狂し、1年で日本から敵前逃亡をするだろう。

壮絶な西南戦争を唱った「田原坂」の一節には泣かされる。「山に屍、川に血流る、肥薩の天地、秋にさびし」は訳せない。秋がさびしいって？　秋に感覚があるのか。主語が消えている。「は」も「が」もない。

「私“は”（も）責任を感じる」はI'm responsible.だが、「私“が”」となると、I'm accountable.となる。～に対して（to）、～に対して（for）がない。主語は血なまぐさい戦場を目撃した秋という情景のなかに、埋没されている。

日本語は、古文の時代から、主語を忖度する言語なのだ。同時通訳の我が師を殺したのは、この日本語というdevil's languageではなかったか。日本人でも難解な、「は」と「が」の相違を瞬時に捉えて訳すのが、通訳という因果な仕事なのだ。

日本は偉大な「村」だ。大企業も「村」だ。村はモノやココロが群れるところで、そこには「個」がない。あるのは「空気」だけ。死にものぐるいになって、英語を学んだ結果わかったことだが、この国は「は」（偶数evens）が存在して、「が」（奇数odds）が抹殺される運命共同体だ。このべたべたした（extremely even）村（単一言語国家）がいつまで続くのだろうか。町が息を殺して見守っている。

wakatta-moh-iiyo

わかった。もういいよ。　Fine.

日本人の「わかった」は、オノマトペに近い。メリルリンチの大物が、「金融を自由化してくれるね」と金融開国を迫った。某会長は、「わかりました」と静かに答えた。そのとき交渉通訳をしていた私は困り、「会長、わかりましたとはどういう意味ですか」と聞いた。イエスではなく、「考えておく」ということらしい。

映画では、「わかった」「勝手にしろ」「こちらも好きなようにさせてもらう」という場合によく使われるのが、Fine.だ。「いいね」ではない。「わかってるよ」とか、「これ以上、話は無駄だ」というくらいの覚悟が含まれることもある。

wakaru-wakaru

わかるわかる　plausible / understandable

大阪を「情」とすると、東京は「知」。乾いている。ひらがなより、カタカナ好み。東京人受けする知の文筆家である三島由紀夫は、オノマトペを嫌った。定義できない「情」をオノマトペで逃げることが知的怠惰につながるとでも……？　しかし、ローカル色を塗りつぶし、翻訳が容易な標準語だけが日本語なのか。地方出身者が多数を占める東京人は、わかるわかる（understandable）とうなずきながら、That sounds plausible.（ごもっとも）と、エリート受けする無難な標準語を使う。plausibleは、50％以上の70％以下ぐらいかな……。「なるほどね」ではまだpossible。大阪では「なあーるほど」と強い母音を使うか、「なるほどなるほど」と繰り返すようなときにplausibleとなる。東京人や進学塾の人には、understandableを勧める。うんうんと首をたてに振らせる程度の確率なのだ。

あとがき

日本は奇数と偶数がタンゴを踊るオノマトペ劇場なのだ。ダンサーは奇数のoddsくん、偶数のevensさん。英語で考えるとは、奇（凸）か偶（凹）かという「or思考」のことだ。だが日本は神話時代から「奇」と「偶」が結ばれる「and思考」の国だ。相反する思考がしっかりと（tightly）結ばれている。日本はor（分裂）でもand（融和）の「響き」（vibration）でも結ばれる世にも不思議な国なのだ。この両極が寄り添い響きあったときに、オノマトペという、あまりにも日本的な相乗り現象（even each other out）が起こったのだった。

脱稿のために訪れた綾部で、恒例の稲刈りが９月17日雨天下で決行された。映画『美味しいごはん』の字幕翻訳に着手し始めた頃から１年半、どっぷりとオノマトペ文化につかってしまった。「漬(つ)かる」という水偏も水だ。オノマトペの霊は「水」（霊）であった。さらにいえば、オノマトペは水と火のまぐわい（性交）から産み出された、危険なタンゴなのだ。まぐわいがまかないと結びあって、映画『美味しいごはん』や『結美大学』が誕生したのだ。

水と米の「形」は６角形の水と８角形の米のシンボルで、どちらも偶数だが、奇数の５角形の火という、縁結びの神（cupid）の存在が欠かせない。この6、５、８という神しくみが綾なす、綾部という地は、げに、奇(く)しき聖地だ。突然の慈雨（神道用語）に恵まれ、生徒も先生も裏方もびしゃびしゃ（soaking wet）になりながら、歓喜に包まれて稲穂を刈っていたのだ。

「センセ、この地はオノマトペばっかりですわ」と仲間たちが懐かしい大阪弁で話しかけ、私のオノマトペ企画に協力したいと言ってくれる。雨が「ぽつりぽつり」と降り始めると、「しとしと」と泣き出しそうになる。雨、雨、降れ、降れ、もっと降れ、と我を忘れて、酒を飲みながら演歌を歌えば、もっともっと泣きたくなる。そこでは理性はその翳(かげ)を潜める。

生命にとり、6角形の㊌は、みずみずしく、vital（いきいきしている）である。水の字は響く（vibrate)。英文法のSVO（P）のVは動詞（verb）ではなく、振動（vibration）に違いないと考えていた挙句(あげく)、「響き」の英文法（vibrational grammar）が生まれた。──再びこの地で。

大阪は言霊の咲き交うまほろば（sanctuary）なのだ。そうか、Vの国かあー。

Vは重なる。うんうん、せやせや、ちゃうちゃうと、言葉は重なりたがるというのが、大阪というオノマトペ王国だ。

V（vibrate）が重なってW（waves）になって広がる。woman（girlでなく、子宮〈womb〉があって産める母）は、子を産み、子孫を繁栄させる。千代に八千代に。永遠にオノマトペ文化の古神道には、一神教好みの終末はない。はじめも終わりもない。ビッグ・バンもない。最初に「響き」ありなのだ。響きはオノマトペの母なのだ。

この前、映画『美味しいごはん』の応援団スタッフが、私のところへ駆けつけて、「君が代」の超訳を頼むと、再び難題を吹っかけられる。

北生駒の寺院に閉じこもって、「君が代」の英訳にとりかかった。こりゃムリだと、何度もさじを投げ出し、断ろうとしたが、もう特攻隊員として空中に舞い上がったところだ。男の意地で、引き返すわけにはいかない。

この「君が代」の英訳を、日本人が、そして多くの外国人が英語で唱うことができれば、日本人が誇りを取り戻し、日本の、そして日本の先祖を、正しく愛することができるのでは、との“想い”（deep love）と祈りを込めて超訳した。

日教組から逃げ出した勇気ある先生たちと、倭建命が望郷の念を募らせたという平群の里を、郷土歴史家とともに訪れた。ここは長屋王の安住の地でもある。権力を誇る藤原一族の讒言（slander）で、一族が抹殺された、平群族の怨念の呻き（grunts and groans）が聞こえてきた。道友（結美大学）の小名木善行氏がここにいたら、「私にも聞こえました」と同意してくれるだろう。ここにも、菅原道真のような、悲劇の英雄が眠っていたのか。

藤原一族よりもっともっと強力で、心なきメディアの横暴により、fake newsで葬られた死霊（英霊）を含め、多くの罪なき愛国者が泣かされてきた。私は古墳の中まで入り、故人の冥福を祈った。うおーん、うおーんと号泣している、柩内から響く声を聞きとった――しっかりと。I heard what I heard. I felt what I felt.

いまからたしか7年前になるか。あの深夜の伊吹山の山上で迎えてくれた、幾万匹という蛍（間違いなく英霊）の軍団。その前で、鎮魂の「君が代」を英語で唱う――オノマトペの霊力にあやかって――のがいまの私の夢だ。

松本道弘

完

難訳・和英オノマトペ辞典

The Unafraid Onomatopoeia Dictionary from Japanese to English

五十音索引

〔あ〕

〔い〕

〔う〕

〔き〕

き

く

〔さ〕

〔し〕

し

索引

〔す〕

〔そ〕

〔た〕

〔ち〕

つ

〔つ〕

〔ぬ〕

〔ね〕

は

〔の〕

〔は〕

〔ひ〕

ふ

索引

〔ま〕

ま

〔み〕

〔む〕

〔め〕

〔も〕

〔や〕

〔ゆ〕

〔り〕

〔る〕

〔わ〕

松本道弘

1940年、大阪府に生まれる。国際ディベート学会会長。関西学院大学を卒業し、日商岩井、アメリカ大使館同時通訳者、日興証券（国際業務役員秘書）、NHK教育テレビ上級英会話番組「STEP Ⅱ」講師などを経る。世界初の英語による異文化コミュニケーション検定「ICEE」を開発。日本にディベートを広めたことでも知られる。インターネットテレビ「NONES CHANNEL」で「GLOBAL INSIDE」に出演。英語道の私塾「紘道館」館長。
著書には『最新日米口語辞典』（共編、朝日出版社）、『速読の英語』『超訳　武士道』（以上、プレジデント社）、『中国人、韓国人、アメリカ人の言い分を論破する法』（講談社）、『難訳・和英口語辞典』『難訳・和英「語感」辞典』『難訳・和英ビジネス語辞典』『アメリカ大使館 神といわれた同時通訳者』（以上、さくら舎）など170冊近くがある。

The Unafraid Onomatopoeia Dictionary from Japanese to English

2020年11月12日　第1刷発行

著者　松本道弘（まつもとみちひろ）
発行者　古屋信吾
発行所　株式会社さくら舎　http://www.sakurasha.com
〒102-0071　東京都千代田区富士見1-2-11
電話（営業）03-5211-6533
電話（編集）03-5211-6480
FAX　03-5211-6481　振替　00190-8-402060
装幀　石間 淳
印刷・製本　株式会社新藤慶昌堂

ISBN978-4-86581-272-5